Kompaß-Bücherei · Band 35

Hoch über den Wäldern am Fluß ragt die Zeitspirale auf. Mitunter verstärkt sich ihr kupfernes Glühen, steigen geheimnisvoll knisternde Funken zum Himmel. Gleich wird Si Jhuls Reise in die Vergangenheit beginnen. Die junge Wissenschaftlerin hat den Auftrag, die Ursache der Seebeben zu finden, die die Erdkruste im Atlantik zu sprengen drohen. Doch kaum ist Si Jhul im 20. Jahrhundert angelangt, als die Verbindung zu ihr abreißt. Verzweifelt versuchen die Techniker des Instituts für Zeitverspiegelung den Kontakt wiederherzustellen, denn die Lage wird immer bedrohlicher: Radioaktivität verseucht den Ozean, Magma drängt durch die Risse des Meeresbodens. Rettung könnte Jochen Märzbach bringen, ein Meeresagronom, der um den Ursprung jener unerklärlichen Vorgänge weiß. Aber es ist noch nie gelungen, einen Menschen in die Zukunft zu versetzen.

Oder sollte das Bild auf dem Zeitschirm, das Jochen Märzbach zusammen mit dem Studenten Asko in einem Raumkreuzer zeigt, mehr als eine Vision sein?

# Carlos Rasch

# Magma am Himmel

Wissenschaftlich-phantastischer
Roman

*Der Mensch der Zukunft ist
zu großen Teilen heute schon
vorhanden.*

*Ihnen Gutes zur Lektüre*

*Carlos Rasch*

*20. 8. 93*

*Falkensee*

Verlag Neues Leben Berlin

Illustrationen von Rudolf Grapentin

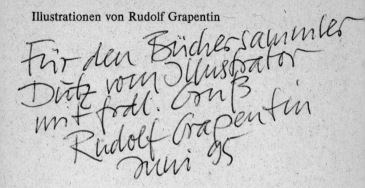

ISBN 3-355-00315-8

© Verlag Neues Leben, Berlin 1975
Lizenz-Nr. 303 (305/164/87)
LSV 7503
Umschlag: Rudolf Grapentin
Typografie: Ingrid Engmann
Schrift: 9p Timeless
Gesamtherstellung: GG Völkerfreundschaft Dresden
Bestell-Nr. 644 1813
00290

# TEIL I

## Das Rätsel im Atlantik
## Count down im Zeitlabor

*Es kann nur der ein erfolgreicher Wissenschaft-
ler sein, der auch Phantasie und genug Vorstel-
lungskraft besitzt.*

### DIE NACHT DER GROSSEN PAUKE

Schon lange war es Nacht. Aus den Wolken sickerte schwaches Licht. Der warme Wind raubte vom Meer den blanken
Glanz der Wellen und streute ihn bis tief ins Land.
Sie standen im Freien vor ihrem Haus und lauschten. Keines
der Fenster war erleuchtet. Das große dunkle Gebäude war
das einzige auf Meilen entlang der Küste. Nur das leise Rauschen des Wellenschlages drang vom Strand herüber. Es ließ
das eintönige Zirpen der Zikaden noch deutlicher werden.
Doch das war es nicht, worauf sie lauschten.
Abermals schwebte dieser eigenartige Summton aus den Hügeln heran. Zuerst kaum hörbar, schwoll das dunkle, melodi-
sche Vibrieren rasch an, aber nur so lange, bis es kaum lauter als das Rauschen des Meeres und das Zirpen der Zikaden
war, um dann langsam zu verwehen.
Aus einer anderen Richtung drang ein schnarrendes Knir-
schen herüber, ein Laut, der von keinem Tier stammte. Er
gehörte nicht in dieses Land mit seiner afrikanischen Tier-
und Pflanzenwelt. Bestenfalls paßte er in eine vergangene
Zeit, als vor hundert Jahren die Strahlungsfront im Kosmos
vorüberzog und Klimaschwankungen mit langanhaltenden
Stürmen auf der Erde auslöste.
Eine kurze Pause entstand, bevor aus der nahen Dschungelinsel eine Kette von Paukenschlägen wie ein unterirdisches
Donnergrollen ertönte.

Schnell erstarb dieser Wirbel wieder.

Mehrere Minuten vergingen, in denen nichts geschah. Dann nahm fern eine Trommel ohne Regel und Rhythmus ihr hartnäckiges Pochen auf. Dieses Trommeln pflanzte sich fort, kam näher und verrieselte erst dort, wo sie alle den Palmenhain wußten.

Zufällig wandte Ge Nil den Kopf zum Meer. Deshalb sah er, wie eine Segeljacht lautlos durch die Brandung trieb und den Steg erreichte. Während ein Mann das Tuch reffte und das Boot festmachte, kam ein anderer auf das dunkle Haus zu. Sie erhielten aus der Nachbarschaft vom Makrogen der Fischer Besuch.

„Kaik Hans und sein Bruder kommen", sagte Ge Nil.

Niemand achtete auf seine Ankündigung. Tuo Ibso, Lira Barro, Odetta Morro, Gru Kilmag, Parola Kiss, Rededa Dess, Ari Bomm, Sema Sommer und Sofio Lenn, sie alle standen vor dem Haus in der Nacht und warteten auf das nächste ferne Summen, den nächsten kratzigen Glockenton, auf Paukenschlag und Trommelwirbel.

Kaik Hans stapfte durch den Sand, durchquerte die Dünen und bekam endlich festen, mit Gras bewachsenen Boden unter die Füße.

„Langes Leben", sagte er zur Begrüßung. „Ihr seid alle draußen?" fragte er erstaunt. „Was treibt ihr für merkwürdige Dinge? Nacht für Nacht hört man neuerdings aus eurer Gegend Lärm. Ihr weckt mit eurem Trommeln sogar die Leute in Lu-A-Randa und in Mos-A-Dreles auf", versuchte er zu scherzen.

„Wir trommeln nicht", sagte Lira Barro.

„Ihr nicht? Wer denn dann?" Kaik Hans war verblüfft. „Die Delphs sagen doch, ihr macht ein Experiment. Sie haben den Krach bis hinaus aufs Meer gehört."

„Die Delphs mögen kluge Wesen sein, aber ihr Reich ist das Wasser. Vom Land verstehen sie nicht viel. Wir jedenfalls machen keine Versuche", sagte Gru Kilmag.

„Na eben, das dachte ich mir auch", gab Kaik Hans zu. „Wozu solltet ihr trommeln? Ihr habt gewiß genug Arbeit im Tiefbunker bei der Bebenwarte und mit dem Tiefseewerk im Mendele-Graben dort draußen im Atlantik."

Wieder drang das Summen durch den warmen Wind der

Nacht. Und dann sprang ein kurzes Klirren zu den Wolken hinauf.

„Manchmal harft es so beim ersten Morgenrot", erklärte Odetta Moro leise. „Es hängt mit der Vibration zusammen, die entsteht, wenn abgekühlte windstille Luftmassen über einem weiten flachen Land von den ersten Strahlen der Sonne getroffen werden. Aber diese Geräusche hier haben damit nichts zu tun, denn noch ist es nicht kühl; und bis zum Morgen sind es noch ein paar Stunden."

Sie horchten auf den Nachhall dieses Harfens, das in dem Singen der Zikaden weiterzuleben schien.

„Es ist geisterhaft", murmelte Parola Kiss.

„Nun ja, es wirkt unheimlich", gestand der Besucher. „Aber Geister aus dem uralten Afrika werden es doch wohl nicht sein", fügte er hinzu und schmunzelte spöttisch.

„Natürlich nicht", brummte Ari Bomm ärgerlich, weil selbstverständlich niemand an Geister glaubte. Geister gehörten ins Mittelalter, nicht aber in die Epoche des dritten Sternenzeitalters.

„Na also! Dann habt ihr wahrscheinlich schon festgestellt, was da so in der Nacht herumtrommelt", sagte Kaik Hans und blickte sie neugierig der Reihe nach an.

„Noch nicht." Sema Sommer war es, die diesmal geantwortet hatte, aber nur ungern.

Auf dem Gesicht des Besuchers entstand ein verwunderter Ausdruck. Sie merkten alle, wie er über ihre Unschlüssigkeit erstaunt war.

„Ich weiß, was du sagen willst, Kaik Hans, nämlich: Prüft nach, was da vorgeht!" sagte Rededa Dess. „Wir haben nachgesehen, aber ohne Ergebnis. Wir waren in den beiden letzten Tagen früh am Morgen immer unterwegs, um hinter das Geheimnis der Trommeln zu kommen. In den ersten Nächten haben uns die Trommeln nicht so sehr gestört. Wir schliefen fest. Erst als der eine oder der andere von uns wach wurde, fingen wir an, uns Gedanken zu machen. Und dann haben wir nachgesehen."

„Na und? Wie sieht das Ergebnis aus?" Kaik Hans wollte gelassen wirken. Aber die Frage war ihm zu schnell entschlüpft. Sie verriet seine wachsende Spannung an dem rätselhaften Vorgang dort draußen in der Nacht.

„Wir fanden nur Spuren, viele Spuren, kreuz und quer, bis
zu zwei Kilometer von unserem Haus entfernt zwischen den
Hügeln, an der Dschungelinsel und im Palmenhain. Sogar
auf den Dünen vor unserer Terrasse, auf dem Strand bis hin
zum Wasser. Dort verschwanden die Spuren", berichtete Sofio Lenn nüchtern.
„Oder sie führten vielleicht auch aus dem Meer heraus",
sagte Gru Kilmag mit einem versteckten Lächeln.
Unwillkürlich wandte Kaik Hans den Kopf und spähte prüfend zum Steg, um zu sehen, ob die Segeljacht noch wohl-
vertäut war. Sie bemerkten es und lachten darüber: Parola,
Rededa und auch Tuo Ibso. Kaik Hans verübelte es ihnen
nicht und stimmte selbst mit ein.
„Töne von Pauken, Trommeln und Gongs haben für gewöhnlich keine Füße, mit denen sie Spuren hinterlassen können",
sagte er.
„Nein, das haben sie nicht", pflichtete ihm Lira Barro bei.
Plötzlich huschten zwei kleine langarmige schwarze Gestalten geduckt heran und sprangen auf die Arme von Lira Barro
und Sofio Lenn. Sie quietschten leise und aufgeregt. Der
Gast erschrak und trat unwillkürlich zurück. Es waren aber
nur die beiden Gibbons Aka Aki und Aki Ol. Sie waren eines der Affenpärchen aus dem Reservat der nahen Dschungelinsel, mit denen die Gruppe sich angefreundet hatte. Die
fremden Geräusche in der Nacht hatten die beiden Tiere
ängstlich gemacht und sie von den Schlafbäumen zu ihren
großen Beschützern flüchten lassen.
„Sagtest du: Gong?" fragte Rededa Dess plötzlich. „Wie
kommst du auf Gong?" Ein Verdacht regte sich in ihr.
„Ich meine nicht dieses Harfen, sondern einen anderen Ton,
einen Summton. Es klingt, als würde ein riesiger Gong geschlagen, so einer von mindestens zwei Metern Durchmesser", sagte Kaik Hans.
„Er hat recht", stimmte ihm Odetta zu. „Auf den Gedanken
sind wir noch nicht gekommen. Es hilft uns aber auch nicht,
das Rätsel zu lösen."
„Welcher Mensch macht denn so etwas und schleppt riesige
Gongs, Kesselpauken und Trommeln durch die Nacht, nur
um sie hier oder dort anzuschlagen", protestierte Ari
Bomm.

„Wieso müssen es Menschen sein?" fragte Kaik Hans. „Wenn die Spuren bis zum Strand ans Wasser führen, dann kann man den Delphs glauben. Sie haben mir signalisiert: Ein Experiment findet statt, und Technos sind unterwegs!"

Ihr Gespräch verstummte, denn sie hatten undeutlich den schattenhaften Umriß einer Gestalt wahrgenommen, die durch die Dünen stapfte. Gleich danach rollte wieder ein Trommelwirbel durch die Nacht. All dieses Trommeln, Harfen, Summen, Rasseln und Klirren war zu ertragen, nicht aber die dumpfen Paukenschläge, die zwar selten erklangen, dann aber um so mächtiger hallten und mit einem scharfen reißenden Geräusch verbunden waren, das an den Nerven zerrte.

„Technos? Ach, meinst du?" fragte Parola.

Sofio Lenn schüttelte den Kopf. „Den Spuren im Sand oder im Gras kann man es nur schlecht ansehen, ob sie von Menschen oder von Technos stammen. Von den Gibbons sind sie jedenfalls nicht; die wollen selbst ihre Nachtruhe haben", sagte er und kraulte Aki Ol das Fell. „Jedenfalls sind wir nicht darin geübt, Spuren zu lesen. Und selbst wenn es Technos wären, müßten doch Menschen damit zu tun haben. Ohne Weisung vollführt kein Techno einen solch seltsamen Lärm in der Nacht."

„Hört zu!" sagte Sema Sommer entschlossen. „Jetzt gehe ich nachsehen und nicht erst früh im ersten Tageslicht, wenn die Trommeln schon wieder aufgehört haben."

„Ich begleite dich", bot ihr Tuo Ibso an. „Laß uns zu Fuß gehen. Man kann dann besser beobachten."

Odetta wisperte mit Ari Bomm. „Wir wollen die Sache auch mit auskundschaften", gab sie dann bekannt. „Aber Ari und ich nehmen einen Schweber. Mit dem stoßen wir sofort bis zur Dschungelinsel durch."

„Bravo! Gut so", spornte Kaik Hans ihren Eifer an.

„Nehmt mich mit", bat Rededa. „Gespenster zu jagen, das würde mir auch Spaß machen. Im Schweber werden uns die vielfüßigen Töne sicherlich nichts anhaben können", spottete sie.

Während fünf von ihnen zu Fuß oder im Schweber in der Nacht verschwanden, setzten sich alle anderen auf die Stufen, die zum Portal des Hauses hinaufführten.

Aus der Richtung, in die der Schweber geglitten war, zersprang bald etwas mit einem tiefen Glockenton. Die Geräusche erklangen jedoch weiter. Der stetige warme Luftstrom von See her wurde frischer, hörte dann aber ganz auf. Bei der Dschungelinsel stieß das Scheinwerferlicht des Schwebers torkelnd hin und her, als hätten sie dort ein bewegliches Objekt im Strahl, das gejagt wurde.

„Wo ist eigentlich Asko?" fragte Ge Nil. „Schläft er etwa trotz all unserer Aufregung?"

„Wir haben ihn schon mehrere Tage lang nicht gesehen", antwortete Lira.

„Er hat Nachtdienst unten im Bunker an den Meßpulten der Bebenwarte", sagte Parola.

„Stimmt", bestätigte Tuo Ibso. „Er bat darum, gleich zehn Tage lang hintereinander für den Nachtdienst eingesetzt zu werden. Ich habe es ihm erlaubt, weil er irgendeine besondere Erscheinung, die hauptsächlich nachts auftritt, an den Seismographen studieren will. Er meinte, unsere Universität in Mos-A-Dreles könnte das interessieren."

„Mag er es ruhig noch einmal zehn Tage lang tun!" rief Lira. „Um so besser für uns. Ich jedenfalls bin auf den Nachtdienst in der Meßbasis nicht versessen. Mir liegt die Arbeit im Mendele-Tief im Flotationswerk mehr. In der Meßbasis kann man immer nur Zeigerausschläge, Schlängelkurven auf den Schirmen und Computertabellen sehen."

„Das dachte ich mir fast schon, daß du beim Dienst in der Meßbasis kaum auf die Werte achtest. Falls die dünnste Stelle des Meeresbodens über dem Magma der Tiefe aufbricht, würdest du das sicherlich erst bemerken, wenn die tektonischen Stoßwellen schon die Küste erreicht haben", sagte Gru Kilmag.

„Das wird kaum geschehen", verteidigte sich Lira. „Wieso sollte es gerade in meinen Dienst fallen, daß das atlantische Epizentrum aufbricht. Etwa alle zwei Tage bebt es dort ein wenig, und dann ist alles wieder still. Unser Studienmakrogen wird dort nie eine Eruption registrieren, selbst wenn wir noch zwanzig oder dreißig Jahre diese Aufgabe, die Bebenwarte zu betreuen, behalten sollten. Die Erde ist schon zu alt, um noch neue Vulkane entstehen zu lassen."

Sie sprangen plötzlich von den Stufen auf und reckten die Hälse. Eine Serie gedämpfter Gongschläge ertönte. Deutlich war ein Rhythmus herauszuhören. Er klang nicht so, als würde ein Notsignal gegeben, sondern eher so, als mache das Gongen großen Spaß. Mit dem siebenten oder achten Schlag drang eine Stimme zu ihnen durch, vielleicht aus vierhundert Meter Entfernung. Das war Sema Sommer. Sie rief: „He-e-e-e-e-jooo h-e-e! Es sind Techno-o-os!" Und dann gongte sie wieder ein paarmal kräftig.

„Also doch Technos. Da besteht keine Gefahr", stellte Parola aufatmend fest.

„Doch! Die Roboter müssen einen Schaden haben, und das ist nicht ungefährlich", widersprach Gru Kilmag.

„Ach nein, es ist nichts zu befürchten", meinte Ge Nil gleichmütig. Er hatte schon lange nichts mehr in dieser Nacht gesagt. „Die Technos scheinen nur einen Scherz auszuführen, den irgend jemand mit uns treibt."

Er setzte sich in Richtung der Gongschläge in Bewegung, um Sema Sommer entgegenzugehen. Die anderen folgten ihm. Dann aber fiel ein berstender Paukenschlag mit einem gräßlichen Unterton zerfetzenden Reißens über sie her, bei dem ihre Schritte gleich wieder stockten. Nahe der Dschungelinsel schossen die Scheinwerfer des Schwebers abermals wie bei einer Hetzjagd hin und her. Plötzlich erloschen sie.

Die Zikaden hatten für einen Augenblick ihren Eifer vergessen. Erst als alles wieder ruhig war, zirpten ein paar weiter, denen das Heer der anderen sofort folgte.

Lira und Parola kehrten zu den Stufen des Hauses zurück. Auch die Männer hatten keine Lust mehr, durch die Nacht zum Gong zu stolpern. Nur Aka Aki und Aki Ol schwangen plötzlich ihre bepelzten spinnenartigen Affenarme, sprangen zu Boden und liefen weg. Sie hatten vertraute Geräusche gehört.

Bald danach erschienen Sema Sommer und Tuo Ibso aus dieser Richtung. Die beiden Gibbons waren ihnen entgegengelaufen. Auch der Schweber mit Odetta, Rededa und Ari Bomm kam zurück. Aber alle umringten erst einmal Sema Sommer.

„Erzähle", verlangte Kaik Hans ungeduldig.

Sema Sommer lächelte. „Das wird keine lange und auch

keine abenteuerliche Geschichte", sagte sie. „Tuo Ibso und ich gingen leise und vorsichtig von hier fort. Tuo Ibso bog hier und dort ein paar Zweige zur Seite, und wir verharrten alle Augenblicke, um zu lauschen. Es war alles ruhig. Wir mochten ungefähr zweihundert Schritte gegangen sein und verschnauften erst einmal wieder, und zwar dort, wo ein Stück der alten verwitterten Landstraße aus Asphalt noch zu sehen ist, die es hier vor über hundert Jahren gegeben haben muß, bevor die Gravoschweber allgemein im Bodenverkehr benutzt wurden. Ich fand eine Mulde und kniete mich hinein, auch Tuo Ibso verbarg sich. Wir beobachteten die Umgebung. Die Straße war gut zu überblicken. Wir hatten Glück und wurden auf keine Geduldsprobe gestellt. Buchstäblich vor unseren Augen trat auf der gegenüberliegenden Seite der alten Straße eine Gestalt aus dem Unterholz. Sie ging aufrecht und unternahm keinerlei Anstrengungen, sich irgendwie zu verstecken. Man konnte die Umrisse der Figur gegen den aufgehellten Nachthimmel gut erkennen. Den Gang dieser Gestalt kannte ich. Es war eindeutig ein Techno, sicherlich sogar einer der unsrigen. Tuo Ibso kam zu mir und duckte sich neben mich. Er flüsterte: ,Nicht ansprechen! Abwarten!' – Erzähle du jetzt weiter!" forderte Sema Sommer ihren Begleiter auf.

„Der Roboter hatte keine Eile", sagte Tuo Ibso. „Im Gegenteil. Er stellte sich mitten auf die alte Straße und trat dabei das lange dürre Gras nieder, das aus den Rissen der Fahrbahn wächst. Dort wartete er. Wir erkannten etwas in seinem Greifer, das ein Kästchen sein mochte. Deutlich war das allerdings nicht zu sehen. Aber auf keinen Fall war es eine Trommel oder eine Kesselpauke. Schon ein paar Augenblicke später marschierten gleich drei Technos im Gleichschritt auf der alten Straße heran. Sie stellten sich neben dem ersten auf. So ging das weiter. Mal schlug sich einer aus dieser Richtung durch das Gebüsch, mal einer aus der anderen. Alle nahmen sie ordentlich Aufstellung. Ich überlegte gerade, ob wir uns bemerkbar machen und die Gesellschaft vor uns fragen sollten, was diese Roboterversammlung so mitten in der Nacht zu bedeuten habe, als plötzlich sechs von ihnen wie auf ein unhörbares Kommando aktiviert wurden und nach verschiedenen Seiten auseinanderliefen. Zwei bewegten sich in unsere Richtung, machten aber einen Bogen um uns, ehe sie verschwanden, denn selbstverständlich hatten sie uns längst registriert. Ihre Schritte wurden schnell leiser. Das Zirpen der Zikaden überdeckte sie bald. Aus der Reihe der übrigen Roboter machte einer drei Schritte auf uns zu und sagte: ,Herr und Herrin! Erschreckt nicht. Achtung! In fünf Sekunden erfolgt Gongschlag aus Richtung Nordost achtzehn Grad, Entfernung zweihundertvierunddreißig Meter. Nachfolgend Trommelwirbel über Sechserkette von Ost nach West'."

„Wir rappelten uns auf und klopften Laub und Grashalme von unserer Kleidung ab", setzte Sema Sommer den Bericht fort. „,Danke!' sagte ich zu dem Techno. ,Was habt ihr hier für eine Aufgabe?'

,Ein Experiment', sagte der Techno.

,Wer gibt die Anweisungen dazu?'

,Unbekannt. Eintreffen über Funk.'

,Woher?'

,Moho-Pult, Herrin.'

,Moho-Pult?'

,Moho-Pult richtig, Herrin.'

,Und was für Anweisungen sind das?'

,Standortwechsel mit Lautsprecherbox. Zielpunkt jedesmal woanders.'

,Und was dann?'

,Dann Tonabstrahlung. Danach zurück zur alten Straße. Warten.' "

„Inzwischen hatte, wie vom Roboter angekündigt, der Gong geschlagen", erzählte Tuo Ibso. „Jetzt, wo wir näher am Ausgangspunkt dieses Tones waren, summte er kräftiger und länger in den Ohren. Ehe uns die Richtung, aus der er kam, verlorenging, ließen wir die Roboter stehen und überquerten die alte Asphaltstraße. Wir brauchten nicht mehr vorsichtig zu sein, denn das Geheimnis, das uns in den letzten Nächten umgeben hatte, war schon halb gelüftet. Die Technos, die diese seltsamen Nachtkonzerte unter einer unbekannten Regie veranstalteten, waren harmlos. Ich weiß gar nicht, warum wir uns ein bißchen gefürchtet hatten ..."

„Wir liefen schnell, und wir hörten einmal auch fremde Schritte in der Nähe. Es war sicherlich wieder einer der

Technos. Wir achteten nicht auf ihn, ebenso wie wir auch nicht mehr auf das Trommeln der Kette von Robotern achteten, jener sechs, die wir gesehen hatten, als sie aktiviert wurden und losgingen. Da der Gongton immer vom gleichen Punkt im Gelände ausging, ebenso wie auch die Paukenschläge immer nur vom Dschungelrand ertönten, erwarteten wir eine weitere Entdeckung. Was das sein würde, das konnte ich mir nicht vorstellen. Wir strebten dem Hügel mit dem kahlen Baobab zu. Plötzlich lichtete sich das Gewölk noch mehr. Über uns rissen die Wolken auf, und der Widerschein des noch tief am Horizont stehenden Mondes fiel auf die Landschaft. Der Hügel lag deutlich vor uns. An einem der Äste des gewaltigen Baumes hing etwas, das groß und rund war und im Mondlicht in einem matten, ganz schwachen Glühen schimmerte. Es starrte uns von dort oben wie ein riesiges schläfriges Auge an. Das war die Gongscheibe. Nur halb so groß wie der Gong stand daneben ein Techno, seltsam anzusehen in seiner Unbeweglichkeit. Der Techno hielt schlagbereit einen wuchtigen Filzhammer an einem meterlangen Stiel empor. Dieses Bild war voll düsterer märchenhafter Schönheit, die aus einer fernen alten Zeit zu stammen schien. Selbst der Techno störte hierbei nicht. Er wirkte wie ein altes Standbild."

„Sema Sommer hielt mich fest und sagte: ‚Laß uns warten, bis er gongt. Ich muß das einmal sehen, ehe wir diesem Spuk ein Ende machen. Es ist wie ein Zauber, der auf dieser Szene liegt.' Als dann der Schlag erfolgte, bekam ich eine Gänsehaut. Die Vibration des Tons prickelte bis ins Mark. Es kribbelte auf meiner Haut, überall am ganzen Körper, so als stünde sie unter einem Stromstoß. Auch als der Ton längst verhallt war, brummte mir immer noch das Ohr. Sema Sommer lief zum Baobab, suchte im Gras einen Knüppel und wickelte ihre Jacke um ihn herum. Damit schlug sie ein paarmal mit großem Vergnügen auf den riesigen Gong."

„Der gewaltige Filzhammer war wohl nichts für dich? Mit dem wärst du vielleicht umgefallen, nicht wahr?" fragte Sofio Lenn und lachte.

Tuo Ibso nickte und antwortete für Sema Sommer. „Ihre Kraft war nicht so groß wie die des Technos. Der Gong kam von ihren Hieben kaum zum Schwingen. Und dann rief sie.

Ihr habt sie ja gehört. Auf dem Rückweg erzählte sie mir, daß jemand von uns vor einem Monat erwähnt habe, er verreise für zwei Tage, um eine Rarität, einen großen Gong zu besorgen. Mir hat Sema jedoch nicht verraten, wer derjenige war."

„Ich werde euch das Rätsel lösen helfen!" rief Sema Sommer vergnügt. „Kommt mit! Nehmt die Schweber! Wir fahren in die unterirdische Meßbasis. Am Mohorovicic-Komplex werden wir mehr erfahren."

In dem großen Haus und in seiner Umgebung gingen die Lichter an. Es hüllte sich in einen strahlenden Glanz ein, der verkündete, wie erleichtert all seine Bewohner waren, weil die Fragen, die sie beschäftigten, nun beantwortet werden sollten. Sie liefen durcheinander und gruppierten sich dann lärmend um Odetta, Rededa und Ari Bomm, um zu hören, wie jene auf etwas Jagd gemacht hatten, das schließlich nur ein harmloser Roboter gewesen war.

Als die Schweber herangeschaukelt kamen, bestiegen sie die Fahrzeuge in bunten Gruppen, fuhren ein Stück durch die Nacht bis hinüber zum Tunneleingang und steuerten in die Kasematten der Meßbasis.

Überrascht hielt Ge Nil den ersten Schweber an der Einfahrt an. Auf dem Felsblock neben dem Tunneleingang stand Asko. Dabei wäre sein Platz unten vor den Pulten der Meßbasis gewesen.

„Fahrt zu", sagte Asko ruhig. „Ihr seid auf der richtigen Fährte. Ich komme gleich nach und erkläre euch alles."

„Hast du etwas mit den Trommelgespenstern zu tun?" fragte Lira.

Asko bestätigte es. „War euch mein Experiment in den letzten Nächten sehr lästig?" wollte er wissen.

„Es hat uns Nerven gekostet."

„Verrückter Gespenstermacher."

„Das wirst du büßen!"

„Was ist das für ein komisches Experiment?"

„Wann können wir uns den Gong und die Kesselpauke ansehen?"

So riefen sie durcheinander, bevor sich die Schweber wieder in Bewegung setzten und im Tunneleingang verschwanden.

Die Meßbasis empfing sie wie immer mit dem leisen Summen der Geräte. Lautlos glitten Aufzeichner über die Seismogramme, schlugen ab und zu aus und erzeugten Zacken. Der gewaltige Körper des Erdballs kam nie zur Ruhe. Fortwährend fanden Beben statt, die ihre Erschütterungen durch die Kruste und durch die anderen Schichten des Planeten schickten. Die meisten Pulte standen im abgedunkelten Bereich der Basis. Nur der Computerblock mit seinen Antwortschirmen und das Hauptpult, das man nach einem Erdbebenforscher eines früheren Jahrhunderts, Mohorovicic, benannt hatte, waren beleuchtet. Hier beim Moho-Pult liefen die Meßergebnisse vom zentralen Teil des Atlantiks ein, denn dort gab es eine dünne Stelle im Meeresboden über dem Magma der Tiefe. Sie wurde ständig streng kontrolliert, weil es in ihr schon seit mehreren Generationen rumorte. Glücklicherweise war die Erdkruste an dieser Stelle bisher nie aufgebrochen. Aber die Wissenschaftler ließen sich nicht täuschen. Die Universität von Mos-A-Dreles, einer Stadt an der Westküste Afrikas, setzte schon seit mehreren Generationen ein Makrogen, also eine der vielen Wohn- und Lerngemeinschaften von Studenten, zur Überwachung dieser Meeresregionen ein. Seit drei Jahren waren das die jungen Frauen und Männer, die in dieser Nacht vor dem Haus gestanden und in die Dunkelheit gelauscht hatten.

Die Meßbasis umgab sie zwar wie immer mit dem leisen Summen der Geräte und gedämpftem Licht, aber Tuo Ibso und Gru Kilmag bemerkten sofort, daß der Computer die doppelte Aktivität entwickelte als sonst. Sie sahen sich besorgt an und schickten prüfende Blicke zu den Pultreihen der Meßkomplexe. Doch dort gab es keine Anzeichen für einen steigenden Bebenzyklus.

„Seid mal alle ganz still", forderte Odetta sie plötzlich auf.

Ihre lebhafte Unterhaltung verstummte.

Und da hörten sie leise einige Trommeln und eine Harfe hinter der Tür eines angrenzenden Raumes. Ari Bomm stürzte auf sie zu und stieß sie auf. Verdutzt blieb er stehen und betrachtete die seltsame Szene. Seine Gefährten standen dicht hinter ihm und reckten neugierig die Hälse. Sie sahen mehrere Technos, um die Musikinstrumente verteilt waren, vor allem Trommeln jeder Art. Von der Decke hingen

Mikrofone. Ab und zu leuchtete an einer Befehlstafel ein farbiges Licht auf. Dann trommelte, blies, rasselte, harfte oder klirrte einer der Technos mit einem der Instrumente.

„Asko kommt!" rief Kaik Hans, der Besucher aus dem Nachbarmakrogen der Fischer.

Sie drehten sich alle um. Ihre Blicke waren skeptisch und ratlos auf Asko gerichtet. Nur Sema Sommer blinzelte ihm amüsiert zu. Asko, der während seiner Wache am Moho-Pult eigentlich die Meßbasis nicht verlassen sollte, spürte, daß sie eine Erklärung von ihm erwarteten.

„Aha, ihr habt das Orchester schon entdeckt", sagte er und blickte auf die offenstehende Tür zum Nebenraum. Er stoppte mit einem Tastendruck die Anweisungen des Computers an die Technos und schloß die Tür wieder. Dann musterte er sie alle ein paar Augenblicke lang, bevor er tief Luft holte und zu sprechen anfing.

„Wir aus unserem Makrogen benehmen uns fast wie Ameisen", sagte er, „wie Ameisen, die einen riesigen Bau haben und die darin und darauf herumkrabbeln. Wir tun emsig all das, was wir zu tun gelernt haben, ohne viel nachzudenken. Wir erledigen einfach, was die Studiengruppen vor uns auch schon getan haben; aber dieses Ablesen von Tabellen und Vergleichen der Analysen und tektonischen Tageshinweise des Computers ist doch nicht das, was man ein richtiges Forschungsstudium nennt, wie es andere Gruppen betreiben. Wir erledigen unsere Aufgabe, weil natürlich auch wir nicht wollen, daß uns die dünnste Stelle des Meeresbodens eines Tages überrascht und unter der Menschheit an den Ufern des Atlantiks Unheil anrichtet. Wir sehen ein, daß irgend jemand, in diesem Fall wir, diese dünnste Stelle überwachen muß. Die Erde ist die Heimstatt des Menschen im Kosmos. Woanders gibt es im All weit und breit keine Geborgenheit für uns. Es wäre schrecklich, wenn die Erdkruste an ihrer dünnsten Stelle bräche und große Teile unserer Welt vernichtet würden. Aber seit Jahrtausenden rotiert dieser Planet, ohne daß diese dünnste Stelle zerborsten wäre. Was sollte es für einen Grund geben, daß dies in unserem oder im nächsten Jahrhundert geschieht? Die Besorgnis der Wissenschaftler muß noch andere Ursachen haben. Es scheint ein Geheimnis dahinter zu stecken. Wir erledigen gern unsere

Pflicht, gewiß. Aber ich möchte mehr wissen. Die Kurven und Zacken der Seismogramme erzählen mir noch nicht genug. Ich kann so wie ihr darin lesen, als sei es ein Buch. Wir errechnen genau, welche Spannungslinien in welchen Schichten die Erdkruste durchziehen. Unser Verstand wertet alles aus, was die Messungen uns signalisieren oder was von Computern für uns übersetzt wird. Der Planet spricht mit uns. Das ist schon wichtig. Doch reicht das aus? Es muß noch eine andere Bewandtnis mit unserer Meßbasis und der dünnsten Stelle des Meeresbodens im Atlantik haben, vermute ich. Die Universität von Mos-A-Dreles verschweigt uns wahrscheinlich etwas."

Asko machte eine Pause und setzte sich auf eine Sessellehne. Sie kamen näher, vielleicht ein wenig ungeduldig, aber doch bereit, ihm zuzuhören.

„Vielleicht habe ich euch mit dem Trommeln in der Nacht gestört. Ihr könntet es für einen Streich halten und ärgerlich auf mich sein. Eigentlich hatte ich dem Computer in einer Laune auch nur befohlen, die Messungen des Moho-Pultes nicht nur in Kurven umzusetzen, sondern auch in Musik. Von der ersten Probe war ich selbst überrascht. Ich verbrachte eine ganze Nacht damit, und schließlich wurde ein Experiment von längerer Dauer daraus. In jeder Nacht werden nun die gespeicherten Meßdaten eines ganzen Jahrzehntes, vielfach beschleunigt, als Trommelsignale abgespielt. Dazu postiert der Computer die Technos draußen in der Nacht so, wie die Bebenwellen auf der Planetenoberfläche entlanglaufen. Dabei stellt das Gebiet um unser Haus herum im verkleinerten Maßstab die Oberfläche der Erdkugel dar."

„Und vermittelt dir dieses Verfahren tatsächlich Erkenntnisse? Ist es nicht nur ein Chaos von Geräuschen?" fragte Gru Kilmag interessiert. Er ahnte schon, was Asko antworten würde.

„Es ist kein Chaos, und es sind eigentlich auch nicht Erkenntnisse im buchstäblichen Sinne des Wortes. Ich saß anfangs auf dem Felsen neben dem Tunneleingang und horchte einfach in die Nacht. Zuerst wirkte es natürlich sinnlos, dieses Trommeln, Schnarren und Surren. Langsam gewöhnte ich mich an diese Tonkulisse. Sie fing an, mich auf geheimnisvolle Weise zu erfassen, und verriet mir schließlich auf ungewöhnlich lebendige und eindrucksvolle Art, was in der Erdkruste wirklich passiert, wie es zwischen dem Gefüge der Kontinentalschollen und den Basaltblöcken der Gebirge knistert, wie Spannungen in der Erdkruste summen und harfen, wie sie wandern. Hin und wieder reißt dieses Gefüge mit paukentonartigem Bersten, und zwar immer an derselben Stelle. Ich sitze nur da und lausche. Jetzt sind mir die Trommelsignale fast schon so vertraut wie die Kurven der Seismogramme. Die Beben sind nicht nur Tabellen, sondern sie ziehen wie eine Gefahr heran, gegen die man sich wehren muß, wenn man ihr nicht ausgeliefert sein will."

„Das ist doch alles völlig unwissenschaftlich", polterte Ari Bomm los. „Wir sind als Mathematiker, Geologen, Hydrologen und Tektoniker hier, um zu kontrollieren. Die Wissenschaft braucht Zahlen, braucht Messungen und nicht Geräusche. Schlagzeuger oder Mystiker sind keine Wissenschaftler."

„Halt", griff Gru Kilmag ein. „Askos Methode ist zwar ungewöhnlich", gab er zu. „Aber sie ist voller Phantasie. Er sollte seinen Versuch weiterführen. Mich interessiert das Endergebnis. Es kann nichts schaden, wenn die sachlichen Fakten wie Kurven und Zahlen, Diagramme und Mittelwerte über das Bebenzentrum im Atlantik noch durch etwas Erlebtes wie das Getrommel in der Nacht ergänzt werden. Wir wollen doch nicht nur registrierende Wissenschaft betreiben, denn das können wir einem Computer überlassen. Wir wollen weitere Erkenntnisse erwerben, gegebenenfalls auch durch Phonogramme. Asko will doch die Zahlen und Messungen nicht abschaffen, sondern nur den Sinnen und Empfindungen erschließen und sie dadurch ergänzen und vergleichen."

„Die Delphs jedenfalls sind begeistert von diesem Experiment", sagte Kaik Hans. „Sie verstehen sehr viel von solchen Schallbildern. In den letzten Nächten sind sie in großen Schwärmen vor euren Küstenabschnitt geschwommen, um die Trommeln zu hören."

„Was hat eigentlich der Gong zu bedeuten?" fragte Rededa gespannt.

„Er stellt die Gravitationswellen dar, die den Kosmos vom Zentrum der Milchstraße her durchwandern, das Sonnensystem erreichen und die Spannungen in der Erdkruste ebenfalls beeinflussen. Der Gong war zu groß, um ihn durch den Tunnel in die Meßbasis zu den anderen Instrumenten zu schaffen. Da habe ich ihn einfach auf den Hügel mit dem kahlen Baobab gestellt", antwortete Asko.

„Seltsamerweise habe ich in all den Nächten nicht vor dem Gong, sondern vor der Kesselpauke Angst bekommen", gestand Parola.

„Ich ebenfalls", sagte Asko. „Immer, wenn sie durch die Nacht tönt, erfaßt mich eine unbegreifliche Unruhe. Ihr Dröhnen scheint mir etwas Ungeheuerliches anzudeuten, das uns von der dünnsten Stelle der Erdkruste im Atlantik droht. Dort wartet etwas darauf, seinen Feuerschlund aufzureißen und das Magma in den Himmel zu schleudern. Die Messungen erzählen das nicht, aber die Trommeln."

„Gehen wir wieder hinauf und hören zu!" schlug Gru Kilmag vor und öffnete die Tür. Sie bestiegen erneut die Schweber und verließen den bebensicheren gewaltigen Betonklotz des Meßbunkers durch den steil ansteigenden Tunnel der Zufahrt.

In dieser Nacht standen sie noch lange um den Felsen am Tunneleingang und lauschten auf das Gespräch der Trommeln mit dem Gong und der Kesselpauke. Sie spürten manchmal deutlich die Gefahr, die ihrem strahlenden Haus unter der Lichtglocke der Lampen und der erhellten Fenster von den Trommelschlägen drohte. In den folgenden Nächten verstanden sie die Sprache der vertonten Seismogramme noch besser. Diese Art der Übermittlung von Meßserien machte ihnen so viel Spaß, daß Asko verschiedene Teile des Experiments an den nachfolgenden Tagen wiederholen und erklären mußte.

Aber am Tage, darin waren sie sich alle bald einig, blieb das Trommeln seltsamerweise nur ein leeres Gedröhn. Hatten die Tonkombinationen des Moho-Computers nachts für die Zukunft dunkle Ahnungen heraufbeschworen, machte der Tag sie zu simplen Geräuschen, vor denen höchstens die Vögel erschreckt davonflogen.

# DAS MÄDCHEN TRI QUANG

Asko wurde auf dem Portalturm des Luftschiffhafens von Mos-A-Dreles von Rededa und Gru Kilmag verabschiedet. Er flog nach Kili-N-Airobi quer über den Kontinent hinweg, um in den Archiven der Universität für Afrikanische Geschichte Nachforschungen über Seebeben im Atlantik zu früheren Zeiten anzustellen. Vielleicht fand er dort eine Erklärung für die steigende Zahl der Beben in letzter Zeit. Eine bestimmte Ahnung trieb ihn dazu.

Rededa und Gru Kilmag standen mit ihm auf dem breiten ausgeschwenkten Ankersteg des Turms hoch über den Parkbäumen, Wegen, Springbrunnen und Blumenbeeten des Flughafens.

„Nun können wir wieder ungestört schlafen. Keiner muß befürchten, nachts von Trommeln geweckt zu werden, solange Asko verreist ist", sagte Rededa und zwinkerte Gru Kilmag verstohlen zu.

„Und die Technos können sich endlich wieder einmal gründlich überprüfen. Sie brauchen nicht mehr ungeölt oder mit Sand in den Gelenken bei Dunkelheit von Hügel zu Hügel zu rennen", ergänzte Gru Kilmag deshalb schnell.

„Hoffentlich kommst du in Kili-N-Airobi nicht auf die Idee, Trommelexperimente zu machen und Chroniken durch Computer vertonen zu lassen", sagte Rededa zu Asko.

„Machen wir uns darauf gefaßt, daß man ihn deswegen samt einer Beschwerde zu uns zurückschicken wird", äußerte Gru Kilmag amüsiert. „Kili-N-Airobi ist eine große Stadt mit vielen Einwohnern, die nicht so abgelegen hausen, wie wir das wegen der Seismogramme tun müssen. Es würde unangenehm werden, wenn ein paar tausend Leute bei diesen Kompositionen nicht schlafen können", warnte er Asko mit gespieltem Spott.

Asko lächelte. Sie neckten ihn, also kreideten sie ihm die nächtlichen Ruhestörungen nicht an. Schließlich gaben die letzten Bebenprognosen des Computers Anlaß zur Besorgnis. Sie bestärkten Askos Vermutungen.

Immer mehr Passagiere gingen an ihnen vorbei und betraten das Luftschiff. Bis zum Abflug waren es nur noch wenige Minuten. Eine junge Frau streifte die Gruppe mit einem aufmerksamen Blick. Asko sah ihr kurz nach. Sie hatte unter den vielen großen schlanken Menschen eine auffallend kleine, zierliche Figur. Fast hätte er sie noch für ein Mädchen gehalten. Aber warum ging sie ohne Begleitung, und warum sah sie so ernst aus? Immer, wenn Asko jemanden allein gehen sah, irritierte ihn das, denn für gewöhnlich sah man junge Menschen in fröhlichen Gruppen beisammen, so lebhaft und stets zu Scherzen aufgelegt, wie sie es daheim in der eigenen Gruppe meist waren.

„Und vergiß nicht: An Professor Sirju mußt du dich wenden, wenn du Zugang zu den Archiven über die Zeit vor dem hundertjährigen Strahlungssturm bekommen willst", ermahnte ihn Rededa noch einmal. „Sirju stammt übrigens aus deiner Heimat, aus Alaska", fügte sie hinzu.

Das Signal zum Schließen des Einstiegs ertönte. „Langes Leben", sagten sie zum Abschied. Dann betrat Asko als letzter Fluggast das Luftschiff.

Er schlenderte, während das Luftschiff unmerklich vom Portalturm ablegte und langsam aufstieg, eine Weile durch die behaglich eingerichteten Räume des Passagiertraktes. Die meisten Reisenden standen an den langen Fensterfronten und genossen es, schwanengleich in nur einhundertfünfzig Meter Höhe das Stadtgebiet zu verlassen und über das weite Land zu gleiten. Asko riskierte auch einen Blick, obwohl für ihn die große Stadt aus der Vogelperspektive nicht reizvoll war. Die Bewegung der Verkehrsströme war kaum zu erkennen. Sie krochen träge dahin oder schienen sogar erstarrt zu sein. Die Besonderheiten der verschiedenen afrikanischen Landschaften, die das Luftschiff in den nächsten Stunden überqueren würde, interessierten ihn da schon mehr.

Asko wollte gerade zum Speisesaal gehen, um nachzusehen, ob es noch möglich sei, das versäumte Frühstück nachzuholen, als er sie wiedersah. Sie hatte ihr Straßenkostüm gegen ein leichtes bauschiges Kleid vertauscht und saß auf einem Barhocker. Aber dieser Hocker stand nicht an der Bar, sondern hinter einer Pflanzengruppe. Von dort aus hatte sie gute Sicht nach mehreren Richtungen, ohne selbst aufzufallen. Als Asko aus dem Foyer zurückkehrte, ging er zwischen den Tischen des Cafés hindurch, dicht an ihrem Platz vorbei, zu den Menschen an der Fensterfront. Von dort aus musterte er sie. Sie wirkte in dem Kleid noch zierlicher als vorhin im Straßenkostüm auf dem Passagiersteg des Portalturmes. Auf den Knien hielt sie ein kleines Zeichenbrett. Ihr Stift eilte hin und her.

Plötzlich hob sie den Kopf, blickte ihn einen Augenblick prüfend an und sagte leichthin: „Hallo!"

Unwillkürlich trat Asko näher. „Hallo", antwortete er, unsicher, ob sie tatsächlich ihn gemeint hatte. „Langes Leben", murmelte er gewohnheitsmäßig.

„Sie gehören bestimmt einem Makrogen an", stellte sie fest und zeichnete dabei weiter.

„Ja, das haben Sie richtig geraten", sagte er verblüfft. „Woher wissen Sie das?"

„Man sieht es Ihnen an. Wenn Angehörige eines Makrogens allein reisen, fühlen sie sich immer erst einmal wie verloren."

„Ich und verloren? Keinesfalls!" protestierte er, stockte dann aber, weil ihm bewußt wurde, daß sie doch richtig beobachtet hatte. „Nun, gewiß", gab er zu, „ein kleines Gefühl der Fremdheit ist bei mir jetzt tatsächlich vorhanden. – Aber ich denke, daß das mit Ihrer Hilfe in einer Stunde schon ganz anders sein wird", sagte er kühn. Dabei spürte er deutlich, daß er sich Hals über Kopf in eine Situation stürzte, der er vielleicht nicht gewachsen war.

Sie lächelte und hielt ihm schweigend ihr kleines Zeichenbrett hin. Er war noch so weit von ihr entfernt, daß er sich nach vorn beugen mußte, um es mit ausgestrecktem Arm zu erreichen. Das kam ihm linkisch vor, und er war ärgerlich über sich. Dieses Unbehagen nahm noch zu, als er die Skizze betrachtete: Ein junger Mann stand unschlüssig im Foyer des Luftschiffes und sah fast schon verdrossen vor sich hin. Man erkannte es auf den ersten Blick, daß er sich fremd und einsam fühlte, wie jemand, der eben von guten Freunden allein gelassen worden war und sie lange nicht mehr sehen würde. Seine Haltung war leicht versteift.

Die zierliche junge Frau rutschte von ihrem Barhocker herunter und nahm ihm das Zeichenbrettchen aus der Hand. Mit ein paar Strichen vollendete sie die Skizze. Das Profil der gezeichneten Person entstand in wenigen Sekunden unter ihrem Stift. Da erkannte Asko, was er geahnt hatte: Er selbst war es, den sie dargestellt hatte!

„Würden Sie nun bitte drunterschreiben, wer Sie sind?" bat sie.

Asko nickte benommen und strichelte seinen Namen unten auf den Rand der Zeichenfläche.

„Sind Sie etwa eine Karikaturistin?" fragte er argwöhnisch.

„Wieso?" wollte sie erschrocken wissen. „Ist meine Darstellung so schlecht geraten, daß Sie sich entstellt fühlen? Karikaturisten machen sich über die Schwächen ihrer Mitmenschen lustig. Mir liegt eine solche Haltung fern", verteidigte sie sich. „Im Gegenteil: Ich will all das erfassen, was es Liebenswertes und Herzliches zwischen uns Menschen gibt."

Zu ihrer Rechtfertigung berührte sie einen winzigen Stift an der Seite des Zeichenbrettchens und schob ihn entlang der Randskala. Die Speicheranlage des Brettchens gab Dutzende von Skizzen frei. Sie erschienen langsam nacheinander auf der Fläche, so als blättere man einen Block durch. Eine Fülle wunderbarer kleiner Begebenheiten zog dabei an Asko vorüber. Nirgends entdeckte er eine Darstellung, die einen Menschen karikierte. Die Zartheit mancher Zeichnungen war verblüffend. Asko war erleichtert.

„Verzeihung", sagte er. „Meine Frage war unüberlegt. Sie sind talentiert. Bestimmt werden Sie eine große Künstlerin, falls Sie das nicht schon sind."

Gleich lächelte sie wieder. „Ich bin keine Künstlerin", sagte sie, „studiere Psychologie, Hauptfach Symbio-Technik. Ich bin Tri Quang", stellte sie sich vor.

„Symbio-Technik? Eine Spezialistin dafür fehlt uns in unserer Gruppe noch", sagte er. „Kommen Sie uns bald besuchen; vielleicht gefällt es Ihnen bei uns." Er nannte ihr die Anschrift. „Aber es geht meist hoch her, damit wir nicht merken, wie abgeschieden wir wohnen."

Tri Quang sah ihn einen Augenblick an. „Beides stört mich nicht", sagte sie. „Hauptsache, man mag mich. Eigentlich wollte ich mich schon seit einem Jahr einer makrogenen Gruppe anschließen. Es ist aber nicht einfach, Anschluß zu finden. Herzlichen Dank für die Einladung."

Sie zupfte an seinem Ärmel, gewissermaßen als Aufforderung, sie zu begleiten und ihr Gesellschaft zu leisten. Asko und Tri Quang gingen an der Fensterfront hinter den Rükken der vielen Menschen auf und ab, die plaudernd beisammenstanden und dabei die Landschaft betrachteten, die unter ihnen vorüberzog. Noch zeigte das Gelände Narben von den Schäden, die die Temperaturschwankungen der Klima-Kataklysmen während des hundertjährigen Strahlungssturmes hinterlassen hatten.

„Es ist schade, wenn Sie Ihren Platz dort hinter der Pflanzengruppe verlassen", sagte Asko und deutete auf den Barhokker. „Ich will nicht schuld daran sein, wenn Ihnen Motive zu neuen Skizzen entgehen. Ich verstehe nur nicht, was Zeichnen mit Psychologie zu tun hat."

Tri Quang erklärte es ihm. „Solche Skizzen sind nur ein Hilfsmittel, mich in der psychologischen Beurteilung von Menschen und Situationen zu schulen", sagte sie. „Wenn man etwas zeichnet, ist man einfach gezwungen, schärfer zu beobachten, weil sich sonst das Charakteristische eines Menschen in einer bestimmten Situation mit dem Stift nicht darstellen läßt. Die deutlichsten Eindrücke habe ich immer, wie das natürlicherweise bei jedem Menschen der Fall ist, in der ersten halben Stunde nach dem Eintritt in einen neuen, noch unbekannten Bereich. Diese halbe Stunde ist nun vorbei. Sie brauchen sich also keine Vorwürfe zu machen, Asko, wenn ich meinen Hocker aufgebe. Ich habe ein paar Skizzen eingefangen. Das genügt mir für heute. Damit bin ich jetzt ziemlich genau über das Stimmungsklima der Passagiere hier an Bord orientiert. Mehr wollte die Psychologin in mir nicht erreichen", sagte sie und lachte. „Von einem gewissen Punkt an sträubt sich nämlich mein Gefühl, die Menschen um mich herum bis ins letzte zu analysieren, denn dann würden sie sich in Objekte verwandeln, die man wie Puppen in die eine oder andere Kategorie einstuft. Doch nun lassen Sie uns von etwas anderem reden", schlug sie vor.

„Ich wüßte nur noch gern eines: Sehe ich wirklich so aus, als könnte ich mich unter fremden Menschen nicht allein zurechtfinden?" fragte Asko.

„Einen solchen Komplex brauchen Sie sich erst gar nicht einzubilden." Sie winkte ab. „Ihre Neigung zur Unsicherheit ist vermutlich nur kurz. Sie sind nicht der Typ, der imstande wäre, einen ganzen Flug lang nur scheu in der Kajüte zu sitzen und niemanden anzusprechen. So wie mit mir wären sie auch bald mit anderen Fahrgästen mitten in der schönsten Unterhaltung gewesen."

Asko wollte nicht aufdringlich wirken. Vor einer Psychologiestudentin mit dem Hauptfach Symbio-Technik hatte er die allergrößte Hochachtung. Es wäre sicherlich richtig, sich jetzt von ihr zu verabschieden, dachte er. Aber sie übte mit ihrer Zierlichkeit eine solche Anziehungskraft auf ihn aus, daß er am liebsten bis zum Reiseziel ihre Gesellschaft gesucht hätte. Möglichst leichthin fragte er sie deshalb: „Wo steigen Sie aus?"

„Auf halbem Wege, in Kib-E-Ombo am Kongo. In ungefähr zwei Stunden sind wir dort. Fast jedes Jahr um diese Zeit treffe ich mich mit meinem Bruder. Unsere Mutter ist dort gegen Ende der hundertjährigen Klimaschwankungen umgekommen. Wir besuchen ihr Grab."

Asko sah verlegen zur Seite. Es war also nichts mit seinem stillen Wunsch, Tri Quang noch ein paar Stunden länger in der Nähe zu wissen. Wie ärgerlich auch, daß er mit seiner Frage etwas Trauriges in ihrem Leben berührt hatte. Deswegen also war sie in dieser ernsten Stimmung an Bord gekommen.

Von weit hinten aus dem langen Promenadengang tönten Gesang von Männerstimmen und Gitarrenspiel gedämpft bis zu ihnen. Die Leute an den Aussichtsplätzen in ihrer Nähe drehten sich sofort neugierig danach um. Nur Asko vermied das und sah verstohlen auf Tri Quang. Für sie schien ihm diese laute Fröhlichkeit dort am Ende des Ganges jetzt fehl am Platze zu sein. Er hätte Verständnis dafür gehabt, wenn sie in einen ruhigeren Teil des Luftschiffes gehen würde.

Tri Quang reagierte ganz anders. Sie horchte auch auf und sagte: „Das müssen die trampenden Raumfahrer sein, die ich vorhin schon mal gesehen habe." Sie lief auf die Musik zu, und Asko folgte ihr.

Trampende Raumfahrer stellten nichts Ungewöhnliches dar. Jedermann wußte, daß es Kosmonauten auf Erdurlaub häufig zum Bedürfnis wurde, Kontinente in allen Richtungen zu durchwandern. Das taten sie meist zu Fuß und entlang den Küsten der Erdteile. Es gab wohl kaum einen Raumfahrer, der nach mehrjährigem Flug durchs All nicht froh war, seinen Fuß auf die kugelrunde blaue Oase setzen zu können, die wie ein Juwel die Sonne umkreiste und Sicherheit und Geborgenheit versprach. Eine solche Gruppe von Männern war es, die hier an Bord des Luftschiffes zur afrikanischen Ostküste flogen, vielleicht um die besonders abwechslungsreiche und romantische vierhundert Kilometer lange Küstenlinie von Dar-S-Alamba nach Moa-M-Basa entlangzuziehen. Wenn man das Leben in freier Natur so sehr liebte und genoß, wie es Raumfahrer taten, dann konnte man für diese vierhundert Kilometer einen großen Teil seines Erdurlaubes, nämlich zwei bis drei Monate, verbrauchen. Sie wanderten in Gruppen und hatten es offenbar auch hier an Bord des Luftschiffes gern, wenn sich viele Menschen um sie scharten. In ihrer Stimmung waren sie mit jedem sofort auf du und du. Ihre Geselligkeit wirkte ansteckend. Kein Wunder also, wenn sie schon nach wenigen Minuten eine Psychologiestudentin wie Tri Quang magisch anzogen.

Tri Quang stand nicht einfach nur irgendwie im Kreis um die Raumfahrer herum. Die Kosmonauten sangen rauhe Raumfahrtballaden, und Tri Quang, die die meisten davon kannte, setzte sich zu ihnen und sang mit. Andere Leute aus dem Umkreis begannen Unterhaltungen mit zwei der Raumfahrer, manche tanzten zu den Liedern und improvisierten choreographische Bewegungen. Stewardessen verteilten Eis und Getränke.

Asko klatschte Beifall, als ein Lied zu Ende war, und dachte gerade daran, von den Zuschauern zu den Akteuren überzuwechseln, um wieder mehr in die Nähe Tri Quangs zu kommen, als ihn jemand ansprach. Es war ein Angehöriger der Besatzung des Luftschiffes.

„Ich habe eine Bitte", sagte der Mann, dessen Alter sich nur schwer schätzen ließ, der aber vermutlich zwanzig Jahre älter als Asko war. Sie gingen beide aus dem Kreis der Zuschauer und Zuhörer heraus und stellten sich einige Schritte abseits.

„Sie befinden sich an Bord eines Luftschiffes, das von einem Makrogen betreut wird", erklärte der Mann. „Es ist unser ständiges Heim. Da wir Gesellschaft und Gäste lieben, fliegen wir für einen Teil des Jahres keine Fracht, sondern auf Passagierlinien; gegenwärtig auf der Route Mos-A-Dreles/

27

Dar-S-Alamba. Nun sind uns ein paar Meßgeräte heute und in den Tagen zuvor ausgefallen, mit denen wir die Ballonets, also die Traggaskammern, und die Navigation überwachen. Wir müßten das Luftschiff eigentlich aus dem Liniendienst herausnehmen und in eine Werft bringen. Wie unser Bordcomputer der Passagieridentifikation entnehmen konnte, sind Sie Fachmann auf dem Gebiet der Meßelektronik. Wären Sie bereit, uns zu helfen und ein paar Reparaturen und Justierungen vorzunehmen?"

Asko warf über die Köpfe der Menschen hinweg einen raschen bedauernden Blick zu Tri Quang. Sie war so in Anspruch genommen von der Fröhlichkeit, daß sie es nicht bemerken würde, wenn er fortging. Langsam nickte Asko und seufzte.

„Gern, selbstverständlich", sagte er. „Zeigen Sie mir die Geräte. Und ich werde dann versuchen, ihre Funktionsweise zu ermitteln und die Defekte zu finden."

„Danke", sagte der Mann erleichtert. „Ich wußte, daß Sie uns helfen werden. Wenn wir Reisende aus makrogenen Wohngemeinschaften ansprechen, haben sie uns bisher immer geholfen. Und der Bordcomputer gab an, daß Sie einem Makrogen angehören."

So war es fast immer, wenn jemand aus Askos Gruppe auf Fahrt ging. Sobald aus irgendwelchen Anzeichen ersichtlich wurde, daß man Angehöriger eines Makrogens war, fand man schnell zu anderen Makrogens Kontakt, und sei es, daß man, wie in diesem Fall, um Hilfe gebeten wurde. Ebenso war das sicherlich auch der Grund dafür, daß Tri Quang mit ihm gleich ins Gespräch gekommen war.

Asko dachte nach. Gehörte auch sie einem Makrogen an? Er entdeckte, daß es sein heimlicher Wunsch war, Tri Quang für sein eigenes Makrogen zu gewinnen. Er war fest davon überzeugt, daß Tri Quang ausgezeichnet mit seiner Gruppe harmonieren würde, und außerdem brauchten sie unbedingt eine Psychologin dieser Fachrichtung.

Der Mann aus dem Luftschiffmakrogen neben ihm erklärte etwas. Sie gingen auf ein Schott zu. Es trug die Aufschrift: „Achtung! Technische Anlagen! Nur für Bordpersonal zugänglich!"

„Das Werftnetz ist für Luftschiffe dieser neuen Art immer

noch sehr dünn", sagte der Mann. „Wir hätten dreitausend Kilometer fliegen müssen, um das nächste Dock zu erreichen, und zwar entweder nach Goa-N-Akry oder nach Pret-O-Ria. Zwar hätten wir auch einfach in Kib-E-Ombo vor Anker gehen können, um zu warten, bis ein Techno vom Service geschickt worden wäre. Aber die sind so überlastet, daß wir uns gern selbst helfen oder unter Passagieren nach Hilfe umsehen. Wir möchten es unbedingt vermeiden, daß auf unserer Route von Mos-A-Dreles nach Dar-S-Alamba Fahrplanausfälle auftreten."

Zuerst hatte Asko die Besatzung ein wenig beneidet, als er hörte, daß sie dieses Schiff besaß, und er hatte geglaubt, daß sie mehr oder weniger die Flugroute bestimmen konnte. Es war sicherlich nur wenigen Makrogens vergönnt, ein solches Arbeitsfeld zu erhalten. Für gewöhnlich waren Luftschiffe von Schichtpersonal im Dienste der Weltverkehrsföderation besetzt. Jetzt merkte Asko, daß diese Leute mehr im Sinne hatten, als nur umherzuschweifen. Hier setzte man sich für die übertragene Aufgabe ein, mehr jedenfalls, als das das fliegende Personal sonst zu tun pflegte; und hier im Luftschiffmakrogen hatte man auch Probleme, ähnlich wie Askos Gruppe am Moho-Pult.

Sie hatten hinter dem Schott einen Tunnel erreicht, der mitten durch den Rumpf des Luftschiffes führte. Es herrschte eine beträchtliche Wärme. Sie wurde von den elastischen Wänden ausgestrahlt, die Asko und seinen Begleiter von den Ballonets trennten. Diese waren mit Helium gefüllt und wurden vom Reaktor ständig nachgeheizt. Der Mann händigte Asko einen Schutzanzug, Sauerstoffmaske und Werkzeugtasche aus. Dann stapften sie den schmalen Steg entlang in die Tiefe des matt erleuchteten Tunnels hinein. An einer Kontrollapparatur machten sie halt.

Nach einer Stunde Arbeit waren die defekten Geräte im Tunnel geprüft und justiert. Ihr nächstes Ziel war die Kommandokanzel im Bug, in der auch ein Gerät ausgefallen war.

Zwischendurch unterhielten sich Asko und der Ingenieur über das Leben in ihren Makrogens. Dabei erfuhr Asko, daß die Besatzung zehn Monate lang hindurch im Liniendienst eingesetzt war und zwei Monate lang nach Belieben herumkreuzen durfte. Die Männer und Frauen dieser Besatzung hatten sich zu einem Makrogen zusammengefunden, weil jeder von ihnen seine größte Leidenschaft im Reisen entdeckt hatte.

„Wir sind zwar keine Raumfahrer, die mit einem unstillbaren Verlangen nach der Erde aus dem All zurückkehren, aber wir wollen unseren Planeten auch bis in seinen letzten Winkel kennenlernen", sagte der Ingenieur. „Und wir wissen, daß wir, wenn wir unsere Erde genießen wollen samt ihren kleinen und kleinsten Schönheiten, mehrere hundert Jahre benötigen. Ein fliegendes Zuhause, wie es ein solches Luftschiff darstellt, ist dafür geradezu ideal. Dieses Vorteils wegen nehmen wir es gern auf uns, im Liniendienst eingesetzt zu werden. Man lernt dabei große Teile unseres Planeten kennen."

Sie hatten in ihrer Gruppe auch Fachleute aus der Soziologie und der Psychologie, die die Mentalität von Reisenden ergründeten. Die Ergebnisse eines solchen Forschungsstudiums kamen der Verkehrsföderation und den Verkehrspsychologen zugute. Außerdem gab es Meteorologen in ihrer Gemeinschaft, die den regionalen Wettercomputern Daten von der Flugroute zulieferten. Hauptaufgabe war es jedoch, täglich Tausende Passagiere in diesem fliegenden Hotel zu befördern und zu betreuen sowie das Luftschiff technisch und navigatorisch zu führen.

Unter dem Personal in der Führungskanzel am Bug des Luftschiffes herrschte ruhige, konzentrierte Zusammenarbeit. Nur als man einen Haltepunkt ansteuerte, wurde es lebhafter. Asko sah kurz von dem Gerätepult auf, an dem er hinter der geöffneten Verkleidung an den Schaltungen arbeitete.

„Wo sind wir jetzt?" fragte er den Ingenieur.

Das Gerüst eines Portalturmes glitt heran. Noch war der Ankersteg nicht ausgeschwenkt. Hinter dem Glas der Abfertigungsplattform waren Menschen in farbenfroher Kleidung zu sehen. Es war das übliche Bild.

„Wir sind jetzt auf der Hälfte unserer täglichen Route, in Kib-E-Ombo", sagte der Ingenieur.

Asko legte schnell eine demontierte Gerätesektion auf den Boden und rannte los. Sein weißer Kittel flatterte. Auf der Stirn leuchtete die grelle Stichlampe für Falschlichtkontrolle

bei Geräteuntersuchungen, und am Kragenaufschlag baumelte an einer Kette der Satz Justierindikatoren, den man benötigte, wenn man die feinen und feinsten Verbindungen in den Geräten und Baugruppen prüfen wollte.

„Ich komme gleich wieder zurück", rief er hastig.

Der Weg durch den Tunnel mitten durch die Ballonets zum Passagiertrakt erschien Asko unendlich lang zu sein. Die Hitze des Heliumgases, die aus den elastischen Wänden auf ihn einströmte, erstickte ihn fast. Die Kleidung fing an, am Körper zu kleben. Endlich hatte er das Schott zum Foyer erreicht. Nervös hielt er unter den Reisenden Umschau, die schon durch den geöffneten Ausstieg auf den Ankersteg hinausstrebten. Wo war Tri Quang? All die großen Menschen verdeckten ihre zierliche Figur. Vielleicht war sie auch schon längst draußen auf der Plattform.

Gerade als sie im Begriff war, das Luftschiff zu verlassen, entdeckte Asko sie. Aber er vermochte den Strom der aussteigenden Passagiere nicht zu stoppen. Asko steuerte aufgeregt auf eine Stewardeß in seiner Nähe zu. „Bitte, schnell, leihen Sie mir für zwei Minuten ihren Lippenstift", bat er sie.

„He Junge, nur keine Panik", sagte sie erstaunt und blinzelte schließlich amüsiert. Sie nestelte das gewünschte Objekt irgendwo aus einer Tasche hervor. Asko ergriff den Lippenstift und rannte an der langen Glasfront der Aussichtspromenade entlang. An einer Stelle, von der er hoffte, daß man sie vom Ankerturm aus gut sehen konnte, schrieb er fieberhaft in Spiegelschrift mit ellengroßen Buchstaben: „Wo wohnst du, Tri Quang?"

Es war der stechende Lichtstrahl seiner Stirnleuchte, der den Leuten auf dem Ankersteg auffiel. Hier und dort machte man sich gegenseitig auf ihn aufmerksam. So kam es, daß auch Tri Quang die Schrift sah. Sie blickte genauer hin und erkannte schließlich in dem Menschen mit dem weißen Kittel ihren neuen Bekannten Asko. Vielleicht genierte sie sich einige Augenblicke lang. Aber schließlich griff sie zum gleichen Mittel und schrieb an die Scheiben der Abfertigungsplattform: „Bis 9. 2. Kib-E-Ombo, Haus am See!" Dann winkte sie ihm lebhaft zu. Das Luftschiff war bereits wieder im Ablegen begriffen. Asko nahm schnell noch einmal den

Lippenstift und schrieb auf seine Scheibe: „Danke!"
Dann versank der Portalturm des Landepunktes von Kib-E-
Ombo unter ihm und schwenkte aus seinem Blickfeld. Unweit der Stadt sah er den See blinken, den sie angegeben
hatte. Auch ein Fluß schlängelte sich durch das Land. Zwischen See und Fluß ragte ein technisches Gebilde in Form
einer zylindrischen Spirale beziehungsweise in der Art einer
riesigen Schraubenfeder ebenso hoch in die Luft wie der Ankerturm des Haltepunktes für Luftschiffe.


## DAS ERBE AUS DER GRUM-ZEIT

„Mein Makrogen bewacht das atlantische Epizentrum", erklärte Asko am nächsten Tag, als er dem Historiker Professor
Sirju im Gebäude der Universität für Afrikanische Geschichte gegenüberstand. „Die Seismographen zeigen in den
letzten Jahren Kurven, die nicht natürlichen Ursprungs sein
können. Es muß da noch ein Geheimnis geben. Ich will ergründen, ob es in der Vergangenheit Hinweise auf Vorgänge
gibt, die mir diese Reaktion in der Erdkruste erklären."
Professor Sirju sah ihn lange schweigend an. Endlich entschloß er sich, seinem jungen Besucher etwas preiszugeben.
„Du hast recht, Asko. Es gibt tatsächlich einen gewichtigeren
Grund, die dünnste Stelle der Erdkruste im Atlantik zu beobachten als nur den, die normale Bebentätigkeit zu registrieren. Es hat ein Ereignis in der Vergangenheit gegeben,
über das man nicht mehr genau Bescheid weiß. Wir Historiker lieben es nicht, wenn irgend jemand nur so aus bloßer
Neugier die Vergangenheit nach Sensationen durchstöbert.
Man sollte nicht unüberlegt in ihr nachforschen, vor allem
nicht in der GRUM-Zeit, also in der Epoche des Großen
Umbruchs der Gesellschaft. Sie ist durchstanden. Vor sie-
benhundertfünfzigtausend Jahren entzündete der Mensch
seine ersten Feuer. Sie brachten ihm Nutzen und ließen ihn
heimisch und damit zugleich friedlich werden. Das half ihm,
zu neuen Erkenntnissen vorzudringen. Sein Dasein wurde
leichter und vielfältiger. Vor vierhundert Jahren entzündete
der Mensch wieder ein Feuer, das Mega-Feuer. Er zwang es,

ihm zu dienen. Es trug ihn in das Universum hinaus. Ehe es das jedoch tat, geschah etwas, womit uns dieses Feuer nicht diente und das wir sogar heute noch fürchten müssen. Wichtige Hinweise auf die Gefahr und ihren Ursprung gingen in diesen vierhundert Jahren wieder verloren. Unsere Nachforschungen waren bisher nicht vergebens. Aber wir haben auch noch nicht alles herausgefunden, was wir wissen müßten, um diese Gefahr bannen zu können. Nun gut: Vielleicht gelingt es dir, einen neuen Hinweis aufzuspüren oder neue Zusammenhänge zu entdecken, wenn du unsere historischen Quellen durcharbeitest. Und da der Lehrstuhl für Geologie, Seismologie und Tektonik von Mos-A-Dreles dein Makrogen damit beauftragt hat, das Moho-Pult zu bedienen, sei es dir erlaubt, in die Gewölbe der Universität zu den Datenspeichern des zwanzigsten Jahrhunderts hinabzusteigen."

Es dauerte ein paar Tage, ehe Asko sich weit genug in die Vergangenheit zurückgearbeitet und Berichte über die einschlägigen Vorgänge jener Zeit auf dem Leseschirm gesichtet hatte. Unbekannte Wissenschaftler hatten eine umfangreiche Vorarbeit geleistet. Sie waren, wie das Professor Sirju schon angedeutet hatte, auch auf der Suche nach dem Geheimnis des Atlantiks und nach dem Ursprung dieser Gefahr gewesen.

Asko konnte bald jenen Zeitabschnitt eingrenzen, in dem das Ursprungsereignis für die ungewöhnlichen Reaktionen im atlantischen Epizentrum zu vermuten war. Er wußte kaum mehr über die geschichtlichen Abläufe als jeder andere aus seiner Generation auch. Asko hatte eine schwache Vorstellung davon, wie man in den verschiedenen Epochen gelebt und gewohnt hatte, was die Menschen ungefähr gegessen hatten und wie sie gekleidet gewesen waren; wie sie erst langsam und dann rasch in die Wissenschaften eingedrungen waren und schließlich die Hilfswelt der Maschinen geschaffen hatten.

Und dann, nach etwa zweiwöchigen Nachforschungen, stieß er auf jene Ungeheuerlichkeit. Die Gefahr im Atlantik zeigte sich zuerst als ein Naturereignis. Schließlich aber wurde erkennbar, daß sie von Menschen bewußt in der Absicht geschaffen worden war, Zerstörung und Tod zu verbreiten! Diese Gefahr war einst entstanden, als den Chroniken zufolge die Menschheit lange Zeit von einem dritten GRUM-Krieg bedroht wurde, der aber verhindert werden konnte, weil die Friedenskräfte erstarkten. Doch die Waffe in der Tiefsee, die zwei Kontinente schlagartig vernichten sollte, existierte noch heute und lagerte auf dem Grunde des Atlantiks!

Die Berichte waren nur spärlich und unbestimmt. Asko stieß auf eine Notiz Professor Sirjus. Sie lautete: „Die Wahrheit über die Gefahr im Atlantik ist verschollen. Die Historiker forschen schon seit langer Zeit danach. Auch die Beobachter an den Suchschirmen des Zeitlabors haben noch keine Angaben über das Ursprungsereignis machen können. Es ist nur bekannt, daß die Gefahr im Atlantik eine Hinterlassenschaft der GRUM-Zeit darstellt."

In den Unterlagen, die ihm das Archiv auslieferte, fand Asko auch Recherchen aus der Zeit, in der man die Bebenwarte Generationen zuvor eingerichtet hatte. Damals lauteten die Angaben eines Computers in Stichworten wie folgt: GRUM-Zeit, Südatlantik, nahe Mendele-Tief, U-Boot-Flotte, militärische Forschungsgruppe unbekannter Nationalität auf der Flucht vor Inspektoren der Abrüstungskommission, führt Arsenal von Kernsynthesewaffen mit, beabsichtigt Installation einer Operationsbasis in der Tiefsee, Eintreten eines unbekannten unvorhergesehenen Ereignisses, spurloses Verschwinden der U-Flotte, zunächst Periode ohne Ereignisse, dann Entstehen radioaktiver Strömungen des Meeres unweit der versunkenen U-Flotte, für kurze Zeit Existenz einer nuklearen Reaktionsmasse mit autonomer Gravitationsanomalie und langdauernde Störungen im Zeitfeld, Absinken der nuklearen Reaktionsmasse in den oberen Erdmantel und Entstehung eines dauernden Epizentrums von Beben geringer und mittlerer Stärke. Recherche Ende, da weitere Daten nicht vorhanden. Prognose: Ausbruch der Reaktionsmasse aus dem Erdmantel bis dreitausend Jahre nach der ersten Registrierung jederzeit möglich. Danach keine Gefahr mehr.

An diesen Angaben hatte sich im wesentlichen nichts geändert. Man wußte auch heute nicht viel mehr und setzte den größten Teil der Hoffnungen auf die Arbeit des Labors für Zeitverspiegelung. Man würde der Gefahr im Atlantik bei ihrem Ausbruch nicht wirkungsvoll begegnen können, wenn es nicht bald gelang, genaues technisches und wissenschaftliches Faktenmaterial über das Ursprungsereignis zusammenzutragen.

Nur soviel hatte man inzwischen noch ermitteln können: In der kritischsten Stelle des Meeresbodens über dem Magma in der Tiefe hatten die Menschen aus der GRUM-Zeit einen gewaltigen Explosivkörper deponiert, der verschüttet worden war und zu dem man nicht mehr vordringen konnte. Wenn die dünnste Stelle der Erdkruste dort brach, mußte eine Katastrophe eintreten. Dieser Gefahr vorzubeugen war Aufgabe des Labors für Zeitverspiegelung. Dort war man bemüht herauszufinden, ob es sich bei der von alten Chroniken erwähnten nuklearen Reaktionsmasse bereits um jenen Explosivkörper handelte oder ob sie nur ein Ergebnis verfehlter Mega-Experimente der GRUM-Menschen war.

Seit Asko all das wußte, war er ein Ruheloser. Er konnte nur noch selten schlafen. Es beruhigte ihn auch nicht, daß es ein paar Wissenschaftler gab, die diese Gefahr ungefähr kannten, ihr Augenmerk auf sie richteten und einige Maßnahmen gegen sie eingeleitet hatten.

„Weiß nur ich davon?" hatte er Professor Sirju gefragt.

„Der Weltforschungsrat, zum Beispiel Si Taut und Ludark, natürlich auch O'Rell, wissen davon", hatte Professor Sirju ihm Auskunft gegeben.

Bedrückt und niedergeschlagen verließ Asko das Gebäude der Universität. Was wollte eine Handvoll Leute aus dem Forschungsrat gegen diese riesige Gefahr ausrichten? Vielleicht schätzten sie die Möglichkeiten einer Katastrophe viel zu niedrig ein und wiegten sich, wie zu Hause am Moho-Pult auch Lira Barro und Ari Bomm, in dem Glauben, daß die Erde sich seit Jahrhunderten ohne eine solche Katastrophe gedreht hatte und sicherlich auch noch weiter ohne eine solche Katastrophe drehen würde. An den Trommeln in der afrikanischen Nacht hatte Asko aber deutlich die Größe der wirklichen Gefahr gespürt.

Was nützte das jedoch? Würde er jemanden davon überzeugen können, daß sehr viel mehr getan werden mußte als bisher, um die Gefahr zu ergründen und zu bannen? Was bewog Leute wie Sirju, Ludark, Si Taut und gar O'Rell dazu, über dieses drohende Unheil den Schleier des Geheimnisses zu decken?

Asko war deprimiert. Hals über Kopf reiste er ab. Wieder trug ihn ein Luftschiff von der einen Küste Afrikas zurück zur anderen. Asko stand an der Fensterfront. Seine Gedanken kreisten um den atomaren Explosivkörper aus der GRUM-Zeit an der dünnsten Stelle der Erdkruste. Eine dumpfe Beklemmung ergriff ihn. Würde dieses Labor für Zeitverspiegelung, von dem er noch nie etwas gehört hatte und auf das einige Wissenschaftler offenbar große Hoffnungen setzten, die Gefahr aus dem Erdinnern abwenden und das Geheimnis ergründen können?

Kib-E-Ombo war Askos nächstes Reiseziel. Dort befand sich das Labor für Zeitverspiegelung. Daß auch Tri Quang in dieser Stadt anzutreffen war, das hatte er vergessen. Die hohe Zylinderspirale außerhalb von Kib-E-Ombo wies ihm den Weg zum Zeitinstitut. Dort stand Asko in den folgenden Tagen manche Stunde am Zaun des abgesperrten Geländes und sah zu, wie die Wolken über diese Zylinderspirale hinwegzogen. Sie strahlte Tag und Nacht ein schwaches kupfernes Glühen aus.

Nein, es hatte wohl keinen Zweck, hier herumzustehen oder zu den Leuten an den Zeitspiegeln zu gehen, um Antwort auf seine Fragen nach dem Geheimnis des Mega-Feuers im Atlantik zu erhalten. Sein Platz war das Moho-Pult, das jede Regung der dünnsten Stelle der Erdkruste meldete.


## DIE CHRONONAUTIN

Si Taut hatte die lärmerfüllten Obergeschosse mit ihren vom Personal des Zeitlabors bevölkerten Gängen und Zimmern hinter sich gelassen und ging durch die Gewölbe zu den Kammern mit den Zeitschirmen. Er schritt in dem breiten Gang kräftig aus und empfand angenehm das Fehlen von Rolltreppen, lautlos huschenden Technos und zischend schließenden Türen. Der Gang war leer. Nur ab und zu begegneten ihm Mitarbeiter des Labors, die hier an den Kontrollschirmen Dienst taten.

„Langes Leben", grüßten sie einander kurz.

Die Anstrengungen des Zeitlabors, jemanden als Kundschafter in die Vergangenheit zu spiegeln, mußten, wenn man die Bedrohung vom Grunde des Atlantiks noch rechtzeitig bannen und die fehlenden Informationen dafür beschaffen wollte, endlich zum Erfolg führen. Heute war im Forschungsrat die Entscheidung darüber gefallen, wer aus dem Kreis der Chrononauten in die Vergangenheit gespiegelt werden sollte: Si Jhul! Er hatte es ihr schon von Kili-N-Airobi aus mitgeteilt. Aber jetzt wollte er selbst sehen, wie sie diese Entscheidung aufgenommen hatte. Deshalb war er sofort hierher nach Kib-E-Ombo geflogen.

Si Taut krauste ärgerlich die Stirn. Dieses ernste Problem, die Gefahr aus der Erdrinde, beherrschte sein Denken. Schon gab es in der Öffentlichkeit Gerüchte über diese Bedrohung. Unwillkürlich wurde sein Schritt raumgreifender.

Am Ende des Ganges schimmerte ihm grünlich ein Sperrgitter entgegen, der Zugang zur Hauptsektion des Laboratoriums für Zeitverspiegelung. In den Anlagen dieses Hauptteiles arbeitete Si Jhul, seine Lebenspartnerin. Dort wirkten auch die Techniker an der Erforschung der Bebenanomalie im Atlantik. Und dort saßen ebenfalls die Sucher an ihren Schaltpulten und durchforschten mit den Zeitschirmen die Vergangenheit nach Ereignissen, die Anhaltspunkte für die Art der Gefahr an der dünnsten Stelle der Erdkruste liefern konnten.

Als Si Taut das Sperrgitter erreicht hatte, drückte er seinen Ring mit der Identifikation in die Schlüsselmulde des Abtasters. Zwei Sekunden später verschwand das Sperrgitter, bis Si Taut es passiert hatte. Eine der Türen in der Felskammer, die die Vorhalle zu anderen Räumen darstellte, flog auf. Si Jhul kam ihm rasch entgegen. Sie war aufgeregt. Glühender Eifer zeichnete ihren Gesichtsausdruck.

„Der Computer hat die Entscheidung des Forschungsrates noch einmal geprüft und bestätigt, eben jetzt vor einigen Minuten!" rief sie triumphierend. Tatendurstig sah sie ihn an. Aber schimmerte in ihren Augen nicht auch etwas Bangigkeit?

Beunruhigt runzelte Si Taut die Brauen und schob Si Jhul

auf Armeslänge von sich. „Ich hätte es nie befürworten sollen, daß du eine Ausbildung als Chrononautin bekommst", sagte er.

„Befürchtest du Komplikationen?" fragte sie.

„Warum willst du das von mir wissen? Jedem von uns beiden ist bekannt, daß das Verfahren der Zeitverspiegelung einwandfrei funktioniert."

„Ja, natürlich, aber Störungen sind nicht auszuschließen. Soll ich vielleicht doch lieber diesen Auftrag ablehnen?" fragte sie.

Er berührte sie an den Schultern und drückte sie auf eine der Bänke. „Ich nehme an, du willst wissen, wie groß das Risiko bei diesem Unternehmen ist", murmelte er und umschloß ihre Schulter noch fester mit seinen Fingern.

Sachlich gesehen, vollzog sich bei der Zeitverspiegelung nichts anderes, als daß der bioenergetische Abdruck eines Körpers örtlich und zeitlich verschoben, also verlagert und neu lokalisiert wurde. Die betreffende Person oder der betreffende Gegenstand blieb am Ort der Maschinerie in der Obhut der Elektronik und im Dasein der Gegenwart, allerdings in einem Zustand geistiger Abwesenheit. Das Risiko war in fast tausend Tierversuchen auf ein Minimum verringert worden. Für Si Jhul bestand, soweit das auf wissenschaftlichem Neuland möglich war, keine Gefahr. Sonst hätte der Forschungsrat nicht den Auftrag zur Ausbildung von Chrononauten gegeben.

„Wir waren in unserem Leben schon mehrmals voneinander getrennt", sagte er bedrückt. „Es war meist ein unbehaglicher Zustand. Ich weiß nicht, wie schlimm nun auch noch eine Trennung in der Zeit sein wird. Dich jedenfalls schirmt das Immunitron weitgehend ab. Du wirst unsere Trennung nicht empfinden, denn du wirst dich auf die Eindrücke in der Vergangenheit konzentrieren müssen."

Er schwieg einige Augenblicke. Plötzlich trat er zwei Schritte zurück und lachte befreit auf. „Ich beneide dich!" rief er. „Ich beneide dich! Natürlich ist es für mich eine höchst unbehagliche Vorstellung, sogar durch die Zeit von dir getrennt zu sein. Und ich werde dich außerdem in dieser schrecklich starren Haltung in der Hauptkammer des Immunitrons sehen. Aber wozu gräme ich mich? Wenn du mir fehlen solltest, werde ich an dein Gesicht von vorhin denken, als du aus der Tür kamst. Du warst begeistert, und du warst für diese Aufgabe bereit. Du kannst auf diesen Auftrag stolz sein. Es wird alles wie berechnet ablaufen."

„Ich danke dir", sagte Si Jhul. „Ich werde zustimmen." Aufatmend ließ sie sich in das Polster der Bank zurücksinken und sah Si Taut nachdenklich an. Er stand mit seinem Sommermantel auf dem Arm ruhig vor ihr.

Vor etwa zwanzig Jahren hatte ein Auftrag sie auf dem Mond im Alten Port Selena zusammengeführt. Sie hatten Nachforschungen über die legendäre Rückkehr der berühmten Transsolexpedition angestellt und dabei zu ihrer Überraschung entdeckt, daß sie beide Nachkommen von Besatzungsmitgliedern dieses Raumschiffes waren. Seitdem hatten sie zusammengelebt.

„Si Taut de la Selena", sagte sie absichtlich als Anspielung auf ihr bedeutsames Zusammentreffen damals in Port Selena und faltete die Hände mit den langgliedrigen Fingern über den Knien. „Hier spricht Si Jhul de la Selena: Ich werde Menschen aus der Epoche des Großen Umschwungs erleben. Vieles ist uns an ihnen rätselhaft, zum Beispiel ihr Gleichmut angesichts der ständigen Gefahr eines fürchterlichen Weltkrieges, die von den aufgestapelten Kernwaffen ausging. Ich weiß nicht, ob ich meine Angst um unsere Welt, um meine Zeit, aus der ich komme, wirklich immer so verbergen kann, wie man das bei der Chrononautenausbildung lernt. Wenn sich nun die Befürchtungen der Wissenschaftler bestätigen und ich bei meiner Verspiegelung entdecke, daß die Gefahr aus der Erdkruste von uns nicht abgewandt werden kann? Wenn ich dann vielleicht sogar auf Initiatoren dieser mörderischen Waffe im Atlantik treffe, vermag ich mich womöglich nicht zu beherrschen und schreie ihnen meine Verachtung ins Gesicht."

„Du darfst dich durch nichts verraten", schärfte Si Taut ihr noch einmal ein. „Und außerdem werden sie sich nicht um deine Verachtung kümmern. Das ist nicht ihre Art. Komm, sehen wir jetzt lieber nach, was augenblicklich bei den Suchern auf den Zielschirmen geschieht."

Si Jhul erhob sich von der Bank und schritt mit Si Taut auf eine der Türen zu. „Die Suchtechniker werden die Zeitkoor-

dinaten für mich inzwischen vielleicht schon präzisiert haben", sagte sie. „Leider wird nicht gleich zu erkennen sein, ob das auch eine ereignisreiche entscheidende Phase ist, die mich an den Ursprung des Mega-Problems heranführt."

„Welche Koordinaten sind heute auf den Zeitspiegeln eingestellt?" fragte Si Taut und sah nach dem Programmtableau. „Aha, Sektion vier, eine Einstellung im Ostseebereich, interessiert mich."

„Eigentlich ist das keine erfolgversprechende Einstellung", sagte Si Jhul. „Wie wollen wir so weit abseits vom Ursprungsereignis einen Zeugen dafür finden?"

„Man kann nie wissen. Die Überlieferungen, soweit sie noch erhalten sind, versprechen eine Spur", erklärte Si Taut.

In dem Raum, den sie betraten, glommen nur die Skalenbeleuchtungen. Und dann war dort der große Kontrollschirm, der eine Verspiegelungsszene wiedergab. Vor Si Taut und Si Jhul wurden Ereignisse aus der Vergangenheit sichtbar. Aufmerksam musterten die beiden zusammen mit den Suchern das Bild auf dem Spiegelschirm, bemüht, die Vorgänge und die fremde Lebensweise zu verstehen.

Am breiten geöffneten Fenster eines Zimmers stand eine junge Frau und schaute aus der Höhe vieler Stockwerke über eine Küstenlandschaft. Sie folgte mit den Blicken dem weitgeschwungenen Bogen der Strandlinie und spähte nach den Hochhäusern, die hier und dort aus dem breiten Saum des Nadelwaldes an der Küste herausragten. Sie hielt so Ausschau, als sei ihr das alles neu und als sei sie erst vor einigen Stunden an diesen Ort gekommen. Die Sonne war hinter einer geschlossenen Wolkenschicht verborgen, und eine Nebelbank lag auf dem Wasser. Sie reichte fast bis an den Strand, wo kleine Wellen sanft ausrollten.


# IM VISIER DES ZEITSPIEGELS

Vergebens hatte Anja in den vergangenen Tagen auf das Forschungsschiff des Algeninstituts gewartet, das hier zu Untersuchungen in der Bucht ankern und sie an Bord nehmen sollte. Sie versuchte den Nebel mit ihren Blicken zu durchdringen. Vielleicht war das Schiff mit den grauen Schwaden gekommen und lag schon draußen auf der Reede. Querab schob sich das Brückendeck eines Küstenfrachters durch den Nebel, und irgendwo huschte unsichtbar ein Fährboot mit scharfem Rauschen dahin. Aber das Forschungsschiff war nirgends zu erkennen.

Wie mochte es aussehen?

Ihr Studium und die letzten Prüfungen lagen hinter ihr. Praktische Arbeit stand ihr bevor, in der sie Erfahrungen sammeln und sich auf einem wissenschaftlichen Spezialgebiet einarbeiten sollte. Sie hatte sich für die Algenzucht entschieden. Ihr Institut schickte sie hier an diesen Küstenabschnitt und auf das Forschungsschiff, die „Katma 4". Später würde sie vielleicht auch einmal auf eine Luandafarm vor der afrikanischen Küste versetzt werden. Das entsprach ihren Wünschen. Einmal auf einer Atlantikfarm oder sogar auf einer der weltberühmten Pazifikfarmen arbeiten zu dürfen, davon träumte sie.

Anja verließ ihren Fensterplatz, neunzehn Stockwerke hoch über dem Strand. Die Sicht war viel zu schlecht, um in der Ferne die Hochhäuser von Greifswald oder die große Brücke von Stralsund nach Rügen zu sehen. Sie wollte heute zeitig zu Mittag essen und danach das Hotel verlassen, auf die Seebrücke hinausgehen und dort so lange warten, bis der Nebel wich und das Schiff kam.

Im Speisesaal waren nur wenige Gäste. Langsam ging Anja die Reihe der Kühlvitrinen entlang. Wenn ich jetzt ein Gericht aus Algen bestelle, lacht man mich wahrscheinlich aus, dachte sie. Speisen solcher Art entsprachen nicht den Eßgewohnheiten der Bevölkerung und waren als „neumodisches Zeug" nicht beliebt. Aber schließlich will ich Algenzüchterin werden, ermunterte sie sich. Also sei's drum. Ich bin es meinem Beruf schuldig.

„Ein Alginum komplett", verlangte sie. „Und auch ein Glas Ulva-Sekt." Ulva-Sekt war ein Erfrischungsgetränk, ebenfalls aus einer Algenart – Ulva genannt – hergestellt.

„Ulva-Sekt frisch aus den Wellen!" bemerkte jemand ironisch hinter Anja.

Schon tritt ein, was ich befürchtet habe, dachte sie und drehte sich ärgerlich um. Man verspottete sie. Ein Mann in einer hellfarbenen Kombination trat auf sie zu. „Anja? Habe ich recht?" fragte er. „Herzlich willkommen, die Katma vier erwartet Sie!" Er ergriff ihre Hand und schüttelte sie kräftig. „Ich komme Sie abholen. Jochen Märzbach", stellte er sich vor.

Anja war erleichtert, ja sogar erfreut. Sie setzten sich gemeinsam an einen Tisch. Verstohlen musterte Anja den jungen Mann. Um den linken Ärmel seiner Kombination schlang sich ein schmales goldgefaßtes Bändchen mit der Aufschrift „Katma 4". Anja ließ den Blick die Arme aufwärts über die breiten Schultern zum Kopf des Mannes gleiten. Erschrocken begegneten sich ihre Blicke. Auch er hatte sie von der Seite her heimlich betrachten wollen. Sie lachten beide, und damit schmolz auch die Fremdheit zwischen ihnen.

Bald gingen sie zur Seebrücke und stiegen in ein Motorboot. Jochen machte die Leinen los. Der Motor sprang an. Das Boot scheuerte an den knarrenden Dalben und glitt an der langen Seebrücke vorbei auf die Nebelbank zu. Anjas Herz klopfte fühlbar. Jetzt war es soweit, jetzt begann das, wofür sie immer und immer wieder gelernt hatte: das Leben auf einer Algenfarm.

Je mehr Wasser das Boot unter den Kiel nahm, um so kräftiger blies der Wind. Anja schlug den breiten Kragen ihrer Jacke hoch und zog ihn dicht an den Kopf.

Jochen stand am Steuer und spähte aufmerksam voraus. „Gehen Sie doch in die kleine Kajüte runter, Anja", sagte er. „Sie müssen sich erst an die See gewöhnen. Es ist um diese Jahreszeit noch rauh hier draußen. Aber spätestens in sechs Wochen wird es herrlich sein. Dann haben wir erfahrungsgemäß viel Sonne."

Anja ignorierte seine Besorgtheit und sah weiter voraus in den Nebel. Endlich glitt das Boot aus den Schwaden. Anja beugte sich vor: Ein Stück voraus lag das Forschungsschiff vor Anker! Es war ein Großkatamaran, ein Doppelrumpfschiff. Sie fuhren darauf zu. Die geschwungenen Fassaden der großzügigen Aufbauten mit den pastellfarbenen Flächen leuchteten weithin. Das Deck, das die beiden Rümpfe verband, wölbte sich in einem kaum wahrnehmbarem Bogen. Auf dem Katamaran scheint verschwenderisch viel Platz zu sein, ideal für Forschungsarbeiten, dachte Anja.

Jochen musterte Anja, die angespannt zum Schiff sah. Deutlich zeichnete sich ihr feingeschnittenes Profil gegen den hellen Hintergrund des Wassers ab. Ein versonnener, verklärter Ausdruck lag auf ihrem Gesicht. Das Kopftuch mit den flatternden Zipfeln rahmte es ein, machte es schmaler und zarter.

„Nicht schlecht", sagte Jochen halblaut und bedauerte, sie nicht länger betrachten zu können. Er mußte anlegen.

„Ja, nicht schlecht. Wirklich ein schmuckes Schiff", bestätigte sie, weil sie glaubte, er habe den Katamaran gemeint.

Jochen stellte den Motor ab. Das Boot trieb in den Schlund zwischen den beiden Rümpfen. Hier war es wie in einem windgeschützten Hafen. Das Wasser schwappte leise gegen die inneren Bordwände des Forschungsschiffes.

„Angelangt!" rief Jochen. „Ich zeige Ihnen alle Einrichtungen."

Sie gingen an Bord, und Jochen reichte ihr beim Übersteigen die Hand.

Nach zwei Stunden Besichtigung taten Anja die Beine weh. „Nun ist's genug", stöhnte sie. „Es ist zwecklos, mir noch mehr zu erklären. Ich begreife jetzt nichts mehr, und ich kann mir auch nichts mehr merken."

Jochen hatte ein Einsehen. Sie fuhren mit dem Lift aufwärts in eines der Oberdecks und verließen damit das Gewirr der Gänge und Räume im Inneren des Schiffes. Als der Lift hielt, tat sich ihnen eine Sesselkajüte auf.

„Das ist die Plaudermesse", erklärte Jochen.

Aufatmend sank Anja in einen Schalensessel. Große Fenster gaben weite Sicht. Fern auf See glitten zwei Frachtschiffe durch das Wasser. Sie sahen ihnen nach, bis sie nur noch ihre Masten über den Horizont streckten.

„Ich habe gehört, wie die Leute an Land euch vom Forschungsschiff herablassend ‚Algenpüttcher' nennen. Warum tun sie das?" wollte Anja wissen.

Jochen hob mit ungewisser Gebärde die Schultern und winkte ab. „Es hat sich eben eingebürgert. Das hat nichts zu bedeuten. Sie meinen es nicht so. Das ist nicht weiter ernst zu nehmen", sagte er.

Anja war mit dieser Antwort nicht zufrieden, schwieg aber. Sie dachte: Wenn sich so etwas eingebürgert hat, gibt es dafür bestimmt Ursachen. Sobald nach jahrelangen kostspieligen Forschungen keine Ergebnisse vorlagen, die den Leuten sichtbar Nutzen brachten, war man schnell bereit, verächtlich zu urteilen.

Scheinbar ohne Zusammenhang zu ihrer Frage erkundigte sie sich: „Wie kommt es, daß hier an Bord Labors leerstehen?"

„Das Schiff ist auf Perspektive gebaut", antwortete Jochen ironisch. Aber dann fiel ihm ein, daß Anja nicht ahnen konnte, wie er damit den Tonfall Professor Hardts, des Forschungsleiters, nachgeahmt hatte. Sie kannte Hardt noch nicht. Deshalb erklärte er: „Wir wollen hier auch noch Platz haben, wenn wir demnächst vor der afrikanischen Küste herumschwimmen und dann mehr zu tun bekommen als jetzt. Bald tritt nämlich der Vertrag über Forschungshilfe mit der Luandaföderation in Kraft."

Afrikanische Küste? Forschungshilfe? Anja horchte auf. Das war ihr neu. Bedeutete das, daß sie viel früher als erwartet Überseefarmen zu sehen bekommen würde? Sofort konzentrierte sie sich auf diesen Gedanken. Vielleicht gelingt es mir, von ihm mehr über diese Afrikafahrten zu erfahren, überlegte sie. Laut sagte sie deshalb: „Später, Perspektive, mehr Platz! Das ist doch alles Unsinn. Da habe ich nun seit Jahren gehört und gelesen, daß die Meere in der Zukunft große wirtschaftliche Bedeutung erlangen, weil Algen nahrhafter sind und die Meereswirtschaft produktiver als die Landwirtschaft ist. Und nun gibt es hier ungenutzte Labors. Ich habe mir vorgestellt, daß hier ein Gewimmel von Leuten wie in einem Raumforschungszentrum sein wird. Es geht doch schließlich um die Ernährung und um die Beseitigung von Hunger in weiten Teilen unserer Welt. Jetzt sehe ich aber, daß auf diesem Schiff nur an die hundert Menschen arbeiten. Da können wir Algenforscher ja zu keinem Ergebnis kommen, das für jedermann sichtbar ist; da brauche ich mich nicht zu wundern, wenn die Leute keine schmackhaften hochveredelten Algengerichte kennen und uns als Algenpüttcher verspotten."

Jochen rutschte mit einem Ruck von der Sessellehne, auf der er es sich bequem gemacht hatte. Wollte das kluge Kind, das eben erst von der Hochschule gekommen war, hier schon große Reden führen?

„Bei euch müßte mehr los sein", dozierte Anja weiter. Sie hielt den Kopf etwas zur Seite geneigt und sah ihn herausfordernd an. „Ein wichtiges Erfordernis menschlicher Lebensgestaltung ist die Vorausschau. Es ist Aufgabe der heutigen Generationen, schon jetzt nach neuen Wegen der Ernährung künftiger Geschlechter zu suchen."

Die altkluge Miene, die sie dazu aufsetzte, paßte gar nicht zu ihr, empfand Jochen. „Sprechen Sie noch lange Hochdeutsch?" fragte er spöttisch. „Platt wäre mir lieber."

„Die Algenforschung ist doch Teil einer solchen Vorausschau", redete Anja unbeirrt weiter und tat so, als habe sie den Hohn in seinen Worten nicht bemerkt. „Bald sind mehr als sieben Milliarden Menschen zu ernähren. Da müßten hier mehrere hundert Wissenschaftler arbeiten. Schade um jeden Tag, an dem die Einrichtungen dieses großzügig gebauten Schiffes nicht voll ausgelastet werden. Selbst wenn es nur darum ginge, in der Ostsee nach Möglichkeiten für die Meereswirtschaft zu forschen, müßte das Algeninstitut mehr Leute einsetzen."

Aufmerksam betrachtete Jochen sie: „Sagen Sie das alles dem Professor! Versuchen Sie's mal! Ich bin nämlich der gleichen Ansicht wie Sie und habe mich mit ähnlichen Reden hier an Bord schon unbeliebt gemacht. Hier gibt es das Wort ‚Ostseeforschung' gar nicht mehr, hier wird nur noch vom Luandaprojekt gesprochen. Der Vertrag über Forschungshilfe ist für unsere Arbeit maßgebend." Jochen lachte bitter. „Sie werden mit Ihren Vorstellungen von Ostseefarmen nicht weit kommen. Es wird Ihnen ähnlich wie mir ergehen: Ostsee, das ist Hobbyforschung. So pflegt das Hardt nämlich zu bezeichnen, wenn jemand nicht nur Gedanken zum Luandaprojekt entwickelt."

Jochen redete sich in Zorn. Er stieß die Worte heraus, laut, fast unbeherrscht. Ein lang aufgespeicherter Groll brach aus ihm hervor. Es sah aus, als wolle er all seinen Ärger bei Anja abladen, die von solchen Spannungen an Bord nichts geahnt hatte. Ihn ärgerte es auch, daß sie mit einer beneidenswerten Unbekümmertheit große Worte von Vorausschau und menschlicher Lebensgestaltung benutzte. Natürlich! Sie hatte recht! Ostseealgen waren nicht nur als Viehfutter und

Industrierohstoff verwendbar, sondern sicherlich auch für die menschliche Ernährung.

Er ahnte nicht, daß von diesem Augenblick an Menschen aus der Zukunft, nämlich die Suchtechniker des Labors für Zeitverspiegelung in Kib-E-Ombo, ihn als eine der gesuchten Personen identifiziert hatten, die Zeuge des Ursprungsereignisses waren, beziehungsweise noch werden würden. Von nun an versuchten sie, ihn ständig im Visier ihrer Zeitspiegel zu behalten.

## DIE SPUR ZUM MEGA-FEUER

Vor zehn Minuten erst hatte einer der Verspiegelungstechniker, die das Bild aussteuerten, vom Pult her gefragt: „Ist es nicht unsinnig, an der Ostseeküste zu suchen, wenn das Ursprungsereignis des Mega-Problems, das wir finden wollen, an der afrikanischen Westküste stattfand?"

Si Taut hatte geseufzt. „Es bleibt uns nichts anderes übrig, als auch abseitige Spuren zu verfolgen. Die Archive sagen aus, daß einer der Zeugen des Ursprungsereignisses in diesem Gebiet, das wir jetzt beobachten, gefunden werden kann."

Seit Monaten hatten sie mit den Zeitspiegeln an Orten gesucht, wo man solche Zeugen hätte antreffen müssen. Das war nicht gelungen. Jetzt versuchte man, sie woanders aufzuspüren, um die erforderlichen Informationen zu sammeln und daraus Methoden zur Beseitigung des Mega-Problems zu entwickeln.

Wieder war Stille in der Kontroll- und Beobachtungssektion vier eingetreten, begleitet vom Flimmern des Zeitspiegels. Ab und zu korrigierte einer der Sucher die Arbeitsweise der Elektronik, gab Anordnungen oder änderte die Einstellung der Zeitkoordinaten.

Der Mann und die Frau in der Sesselkabine des Forschungskatamarans schienen in eine heftige Auseinandersetzung über Fachfragen verstrickt zu sein.

„Wenn es doch nur nicht diese rätselhaften Störungen im Zeitfeld gäbe und man das Ursprungsereignis direkt sehen könnte", sagte Si Taut. „Es scheint überraschend aufgetreten zu sein. Wir müssen jemanden finden, der uns an den Tag heranführt, an dem das Ursprungsereignis eintrat."

Plötzlich glomm an der Oberkante des Schirms über die ganze Breite ein grünes Signalband auf, erlosch, flammte auf, erlosch und leuchtete wieder. Die Verspiegelungstechniker sprangen auf. Einer von ihnen stieß dabei versehentlich gegen einen Hebel. Das Bild auf dem Zeitspiegel fiel zusammen. Nur das grüne Signalband blieb.

„Das ist das Zeichen für: Zeuge gefunden", flüsterte Si Jhul. Sie beugte sich aus ihrem Sessel vor und sah angestrengt auf die dunkle Schirmfläche. „Welche der beiden Personen könnte es gewesen sein, Anja oder Jochen?" fragte sie.

In die Techniker kam Bewegung. Sie hantierten hastig an ihren Schaltpulten und regulierten Hebel für die Zeitkoordinaten, um die Verspiegelung wieder einzutrimmen.

„Ich ahnte es", antwortete Si Taut. „Die beiden im Bild haben mehrmals in ihren Gesprächen ein Stichwort benutzt: afrikanische Küste und Luanda-Projekt. Warten wir ab, ob der Computer diese Stichworte als wesentlich errechnet und wen von den beiden Personen er als eine der gesuchten identifiziert. Wenn er uns das grüne Signal gegeben hat, wird er auch gleich den entsprechenden Bescheid auswerfen."

Aus der Vorhalle drang kurz darauf gedämpfter Lärm bis in ihren Raum. Das Zeichen für „Zeuge gefunden" war auch in die anderen Sektionen übermittelt worden. Si Jhul stand auf und öffnete die Tür spaltbreit. In der Vorhalle fragte gerade jemand laut: „Welche Arbeitsgruppe hat etwas gefunden?"

„Die in Sektion vier", antwortete man aufgeregt.

„Ist es endlich ein Schuldiger, ein Initiator für die GRUM-Waffe im Atlantik?"

„Erhoffen wir uns nicht zuviel. Fragen wir He Rare. Dort kommt er und bringt die Computerkarte."

Si Taut stand auf und trat aus der Kammer der Sektion vier. „Hier! Gib her!" Er nahm die Karte entgegen und warf einen kurzen Blick auf sie. „Unser Mann heißt Jochen Märzbach und ist Meeresagronom auf einem Forschungsschiff. Seine Spur führt uns zum Mega-Feuer", verkündete er. „Ist jemandem von euch aus dem Studium der Unterlagen mehr über ihn bekannt?"

„Er ist jung, etwa so alt wie unsere Studenten aus den makrogenen Lern- und Lebensgemeinschaften. Dreißig Jahre", sagte eine der umstehenden Frauen.

Ehe man dazu kam, weitere Angaben über Jochen Märzbach zu machen, meldete einer der Techniker aus Sektion vier: „Verspiegelung wieder perfekt!"

Die Männer und Frauen in der Vorhalle gerieten in Bewegung und drängten zu den Zeitspiegeln. In allen Kammern hatte man die Koordinaten auf die Einstellung von Sektion vier justiert. Soviel auf den Schirmen zu erkennen war, hatte sich das Zeitvisier inzwischen bereits um ein paar Tage verschoben.

## DAS LUANDA-PROJEKT

Jochen trug zwei Kanister mit Algenproben zu einem der Bassins im Zwischendeck. Er traf dort auf Anja und auf Professor Hardt. Sie debattierten, und Jochen hörte Anja gerade sagen: „Es muß nach Wegen gesucht werden, um neben einer Zusammenarbeit am Luanda-Projekt auch in der Ostsee Meereswirtschaft zu betreiben."

„Die Ostsee ist dafür ungeeignet. Das wissen Sie doch auch. Sie ist zu salzarm. Meeresfarmen wären unrentabel. Außerdem lassen sich Ostseealgen nicht so verarbeiten, daß sie für den Menschen ansehnlich und schmackhaft sind, derzeitig jedenfalls noch nicht", sagte der Professor. „Wozu also noch streiten? Mir genügt es, wenn Jochen Märzbach immer wieder auf diesem Thema herumreitet. Unsere Aufgabe heißt: Luanda-Farm! Ihr muß alles untergeordnet werden. Hobbyforschung können wir uns nicht leisten."

Hardt wandte sich an Jochen und sagte mit leichtem Lächeln: „Jetzt habe ich noch so einen Querkopf an Bord. Haben Sie sie beschwatzt, Ihre Ideen zu vertreten?"

Anja warf den Kopf beleidigt in den Nacken. „Das ist meine eigene Meinung!" rief sie. „Jede Einseitigkeit wird sich eines Tages nachteilig auswirken. Ausschließlich Luanda-Forschung zu betreiben, das ist einseitig."

„Warum soll man in der Ostsee wenig ernten, wenn man vor

der Luanda-Küste mühelos mehr aus dem Meer holen kann?" argumentierte Hardt. „Bei einer künftigen weltweiten Arbeitsteilung wird es den Ländern der tropischen Zonen sowieso zufallen, die Meereswirtschaft zu übernehmen."

„Es müßte eigentlich auch Algensorten geben, die gerade in der Ostsee gut gedeihen und die vielleicht sogar für die menschliche Ernährung geeignet sind", widersprach Anja. „Man muß sie nur suchen oder eine ideale Brackwasseralge für die Ostsee züchten."

„Das Luanda-Projekt ist nicht verkehrt", unterstützte sie nun auch Jochen. „Wir können uns freuen, unter so günstigen Umständen mit den Afrikanern Meereswirtschaft betreiben zu dürfen. Aber es ist meiner Meinung nach an der Zeit, daß wir unsere eigenen Meere gründlicher als bisher erforschen und erschließen. Sonst werden wir eines Tages so weit im Rückstand damit sein, daß neue Impulse in der Meeresforschung nicht mehr von uns, sondern von den Afrikanern ausgehen."

Hardt schmunzelte und hob beschwichtigend die Hand. „Wäre das so schlimm?" fragte er. „Und überhaupt: Wenn es einmal notwendig sein sollte und uns eine solche Aufgabe, Ostseefarmen einzurichten, gestellt wird", sagte er, wobei seine Stimme gar nicht einmal ärgerlich klang, „dann wird sie auch gelöst werden. Das eine schließt das andere nicht aus. Aber jetzt müssen wir uns auf die Einrichtung von Atlantikfarmen konzentrieren und der Luanda-Regierung helfen, die Ernährung ihrer Bevölkerung zu stabilisieren.

Übrigens: Ich wechsele mit mehreren Mitarbeitern in einigen Monaten vom Katamaran zu einer solchen Farm über. Dabei möchte ich Sie unbedingt mitnehmen, Jochen. Widerspenstige und eigensinnige junge Leute wie Sie sind zwar manchmal unbequem, aber sie gehören an die Brennpunkte ihres Berufsgeschehens. Also nehme ich Sie mit. Sie können sich bei dieser Gelegenheit gleich mal aus eigener Anschauung davon überzeugen, ob es richtig wäre, die Afrikaner mit ihren Problemen, besonders dem Ernährungsproblem, allein zu lassen. Eine Woche gebe ich Ihnen Bedenkzeit. Sagen Sie mir dann Bescheid. – Ich würde mich freuen, wenn Sie mein Angebot annehmen", fügte er bekräftigend hinzu.

# CHRONONAUTENGRUPPE EINSTEIN

Chrononauten, Wissenschaftler und Techniker des Instituts für Zeitverspiegelung bewohnten die Appartements der Hochhäuser am Rande der Sperrzone, die um die große Zylinderspirale gezogen worden war, um keinen Menschen, vor allem nicht die Bewohner von Kib-E-Ombo, durch die Energien zu gefährden, die bei Zeittransmissionen durch die Spirale hindurchflossen. Experimentelle Trainingsreisen hatte schon jeder der Chrononauten bewältigt, aber nicht weiter als zehn Jahre in die Vergangenheit in vorher genau festgesetzte, begrenzte und sorgfältig abgeschirmte Koordinaten. Mit großem Interesse verfolgten auch die Eridaner, die außerirdischen Freunde in der Gaststation auf Erdumlaufbahn, diese Experimente. Sie gaben aus ihrem umfangreichen wissenschaftlichen Erfahrungsschatz den einen oder anderen Ratschlag oder halfen dem Forschungsrat, Überlegungen anzustellen, wenn Schwierigkeiten bei der Erforschung der Zeitverspiegelung auftraten.

Die Verlagerung Si Jhuls in die GRUM-Zeit war viel bedeutender als die bisherigen Trainingsunternehmen. Sie ging über das Maß der praktischen Erfahrungen der Gasteridaner hinaus und war für die Gruppe der Chrononauten die erste ernsthafte Aktion dieser Art; und sie war eine Reise ins Ungewisse. Jetzt mußte sich in großem Umfang bewähren, was man lange Jahre in kleinem Maßstab versucht hatte. Am Tag, als die Wahl des Forschungsrates auf Si Jhul gefallen war, hatten sie die Chrononauten in ihrem Hochhaus besucht und sich am Springbrunnen des Klimariums versammelt, um ihr in dieser kleinen geselligen Runde zu gratulieren und ihr viel Glück zu wünschen. Auf Vorschlag Si Jhuls war das Klimarium auf milden nordischen Frühling eingestellt.

Auch ein paar Wissenschaftler waren gekommen. Sie standen mit den Chrononauten in Grüppchen zwischen den Pflanzenarrangements um den Springbrunnen herum oder saßen auf seinem Rand. Das Licht der Abendsonne floß in breiten Bahnen durch die Fensterfront des Klimariums, das im obersten Stockwerk des Hochhauses lag, herein und hüllte die Gestalten der Frauen und Männer in einen seidigen unwirklichen Schimmer. Die Sicht über die weite afrikanische Landschaft war nach allen vier Himmelsrichtungen ausgezeichnet. In der Ferne erstreckten sich die Uferhügel des Kongos, der hier an seinem Oberlauf noch schmal war. Zwischen ihnen und dem Hochhaus stand die imposante, gegen den Himmel gerichtete Zylinderspirale des Instituts. Sie war das Verbindungselement zwischen den Anlagen in den unterirdischen Felskammern des Labors und dem zentralen Zeitsatelliten in sechsunddreißigtausend Kilometer Höhe, der mit seinen Anlagen das zweite Glied in der Kette von Einrichtungen war, mit denen man bei einer Verspiegelung in die Vergangenheit die Zeitkoordinaten verschieben konnte.

Wer aus dem Klimarium hinaus nach Süden sah, konnte den Portalturm des Luftschiffhafens von Kib-E-Ombo sehen, auf den zu dieser Zeit gerade wieder fahrplanmäßig eine große spindelförmige Zigarre aus Richtung Mos-A-Dreles zuschwebte.

Si Jhul saß ein paar Minuten lang allein auf dem Rand des Springbrunnens. Zuerst hatte sie noch die Stimmen ihrer Freunde im Ohr, die ihr zugetrunken und Erfolg gewünscht hatten. Bald achtete sie aber schon mehr auf das leise Rauschen und Murmeln des Wassers hinter sich, das eine Kaskade herabfloß. Sie geriet in eine Stimmung, in der sie gern allein gewesen wäre.

Zurufe zwischen den Gruppen der Gäste ließen plötzlich alle zu einem großen Kreis zusammentreten. Auch Si Jhul wurde neugierig, stand auf und trat näher zu denen heran, die um He Rare und um Professor Ludark gruppiert waren. Ludark war als Vertreter des Forschungsrates und auch im Auftrag O'Rells, des Weltpräsidenten, zu den Chrononauten gekommen. He Rare hatte die Gelegenheit wahrgenommen und die vielfältigen Fachsimpeleien der Anwesenden durch eine Frage an Professor Ludark auf einen interessanten Punkt gelenkt.

„Wir alle sind davon überzeugt, daß Si Jhul Erfolg bei ihrem Auftrag haben wird und wohlbehalten zu uns zurückkehrt", hatte He Rare gesagt. „Aber unter uns haben wir schon oft über die Frage nachgedacht, welche Ausmaße Zeitverspiegelungen annehmen dürfen und wie wir die Kapazität der technischen Einrichtungen einsetzen werden, sobald das Ursprungsereignis im Atlantik, das uns zur Zeit noch beschäftigt, erkundet und die Gefahr, die uns die Menschen aus der GRUM-Zeit als ihr schreckliches Erbe hinterlassen haben, beseitigt ist. Wir haben hier eine große Gruppe gut ausgebildeter Chrononauten, die alle sehnlichst darauf warten, ebenso wie Si Jhul eingesetzt zu werden. Gibt es im Forschungsrat für später schon bestimmte Pläne zu weiteren Zeitverspiegelungen, Professor Ludark?" wollte He Rare wissen.

Ludark, der eben einen Schluck aus einem Glas nehmen wollte und freundlich vor sich hin gelächelt hatte, stellte das Glas unbenutzt zurück und wurde ernst. „Liebe Freunde", sagte er. „Im Forschungsrat sind wir uns mit O'Rell darüber einig, daß Zeitreisen nicht wahllos für jedermann möglich sein werden. Sie können immer nur Einzelfälle bleiben und lediglich aus besonderem Anlaß vollzogen werden. Hier sind wir im Begriff, auf ein Gebiet vorzudringen, das noch gewissenhafter gehandhabt werden muß als die Beherrschung der Atomkräfte, denn jede Einwirkung auf unsere Vergangenheit durch Verspiegelung kann zu geschichtlichen Kollisionen führen. Trotzdem gibt es Anzeichen dafür, daß wir in einigen Jahrzehnten eine Art Aktionsgruppe Einstein haben werden. In ihr werden viel mehr Chrononauten arbeiten als wir heute zur Verfügung haben. Sie werden täglich Dutzende Einsätze durchführen."

„Was für Einsätze?"

„Das können wir uns heute nicht vorstellen!"

„Es werden also Dinge passieren, die den Einsatz von Chrononauten dringend erforderlich machen?"

„Erzählen Sie uns mehr darüber, Herr Professor! Hat man schon Vermutungen, wo der Anlaß zu einer solchen Entwicklung liegen wird?"

Die Stimmen von aufgeregten Frauen und Männern schwirrten durch das Klimarium. Von einem Augenblick zum anderen war die lebhafte Stimmung einer knisternden Spannung gewichen. Ludark hob beschwichtigend eine Hand. Sofort wurde es still.

„Wie Sie alle wissen, meine Freunde, hat im letzten Jahrhundert eine kosmische Strahlungsfront aus dem Krebsnebel unser Sonnensystem durchquert. Sie rief neue Erscheinungen auf der Sonnenoberfläche und in unserer Erdatmosphäre hervor. In ihrem Gefolge traten Klimaschwankungen auf", sagte er. „In diesen Perioden sind Hunderte von Heldentaten vollbracht worden, von denen wir kaum noch etwas wissen. Diese Klimaschwankungen verursachten abwechselnd andauernde Stürme, Regenfälle oder Trockenheiten. Erst als die Mannschaften der Raumflotte mit ihren Maßnahmen gegen den Strahlungssturm draußen im Kosmos Erfolge erzielen konnten, ließen auch diese widrigen Naturerscheinungen nach. Es ist nun ein Phänomen, daß eine gewisse Anzahl von Personen aus verschiedenen Abschnitten jener Zeit Beobachtungen gemacht hat, die auf Chrononautenaktionen hindeuten. Das heißt, daß es zu einem noch bevorstehenden Zeitpunkt, an dem wir oder unsere Nachkommen die Zeitverspiegelung besser beherrschen als jetzt, ein großes Chrononautenkollektiv geben wird, das ich als Aktionsgruppe Einstein bezeichnen würde."

Nachdenklich umstanden die Frauen und Männer Professor Ludark. Hier und dort trat ein begeisterter Ausdruck in die Mienen. Man sah es den umstehenden Chrononauten an, daß sie schon jetzt bereit waren, als Mitglieder einer solchen Aktionsgruppe Einsätze durchzuführen.

Si Taut runzelte die Stirn. Er verständigte sich durch einen kurzen Blick mit Ludark. Und ehe die Begeisterung der Versammelten angesichts dieser unerwarteten Eröffnung Ludarks zu hohe Wogen schlagen konnte, dämpfte er die Stimmung und sagte: „Vergessen wir nicht, daß wir auf diesem Gebiet zur Zeit noch in den Kinderschuhen stecken. Wir haben nicht die geringste Vorstellung darüber, wie wir in der Zeitverspiegelung weitere Fortschritte machen und sie zum Beispiel in eine echte Transmission der Zeit umwandeln können."

Jochen ging die wenigen Kilometer landeinwärts nach Altenbrack zu Fuß. Ihm tat dieser Spaziergang wohl. Gleichmäßig schritt er aus. Der ruhige Rhythmus des Gehens ordnete wie von selbst die Gedanken. Er wußte immer noch nicht, ob er Hardt eine Zusage geben sollte. Die Bedenkzeit war bald abgelaufen.

In Altenbrack verließ er die Straße und betrat einen mit Marmorkies bestreuten, leicht ansteigenden Weg. Hinter einer hohen Hecke lugte ein flaches Dach hervor, auf dem zwei Liegestühle standen. Interessiert betrachtete er das Bauwerk. Es glich einer liegenden Schachtel auf vier Stelzen, der das Parterregeschoß fehlte. Um das Haus herum und unter ihm war ein Ziergarten mit einem kleinen Becken voll Wasser angelegt worden. Sprühpilze benetzten die Pflanzen. Eine breite Treppe führte zum Eingang des Hauses in das erste Stockwerk hinauf. Hier wohnte Anjas neue Freundin Helen. Er war zu ihnen eingeladen worden, um bestimmte Kochkünste zu begutachten. Und außerdem wollte er sich mit Anja beraten, ob er Hardts Angebot, auf eine Luanda-Farm überzuwechseln, annehmen sollte.

Schon im Garten hielt Jochen Umschau. Das lange schmale Becken hinter einem Rosenbeet, das er entdeckte, war eine Hydroponikanlage, offenbar ein Steckenpferd Helens. Jochen zählte sieben Hydrokulturen: Blumenkohl, Mohrrüben, Gurken, Salat, Erdbeeren, Tomaten und Mais. Jochen schnupperte. Die Treppe herunter flossen Schwaden appetitlicher Dünste. Über ihm im Haus klang Frauenlachen, Töpfe und Teller klapperten. Dann hörte Jochen Schritte auf der Treppe.

„Ach herrje!" rief eine Stimme. „Anja, komm schnell. Sieh mal, hier ist ein Taucher, der sucht Algen zwischen unserem Blumenkohl." Helen spielte damit auf Jochens Arbeit als Meeresagronom an.

„Rede nicht solchen Unsinn", antwortete Anja. „Dir ist wohl dein selbstgebrauter Algenwein zu Kopf gestiegen? Bring mir endlich die Tomaten und die Maisspitzen!"

„Ja, gleich", rief Helen. Sie reichte Jochen zur Begrüßung die Hand, pflückte dann einige Tomaten von den Hydrostauden, schnitt Maistriebe ab und zog auch noch einen Blumenkohl aus dem Becken. Dann drückte sie ihm alles in die Hand und sagte: „Bringen Sie ihr das rauf. Sie wird staunen, daß Sie schon gekommen sind."

Jochen stieg die Treppe hoch, von Helen gefolgt. In der kleinen Küche hantierte Anja. Sie kehrte ihm den Rücken zu. Während sie in einem Topf rührte, goß sie mit der anderen Hand Wasser in eine Schale. Dann wog sie eine kleine Menge eines Pulvers ab und machte sich dazu Notizen. Tisch und Regale waren mit allerlei Gerätschaften vollgestellt. In einem Destillierkolben brodelte es, aus der offenen Klappe eines Elektroherdes schlug Hitze heraus, und ein kleines Rührwerk wälzte eine teigige Masse hin und her. In einem winzigen Klärbecken sonderten sich Stoffe ab, und eine Chargenuhr läutete. In der Ecke surrte der Kühlschrank. Von einer Stahlflasche schwang sich ein Schlauch zu einem Glaszylinder, von dessen Boden Bläschen, wahrscheinlich Kohlensäure, hochperlte. Sogar der Platz unter dem Tisch war belegt worden, denn dort reihten sich Büchsen mit Algenpulvern und Algenmehl aneinander. In Fensternähe stand ein Tischautoklav für Hochdruckexperimente.

„Teufel, Teufel, die reinste Hexenküche", murmelte Jochen.

Anja sah überrascht auf. „Hallo, Jochen!" rief sie, griff schnell nach einem Handtuch und warf es über eine Schüssel am Boden. Dann lachte sie verlegen und nahm das Tuch wieder ab. Das kam ihr doch zu unsinnig vor, ihm etwas zu verbergen. „Sie kommen zur rechten Zeit", sagte sie.

Jochen hockte sich nieder und griff in die Schüssel. „Oha, interessant!" Er pfiff vielsagend durch die Zähne. „Ostseealgen, nicht wahr?"

Anja nickte.

„Und wie schmecken sie?"

Anja seufzte nur.

„Gräßlich!" rief statt dessen Helen vom Badezimmer, wo sie Geschirr spülte, weil in der Küche dafür kein Platz mehr war. „Laß ihn mal schon die hausgemachten kosten!"

Anja reichte ihm auf einem Teller etwas, das wie ein frisch gebratenes Stück Fleisch aussah. Jochen spießte es mit einer Gabel auf und zerkaute es langsam. Es war wunderbar mürbe und schmeckte wie Rindfleisch.

„Es ist aus Pazifikalgen", sagte Anja und zeigte auf eine chinesische Konservendose, der sie dieses Stück entnommen hatte. Dann legte sie ihm ein Stück auf den Teller, das einer Bulette ähnlich sah. „Aus Ostseealgen gemacht. Chorda Filum; du kennst ja diese Algenart."

Das Zeug zerging im Mund. Sofort legte sich ein taubes Gefühl auf die Zungenspitze. Jochen riß sein Taschentuch hervor und spuckte aus. „Wie grüne Eicheln", krächzte er unter Räuspern. „Bitter und stark jodhaltig. Der reinste Hexenbrei, dieser Chordaklops", sagte er und lachte. „Zu einem Mittagessen eignet sich das also nicht, auch nicht als Salatbeilage."

„Ostseealgen sind wirklich miserabel", sagte Anja bekümmert.

„Nur wer sich niks vörnimmt, dem schleit ok niks fähl, lütten Deern", erinnerte Helen sie tröstend an ein plattdeutsches Sprichwort. Sie schickten Jochen aus der Küche. „In einer halben Stunde wird ein Probeessen veranstaltet", verkündete Helen. „Sie, Jochen, gehen inzwischen auf das Dach und genießen im Liegestuhl den Sonnenschein."

Jochen gehorchte. So groß seine Überraschung auch gewesen war, Anja bei einer solchen Beschäftigung anzutreffen, so wenig geheuer war ihm dieses Tun bei ihrer überschwenglichen Begeisterung für die Ostseeforschung, die sie neuerdings an den Tag legte. Sie versuchte festzustellen, ob und wie Algen der Ostsee für die Ernährung des Menschen nutzbar zu machen und zu schmackhaften Gerichten umzuwandeln waren. Aber sie ging zu überstürzt vor, besaß zuwenig Erfahrungen im Experimentieren und hatte nur einfache Mittel dafür zur Verfügung. Das bereitete ihm Unbehagen. Nur durch Zufall konnte sie auf diese Weise zum Erfolg gelangen und beweisen, daß die Forderungen nach Ostseefarmen zu Recht bestanden. Solche Untersuchungen ließen sich nur durch Forschungsgruppen ausführen.

Bald riefen Helen und Anja zu Tisch. Mit ironischem Argwohn musterte Jochen die aufgetragenen Gerichte. Wer weiß, was meinem Gaumen bevorsteht. Sicherlich nichts Gutes, dachte er.

Helen lächelte amüsiert.

Anja sagte beschwichtigend: „Das meiste hiervon sind er-
probte Algenkonserven. Sie sollen nur raten, was Ihrer Ansicht nach von uns zusammengerührt und nicht aus handels-
üblichen Algenpulvern hergerichtet worden ist."

„Na, dann, in drei Teufels Namen", sagte Jochen. „Da kenne
ich mich aus. Zu Hause als Junge in Wismar hat es sonntags
oft Gerichte aus japanischen Algenkonserven gegeben.
Meine Mutter war sehr für solche Neuerungen im Speisezet-
tel. Sie wußte darüber immer gut durch ihre Arbeit als Kö-
chin in der Werftküche Bescheid."

Auf den Platten lagen von den Speisen jeweils nur zwei oder
drei Bissen für jeden von ihnen zum Kosten: Salate, Pasteten
und Aufstrich; Gebäck, zwei Suppen und Chips waren
ebenso vorhanden wie kleine Flaschen verschiedener Getränke, Eisbecher, Gelee und Pudding.

Jochen kostete bedächtig. Gleich bei der ersten Probe
staunte er: „Habt ihr Blumenkohl aus dem Hydrobecken
durch den Fleischwolf gedreht?"

Der Brei, den er zuerst auf dem Teller gehabt hatte,
schmeckte wie Blumenkohl, mit zerlassener Butter übergos-
sen.

„Falsch geraten!" rief Helen. „Das ist fabrikmäßig aus Sar-
gassumkraut hergestellt."

Auf einer anderen Platte lag für jeden neben einer echten
Tomate ein rotbraunes Kügelchen. Jochen bediente sich.
Das Kügelchen schmeckte wie eine Tomate, war aber nicht
so saftig.

„Aha, eine italienische Mittelmeertomate."

„Wieder verkehrt." Helen freute sich über jeden seiner Irrtü-
mer. „Es ist Blasentang aus der Ostsee, allerdings mit echtem
Tomatenmark gemischt."

So ein Betrug, dachte Jochen erheitert. Um die beiden
Frauen aber nicht zu betrüben, sagte er: „Das ist schon ganz
gut gelungen!" Jochen nahm von den Salaten. Neben dem
hellgrünen Gartensalat gab es eine Sorte, die aus hiesigen
Algen bestand. Der bräunliche Salat war stark gepfeffert. Mit
aufgesteckten und gedünsteten Maisspitzen war ihm ein ap-
petitliches Aussehen gegeben worden.

„Toll! Türkische Teichrosen mit Paprika und Schnittlauch
bestreut", spottete Jochen diesmal gutmütig und kostete. „Es

krabbelt wie Ameisen im Hals."

Anja sprang erbost auf und warf eine zusammengeknüllte Serviette nach ihm. „Döskopp!" schimpfte sie und stampfte zornig auf.

Helen ließ sich in ihren Sessel zurückfallen und verschluckte sich beinahe vor Lachen.

„Bitte, keine Attentate auf mich verüben", rief Jochen und warf die Papierkugel zurück. „Ich werde noch auf der Luanda-Farm von Professor Hardt benötigt."

Sofort vergaß Anja ihren Ärger. Ihre Augen schienen zu sagen: Ach, du Glücklicher, du hast es geschafft und fährst bald nach Afrika. Solch ein Angebot wünsche ich mir später auch einmal. Schnell fragte sie: „Also werden Sie Professor Hardt begleiten? Sie haben sein Angebot angenommen, ja?"

Jochen hob unschlüssig die Schultern. „Eure Einladung zu diesem Probeessen habe ich unter anderem auch deshalb angenommen, weil ich mit Ihnen, Anja, über Hardts Angebot sprechen wollte. Ich möchte viel lieber Algenfarmen hier in der Ostsee einrichten. Bis es soweit gekommen ist, wird aber noch manches Jahr vergehen. Vielleicht sollte ich doch erst einmal auf einer Luanda-Farm arbeiten."

In diesem Augenblick summte das Telefon. Helen drückte eine Taste und gab Jochen den Hörer in die Hand. Der Funker der „Katma 4" meldete sich vom Ankerplatz in der Bucht. Er sagte: „Bei den Afrikanern muß was passiert sein! Hier sind verschlüsselte Telegramme aus Mossamedes eingegangen. Der Professor ist sehr aufgeregt. Er will Sie sprechen, Märzbach. Das Wasser vor der Luanda-Küste soll radioaktiv verseucht sein. – Ich stelle jetzt mal das Gespräch zu Hardt durch."

„Verseucht?" fragte Anja verständnislos. „Wie ist das zu verstehen?"

„Weiß ich nicht! Abwarten", antwortete Jochen. „Jedenfalls scheint den Leuten am Äquator irgend etwas einen bösen Streich gespielt zu haben."

Der Professor meldete sich und sagte: „Ich muß Sie bitten, umgehend an Bord zurückzukehren. Ich habe Sie und die anderen Meeresagronomen von Telegrammen zu unterrichten, die uns vor kurzem von der wissenschaftlichen Abteilung der Marineleitung der Luanda-Föderation zugegangen sind", sagte der Professor. „Wie uns mitgeteilt wird, ist die Meeresströmung, die im Bereich der künftigen Meeresfarmen auf die Luandaküste trifft, seit einigen Tagen radioaktiv. Die Strahlung verstärkt sich noch. Unsere afrikanischen Kollegen von der Meeresforschung vermuten, daß es sich bei dieser Erscheinung um ein regelwidriges Hochquellen von Tiefseewasser handelt. Dieses Wasser muß von einer unbekannten Strahlungsquelle verseucht worden sein. Wir müssen das alles sofort gründlich besprechen. Sie wissen, was es für unsere Arbeit und für unsere Mitwirkung am Luanda-Projekt bedeuten kann, wenn diese Verseuchung anhalten sollte."

Jochen versprach, sofort an Bord zu kommen.

Helen hantierte schon am Rundfunkgerät. Sie suchte eine Nachrichtensendung. „Wenn es etwas Schlimmes ist, wird darüber bestimmt berichtet", vermutete sie.

„Es tickt im Atlantik", murmelte Jochen im Selbstgespräch. Das klang, als ob eine Zeitzünderbombe in Tätigkeit versetzt worden war. Er sah in seiner Vorstellung, wie die Dünung des Ozeans ruhig wie eh und je auf und ab wogte. Es war ihr nicht anzusehen, was für eine Gefahr sie herantrug. Nachdenklich zog er seinen Mantel an, hörte ein paar Sätze lang auf die Meldungen des Sprechers über politische Ereignisse und verabschiedete sich dann. Gerade als er die Türklinke niederdrückte, sagte der Rundfunksprecher:

„Mossamedas: Vor der westafrikanischen Küste zwischen den Häfen Luanda und Mossamedes verseuchen starke radioaktive Strömungen das Meerwasser. Der Fischfang mußte an fast allen Küstenabschnitten eingestellt werden. Die Herkunft der Strömungen konnte noch nicht geklärt werden. Die Regierung der Luanda-Föderation hat die wichtigsten Industriestaaten um wissenschaftliche Unterstützung bei der Aufklärung dieser Erscheinung gebeten. Aus zwei dieser Länder sind schon Bathyskaphs ausgelaufen, die in die Tiefsee vordringen und den Ursprung der Verseuchung ausfindig machen sollen."

# DAS FEUER AM SEE

Vier Tage nach dem Besuch Ludarks bei den Chrononauten gab Jandar O'Rell, der Weltpräsident selbst, der Öffentlichkeit über den Weltbildkanal bekannt, daß eine Chrononautin zum erstenmal in der Geschichte der Menschheit mehr als dreihundert Jahre weit in die Vergangenheit zurückverspiegelt werden solle. Die Weltgeschichte der letzten vierhundert Jahre mit ihren stürmischen geschichtlichen Ereignissen war reich an wissenschaftlichen Unternehmungen. Aber die bioenergetische Verlagerung eines Menschen als Impliz einer Zeitverspiegelung in die Vergangenheit, dazu noch in die GRUM-Zeit, übertraf alles bisher Dagewesene.

Jetzt also wußte es die ganze Welt: Die erste Chrononautin der Geschichte war die Spanierin Si Jhul.

Nur eines hatte O'Rell in seiner kurzen Ansprache verschwiegen: die Hintergründe für diesen großen Sprung über die Zeit bis in die Periode des Großen Umbruchs. Solange die Gefahr an der dünnsten Stelle der Erdkruste nicht akut war, sollte die Bevölkerung der Erde nicht in Unruhe versetzt werden. Offiziell galt Si Jhuls Zeitverspiegelung daher als Unternehmen zur Erforschung der bedeutenden gesellschaftlichen Umwälzungen, die sich in der GRUM-Zeit, im zwanzigsten Jahrhundert, vollzogen hatten. Daß die Historiker gerade an dieser Geschichtsperiode größtes Interesse hatten, war allgemein bekannt. Es leuchtete der Öffentlichkeit ein, wenn man eine Beobachterin für ein paar Wochen in die GRUM-Zeit verspiegelte. Tag und Stunde der Implizierung Si Jhuls standen nunmehr fest.

Mit der Ermittlung eines Zeugen für das Ursprungsphänomen, des Meeresagronomen Jochen Märzbach, hatten die Techniker des Labors Zeitkoordinaten getroffen, die vermutlich nur wenige Wochen vor dem Ursprungsereignis lagen. Dort mußte die Kundschafterin placiert werden. Die Vorbereitungen für das Unternehmen liefen auf Hochtouren. Si Jhul aber wurde geschont. Sie war an diesem Tag, an dem Jandar O'Rell das Unternehmen im Weltbildkanal bekanntgab und an dem vorbereitete Reportagen aus dem Institut für Zeitverspiegelung sowie über die Chrononautin gesendet wurden, früher als an den Tagen zuvor in die Hochhaussiedlung am Rande des Sperrgebietes zurückgekehrt. Si Taut hatte ihr gesagt, daß er im Labor auch bald Feierabend machen und nur noch ein Bad im See nehmen werde.

Jochen Märzbach, mit dem die Chrononautin Verbindung aufzunehmen hatte, stand ununterbrochen auf den Zeitschirmen unter Beobachtung. Niemand der Frauen und Männer an den Suchschirmen in den unterirdischen Felskammern neben der großen Zylinderspirale ahnte, daß das Ursprungsereignis im anvisierten Zeitbereich viel näher war, als sie annahmen.

Si Jhul war an diesem Abend vor allem darauf bedacht, sich zu entspannen. Sie war durch die Sendungen im Weltbildkanal jetzt der populärste Mensch des Erdballs. Aber nach den anstrengenden Vorbereitungen der letzten Tage stand ihr nicht der Sinn danach, sich irgend jemandem zu zeigen und ihren Ruhm bereits im voraus auszukosten. Sie hatte sich seelisch schon ganz und gar auf den Mann eingestellt, der nach Ankunft in der GRUM-Zeit ihre Leitperson darstellte und den sie zu beobachten hatte. Deshalb hatte sie sich auch das Bild von jenem Zeitschirm, der Jochen Märzbach im Visier hatte, auf ihr Zimmergerät schalten lassen. Bequem ausgestreckt, beobachtete sie auf ihm, was Jochen Märzbach tat und was um ihn herum geschah. Es galt, sich Tausende Einzelheiten aus den Gewohnheiten der Menschen in der GRUM-Zeit und aus dem Leben Jochen Märzbachs einzuprägen.

Unterdessen war Si Taut auch schon zum See gefahren, um zu baden und zu schwimmen. Der See war bei den großen Regenfällen des hundertjährigen Strahlungssturmes entstanden. Im Schilfgürtel lärmten Wasservögel. Die meisten der Leute aus Kib-E-Ombo, die den Tag am See verbracht hatten, waren schon heimgekehrt. Die Dämmerung schritt rasch voran. Zwischen ihm und dem orangeroten Horizont lag ruhig eine warme tiefe Masse, das Wasser des Sees. Si Taut streifte den leichten Sommeranzug und die Sandalen ab und watete langsam auf den fernen Schein des schwindenden Tages zu.

Bald umschloß ihn das Wasser ganz, und er schwamm. Manchmal ruhte er darin und brauchte kaum die Arme zu bewegen, um Auftrieb zu behalten. Si Taut drehte sich auf den Rücken und sah zu den Lichtern der schwarzen Glocke über ihm auf. Vielleicht würde Jhulka, sobald sie der Zeitverspiegelung unterlag, ähnliche Empfindungen haben wie er jetzt. Ihm schien, während er sich im Wasser treiben ließ, daß die Zeit für ihn stehengeblieben war. Er schwamm in ihr, für Unendlichkeiten darin eingebettet. Sie umspülte schwarz, warm und weich seinen Körper und trug ihn zwischen den Sternenräumen dahin. Seine Gewichtslosigkeit rückte auch die Lichter des Ufers weit weg und ließ sie selbst zu Sternen werden. Es war kein Unterschied zwischen dem Ort, an dem sein Körper sich befand, und diesen unendlichen Weiten, in denen der Staub des Universums als Sternenschleier erstarrt phosphoreszierte. Es war herrlich, so auszuruhen und an nichts weiter zu denken.

„Taau! T-a-a-a-u-u!"

Dieser ferne Ruf tastete wie mit zarten Fingern nach ihm und versuchte, ihn diesem ewigen Dahintreiben zu entwinden. Seine trägen Schwimmbewegungen wurden etwas lebhafter. Unweit hörte er Fische springen.

„T-a-a-a-u-u! Taau!"

Diesmal war der Ruf nicht so unwirklich. Er warf sich herum und kraulte zurück zum Ufer. Das mußte Si Jhul sein. Im Klang ihrer Stimme, die in der ruhigen Nacht unverfälscht den weiten Weg bis zu ihm gedrungen war, hatte etwas gelegen, das ihn hochpeitschte. Aber so sehr er nun auch horchte, der Ruf wiederholte sich nicht.

Ich werde mich getäuscht haben, dachte Si Taut und schwamm wieder in ruhigen Stößen. Das Wasser so zu durchfurchen gefiel ihm genausogut wie vorher das zeitlose Dahintreiben. Erst jetzt bemerkte er, wie weit er draußen auf dem See gewesen war, denn es kostete ihn zum Schluß schon eine größere Anspannung seiner Kräfte, um das Ufer zu erreichen. Eine Strömung mußte ihn hinausgetrieben haben.

Am Strand waren Anzug, Sandalen und Handtuch bald gefunden. Si Taut trocknete sich nur flüchtig ab und überließ den Rest der lauen Nachtluft. Er stieg zwischen den Uferhügeln auf ein offenes Feuer zu, das unweit eines einzelnen unerleuchteten Gebäudes loderte. Sein flackernder Wider-

schein verlieh der Fassade etwas Märchenhaftes. Soviel Si
Taut wußte, war dieses Haus ein Jugendheim. Hier trafen
sich junge Leute aus Kib-E-Ombo, um nach den täglichen
Pflichten die Freizeit gemeinsam zu verbringen. Um das
Feuer glitten Gestalten. Lachen erklang. Si Taut fühlte sich
von diesem Kreis junger Leute angezogen. Langsam ging er
auf sie zu. Keines der Gespräche stockte, als ein Fremder in
den Lichtkreis trat. Jeder, der sich zwischen ihnen heimisch
fühlte, war willkommen. Braungebrannt hockten oder standen die jungen Frauen und Männer um die rotgelben Flam-
menzapfen.

Si Taut sah den aufsteigenden Funken nach. Sie kreuzten
eine kurz aufsprühende Garbe, die über dem Wald aus der
Zeitspirale aufstieg und damit Störungen verriet.

Noch ein paar junge Leute kamen an das Feuer. Vermutlich
hatten sie auch im See gebadet, denn die Wassertropfen perl-
ten noch auf ihrer Haut. Sie standen eine Weile nahe dem
Feuer, hatten ihre Handtücher um die Hüften geschlungen
und ließen sich von seinem warmen Hauch trocknen.

Ein ungewöhnlich schlaksiger junger Mann trat dicht an die
Flammen und streute kleinfiedriges Laub in die Glut. Sofort
paffte ein weißer Rauchgeist auf und entfloh hastig zum
Nachthimmel. Ein würziger Duft breitete sich aus. Die Gestalten auf den Matten standen auf. Eines der Mädchen jenseits des Feuers sah lächelnd zu Si Taut. Sie hatte eine
kleine zierliche Figur. Teile mein Lächeln mit mir, schien
ihr Blick zu sagen. Si Taut erwiderte den Blick und hielt dieses Lächeln fest.

Die flüchtigen Sekunden, in denen er mit dem Mädchen in
geheimem Einverständnis und in einer unenträtselbaren Au-
gensprache Empfindungen ausgetauscht hatte, ließen ihn ge-
wahr werden, wie ihn der Zeitstrom, dem er draußen entron-
nen war, wieder zu umfließen begann. Deutlich spürte er,
daß die Gegenwart vielleicht nur ein Schlitz war, durch den
sich die Zukunft in die Vergangenheit ergoß. Vielleicht würden ihn auch Si Jhuls Augen einmal für Sekunden aus der
Vergangenheit genauso grüßen.

Si Taut stocherte nachdenklich mit einem Stecken im Feuer.
Die Glut schwelte am Stock entlang. Er gab ihn dem Mädchen mit der zierlichen Figur, die ihm zugelächelt hatte. Sie

schrieb damit in spielerischer Bewegung glimmende Kreise und andere Zeichen in die Luft. Darüber vergaß sie, ihn aus der Hand zu legen. Doch ehe der Stock zu kurz wurde, trat leise ein Techno aus dem Dunkel der Nacht an das Feuer und nahm ihn ihr weg. Mit einer bedauernden Bewegung der Schultern überließ sie dem Roboter den schwelenden Rest und sah zu, wie er abseits die Glut zertrat.

„Die Technos machen uns Menschen mit ihrer ständigen unauffälligen Fürsorge zu unerfahrenen Kindern. Trisi hätte sich schon nicht verbrannt. Und wenn, dann hätte sie zwar den Schmerz gespürt, wäre aber doch um ein weiteres Quentchen echter Lebenserfahrung reicher geworden", sagte eine Stimme neben Si Taut.

Das Mädchen auf der anderen Seite des Feuers hatte zugehört und zwinkerte Si Taut zu, diesmal lustig und keck. Es war Tri Quang.

Si Taut betrachtete den Sprecher und erkannte in ihm einen der Männer, die kurz nach ihm zum Trocknen an das Feuer getreten waren. „Trisi wäre um eine wichtige Erfahrung reicher geworden, wenn du dem Techno zuvorgekommen wärst. Sie hätte deine Sorge um sie kennengelernt. Das macht froh. Benutze deinen Verstand, aber erfriere nicht dabei", sagte er lächelnd.

In den Augen des Mannes blitzte Verblüffung auf. Dann lachte er laut. „Fremder Freund", sagte er, „diese Wahrheit gefällt mir. Ich will sie mir merken. Aber ich hoffe doch, daß Trisi trotzdem weiß, wie ich als ihr Bruder stets um sie besorgt bin. Du bleibst doch hoffentlich auch noch in der nächsten Stunde Gast an diesem Feuer?" fragte er freundlich.

Si Taut blieb ihm die Antwort schuldig, denn unweit hinter seinem Rücken, noch außerhalb des Lichtscheines der Flammen, hielt, mit typisch knisterndem Summen, ein Bodenschweber. Si Taut hatte die Empfindung, als habe ihn jemand beim Namen genannt. Während sonst niemand der Ankunft des Fahrzeuges Aufmerksamkeit schenkte, wandte Si Taut sich als einziger dorthin um. Aus der Dunkelheit trat Si Jhul auf ihn zu.

„Jhul!" sagte Si Taut verwundert, „du siehst beunruhigt aus. Was ist passiert?"

„Ich rief dich schon vor einer Weile am Ufer. Wie gut, daß

ich dich endlich gefunden habe", sagte sie, noch immer außer Atem. „Komm zum Schweber, Tau. Es eilt." Si Jhul verstummte mit einem bedauernden Blick auf das Feuer, den Kreis der Menschen und die Silhouette des Hauses im Hintergrund. „Wie schade, daß ich dir diese romantische Stunde rauben muß", fügte sie seufzend hinzu.

Rings um das Feuer gerieten die Gestalten der jungen Frauen und Männer in Bewegung. Ihre Stimmen wurden lauter.

„Die Chrononautin!" rief Trisi überrascht.

Man hatte die Besucherin, vom Weltfunk am Nachmittag noch gut in Erinnerung, erkannt. Trisi lief um das Feuer herum und ergriff Si Jhuls Hand. „Daß du es wagst, zu den Vorfahren in die schreckliche GRUM-Zeit zu gehen", sagte sie.

„Je länger unsere Suchtechniker die Vorfahren auf den Zeitschirmen beobachten, um so deutlicher wird, daß sie genau solche Menschen sind wie wir", sagte Si Jhul und lächelte. „Sie sehnten sich auch nach dem Guten und dem Glück, nur wurde es ihnen nicht so reichlich bemessen wie uns. Für sie war alles Schöne im Leben knapper und daher kostbarer. Aber sonst sind sie genauso fröhlich und ausgelassen wie wir." Si Jhul senkte den Blick und runzelte die Stirn. Kaum noch zu verstehen war sie, als sie sagte: „Die meisten von ihnen könnten wir auch heute noch auf der Stelle liebgewinnen. Ihre Lebenskraft ist faszinierend. Es ist schade, daß ihr Leben viel kürzer als unseres bemessen war."

Ringsum war jedermann still. Es schien, als ob selbst die Flammen bemüht waren, nicht mehr störend zu knistern.

Si Jhul hob den Kopf und blickte auf ihre Armspange. Dort blinkte ein punktförmiges Lichtsignal in stetigem Rhythmus. „Ein Anruf vom Labor", sagte sie und zog Si Taut mit fort zum Fahrzeug.

Während der Schweber, von Si Jhul gelenkt, in sausender Fahrt davonstob in Richtung auf das Sperrgebiet, meldete ein Mann aus dem Institut, daß man auf dem Kontrollschirm, der Jochen Märzbach im Visier hatte, auf eine alarmierende Entwicklung in der Szenerie der Vergangenheit, auf Meldungen von radioaktiven Strömungen im Atlantik, gestoßen sei. „Es sieht so aus, als stehe das Ursprungsereignis unmittelbar bevor", sagte er.

„Das war es, was ich dir auch sagen wollte", erklärte Si Jhul.
„Meine Implizierung muß wahrscheinlich' noch in dieser
Nacht erfolgen. Werden wir das jetzt so Hals über Kopf be-
werkstelligen können?" wollte sie wissen.

„Wir sind nicht unvorbereitet, aber wir werden dennoch
nichts überhasten", sagte Si Taut fest. „Nicht um den Preis
eines Schadens für dich. Denke daran, daß das Ereignis, das
uns jetzt drängt, schon längst Vergangenheit ist. Sollten wir
Jochen Märzbach aus dem Visier verlieren, werden wir uns
einen neuen Ansatzpunkt suchen. Das Ereignis selbst geht
uns nicht verloren. Wir können es beliebig oft mit den Zeitkoordinaten wiederholen, uns an die gewünschte Periode immer wieder herantasten, bis wir es auf dem Schirm haben."

Die Schwierigkeit war seltsamerweise die, daß man über die
Zeitkoordinaten des Ursprungsereignisses nur Vermutungen
aufstellen, dieses Ursprungsereignis bisher aber noch nie auf
den Zielschirm bekommen konnte. Aus den bisherigen Experimenten gewann man den Eindruck, als verhindere eine
unbekannte Kraft alle Einspiegelungsversuche in die Zeitpe-
riode, in der die GRUM-Waffe in die Tiefsee gebracht worden war. Möglicherweise würde diese Kraft eines Tages eine
ganz natürliche physikalische Erklärung finden, zum Beispiel mit Spannungen im Gravitations- oder im Zeitfeld. Auf
jeden Fall gab es so etwas wie ein Zeitloch in dieser Periode.
Man war gegen dieses Loch in der Zeit machtlos, selbst mit
den besten und modernsten Geräten blieben Einspiegelungen in diesen Zeitabschnitt erfolglos. Insgeheim bangte Si
Taut deshalb darum, daß Si Jhul bei der Implizierung in dieses Loch geraten und daß ihr trotz ihres sicheren Aufenthal-
tes im Immunitron ein Schaden erwachsen könnte.

## ALS KURIER NACH MOSSAMEDES

Dieses Jahr schenkte den Menschen wieder einen sonnenrei-
chen Frühsommer. Schon seit Ende Mai dehnte sich fast jeden Tag blauer Himmel über Land und See. Er war nicht

von sattem Azurblau südlicher Breiten, sondern von einem zarten Pastellblau, das zu duften schien und zum Träumen einlud.

Jochen sonnte sich auf dem Promenadendeck der „Katma 4". Er hob ein wenig den Kopf und blinzelte unter der Hand zu Anja hinüber. Sie stand an der Reling und schaute nach den Seglern. Manchmal huschte das straffgespannte Dreieck eines solchen Seglers wie die Rückenfinne eines riesigen Fabelhaies lautlos nahe der Reling entlang. Weiter weg vom Schiff stand ein dichtes Feld Dutzender dahingleitender Segelboote.

Ob Anja zu segeln verstand? Sie hatten beide darüber noch nie gesprochen. Eigentlich wußte er wenig von ihr. Ihn hatte Anjas verträumtes und versonnenes Gesicht immer wieder davon abgehalten, sie nach persönlichen Dingen zu fragen. Oder bildete er es sich nur ein, daß sie verträumt war? Bisher war es ihm meist so ergangen, daß fast jede Frau, die neu auf den Katamaran kam, sympathisch fand. Ihre Anziehungskraft versetzte ihn in einen Zustand prickelnder Unruhe. Aber meist schon nach wenigen Tagen, sobald er die Neue öfter gesehen hatte und sie in den Alltag eingeordnet worden war, klangen die hochgespannten Erwartungen wieder ab. Anjas Nähe dagegen konnte noch heute jedem Tag Glanzlichter aufstecken.

Wie war es eigentlich um seine Beziehungen zu ihr bestellt? Jochen richtete sich auf, beschattete die Augen noch einmal und sah zur Reling. Sein Blick umfaßte ihre Gestalt. Anja hatte ihm schon am ersten Tage gefallen.

Einer der Matrosen der Besatzung kam an Deck. Er trug seine Freizeituniform und blickte sich suchend um. Dann winkte er Jochen einen kurzen Gruß zu und ging zu Anja. Jochen hörte, wie er sie zu einer Segelpartie einlud. Über Anjas Gesicht huschte ein überraschtes Lächeln. Nach kurzem Zögern willigte sie ein. Sie gingen beide quer über das Deck zum Niedergang, der zum Fallreep führte. Jochen fühlte plötzlich, daß es ihn schmerzte, wenn Anja neben einem anderen Mann ging. Schon in wenigen Minuten würden sie einer der vielen Segelschwäne dort draußen auf dem Wasser sein. Wie töricht von ihm, sich in Betrachtungen über Anja zu ergehen, anstatt ebenso wie dieser Matrose einfach hinzugehen und sie zu einer Bootsfahrt, zum Baden oder zu einem Spaziergang auf der Uferpromenade einzuladen. Was für ein Esel war er doch! Seufzend stand Jochen aus seinem Liegestuhl auf. Da hätte ich mich früher entschließen sollen, dachte er. Jetzt war es zu spät, sich um Anja zu bemühen. Zumindest mußte es einstweilen verschoben werden. Es wurde nämlich Zeit für ihn, an seine Abreise zu denken.

Jochen war überraschend dazu ausersehen worden, umgehend nach Mossamedes zu fliegen. Das Marineamt der Luanda-Föderation hatte um wissenschaftliche Unterlagen gebeten. Und diese Unterlagen mußten möglichst schnell überbracht werden. Erst am Morgen war diese Aufforderung eingegangen, und schon am Abend sollte Jochen abfliegen. Inzwischen wurden eilig alle gewünschten Materialien zusammengestellt.

Wegen dieser Reise hatte ihn am Vormittag Professor Hardt in sein Arbeitszimmer bestellt. Hardts Schreibtisch machte diesmal einen trostlosen Eindruck. Er arbeitete nicht; kein einziges Buch, keine Mappe und kein Blatt Papier lagen darauf. Auch sonst verbreitete das Zimmer mit seiner ungewöhnlichen Aufgeräumtheit eine kahle, tatenlose Atmosphäre. Hardt, sonst lebhaft und von einem explosiven Betätigungsdrang erfüllt, stand regungslos vor einer riesigen Weltkarte. Seine kleine Figur mit dem fast quadratisch anmutenden Brustkorb wirkte vor dieser Karte gnomenhaft. Langsam wandte er sich um und spähte unter seinen buschigen Brauen auf Jochen.

„Wenn ich bloß wüßte, was dieses Ungeheuer von Atlantik in seiner Tiefe verborgen hält, warum es uns solche Schwierigkeiten macht", murmelte er. Dann eröffnete er Jochen, welche Aufgabe ihm zugedacht war. Er legte es ihm ans Herz, den afrikanischen Wissenschaftlern so gut und so ausführlich wie möglich alle Fragen zu beantworten, falls die Unterlagen, die Jochen als Kurier hinbringen sollte, nicht ausreichten. „Sie sind dafür der geeignete Mann, Jochen", hatte Professor Hardt gesagt und ihm dabei gedankenvoll zugenickt.

# EIN BEWUSSTLOSER

Das Lagerfeuer vor dem Haus am See war zusammengesunken und schwelte nur noch. Ein schwacher Rauchfaden stieg auf und verlor sich im dünnen Morgennebel. Die jungen Leute, die die Flamme bis nach Mitternacht umlagert hatten, waren in das große Haus gegangen oder nach Kib-E-Ombo gefahren. Der märchenhafte Reiz der Fassade hatte sich zusammen mit dem Rauch des Feuers verflüchtigt. Übriggeblieben waren die glatten nüchternen Flächen und die graden Kanten, auf die das fahle Morgenlicht fiel. Im Schilf des nahen Sees quarrten die Wasservögel. Auf dem untersten Ast eines Baumes, unweit der heißen Asche, schaukelte ein vergessenes Handtuch.

Ein Techno glitt aus dem Haus, um mit der täglichen Wartung der Motorboote am Steg zu beginnen sowie Strand- und Rasenpflege zu betreiben. Er registrierte das Handtuch und ein Knäuel Kleidung neben der Asche. Als er programmgemäß die Asche untergraben und das Knäuel Kleidung zusammen mit dem vergessenen Handtuch in das Haus schaffen wollte, bewegte sich das Knäuel und stöhnte.

Der Techno registrierte: Ruhender Mensch. Ungewöhnliche Schlafhaltung.

Ein weiterer Stromkreis wurde geschlossen und signalisierte: Ruhezustand beenden und Mensch leicht schütteln!

Der Techno handelte weisungsgemäß. Mehrmals sagte er dabei: „Stehen Sie auf und gehen Sie in das Haus. Legen Sie sich in ein Bett."

Der Techno registrierte: Mensch erwacht nicht.

Abermals wurde ein Stromkreis geschlossen. Er signalisierte: Zweite Weckstufe. Dazu kaltes Wasser ins Gesicht schütten!

Hurtig spurtete der Techno zu den Booten und kam mit einem Schöpfer voll Wasser zurück. Schwungvoll klatschte er dem Liegenden einen Schwall ins Gesicht. Wieder stöhnte dieser, zeigte sonst aber keine Reaktion und blieb verkrümmt am Boden.

In diesem Augenblick traten zwei Personen, reisefertig angekleidet, vor das Haus: Tri Quang und ihr Bruder. Sie wollten mit einem der Boote nach Kib-E-Ombo über den See fahren.

Für sie war die Zeit gekommen, sich erneut zu trennen; jeder mußte nun wieder seiner Wege gehen.

„Moment, Trisi. Sieh mal dort!" rief der Bruder plötzlich. „Was treibt denn der Roboter für Späße?"

Tri Quang wandte sich dem Platz mit den Resten des Lagerfeuers aus der letzten Nacht zu. Mit einem leisen Aufschrei stürzte sie sich auf den Techno und entriß ihm den kurzstieligen Bootsschöpfer.

„Das ist ein Bewußtloser", sagte ihr Bruder hastig. „Laß den Roboter machen. Es ist richtig, was er tut. Sei nicht so impulsiv." Vorsichtig drehte er den Mann auf den Rücken.

Tri Quang beugte sich herab, um ihm ins Gesicht zu sehen. Ihr stockte der Atem, als sie erkannte, wer vor ihr im Gras lag. „Asko", flüsterte sie. „So finde ich dich wieder?" Sie sah Tau auf seinen nassen Lidern.

„Du kennst ihn?" fragte der Bruder erstaunt.

„Ja, aber nur flüchtig von der Reise im Luftschiff nach hier. Du weißt doch, daß ich mich schon seit einiger Zeit einem Makrogen anschließen wollte", erklärte sie schnell. „Er gehört einer solchen Gruppe an und hat mich eingeladen, sie zu besuchen. Sie brauchen dort jemanden von der Fachrichtung Symbio-Technik."

Beide wollten sie ihn ins Haus tragen, aber Asko stand von allein auf. Mit leerem Blick ließ er sich führen. Tri Quang setzte sich zu ihm, bis ein Arzt kam. Doch Asko reagierte auf nichts in seiner Umwelt. –

Asko hatte sich schon ein paar Tage lang in Kib-E-Ombo aufgehalten. Immer wieder hatte ihn sein Weg an den Zaun des Sperrgebietes um das Institut für Zeitverspiegelung geführt. Er hielt Ausschau nach Anzeichen dafür, daß man hier der Gefahr aus der GRUM-Zeit auf der Spur war. Aber nur das geheimnisvolle kupferne Glühen floß mit eingelagerten Schatten Welle um Welle um die dicken Windungen der riesigen Spirale hinauf oder hinunter.

Nachts saß Asko an den Ufern des Flusses, lief durch die Straßen der Stadt oder trieb in seiner Unruhe mit einem Boot über den See. Von überall konnte er sehen, wie ab und zu Funkengarben aus der Zeitspirale sprühten. Schon hatte Asko, erschöpft von seiner andauernden Schlaflosigkeit, sich entschlossen, zu seiner Gruppe zurückzukehren, als er von

73

O'Rells Ansprache hörte, in der das erste große Chrononautenunternehmen angekündigt wurde. Daß das Ziel die GRUM-Zeit war, ließ Asko Schlimmes befürchten. Er spürte sofort, daß O'Rell der Welt den wahren Grund des Unternehmens verschwieg.

Da entsann er sich plötzlich wieder Tri Quangs. „Bis 9. 2. Kib-E-Ombo, Haus am See!" hatte sie an die Glasscheibe auf der Warteplattform des Luftschiffturms geschrieben. Irgendwo am See, unweit der Stadt, würde er sie also finden können. Er wollte sie unbedingt dafür gewinnen, sich seiner Gruppe anzuschließen, diesmal weniger, um die fehlende Fachkraft für Symbio-Technik zur Verfügung zu haben, sondern um stets zu wissen, wo sich Tri Quang aufhielt, falls das Unglück im Atlantik eintrat und niemand etwas dagegen zu unternehmen vermochte. Dann wollte er wenigstens versuchen, Rededa, Gru, Parola und alle anderen aus der Gruppe, vor allem aber Tri Quang, auf die andere Seite des Erdballs in Sicherheit zu bringen.

Tief in der Nacht erreichte Asko das Haus am See und nahm neben der noch glimmenden Glut des Lagerfeuers Platz. Er stellte sich vor, wie Tri Quang vor wenigen Stunden an diesem Lagerfeuer gesessen hatte, ehe sie in das Haus gegangen war, um zu schlafen. Vielleicht hatte auch sie die Funken gesehen, die ab und zu aus der Zeitspirale, ein paar Kilometer entfernt, zum Himmel gestiegen waren.

Da erst überlegte er, welches Datum war. Er rechnete nach. Erschrocken sah er auf das erste Dämmerlicht des neuen Tages über dem Wald und den Hügeln. Beklemmung stieg in ihm auf. Sie schnürte ihm Brust und Hals ab. Dann fühlte er es brennend in die Augen aufsteigen: Tri Quang war für ihn verloren. Er hatte es versäumt, sie rechtzeitig aufzusuchen. Schon vor vier Tagen war sie wieder aus Kib-E-Ombo abgefahren. Der 9. 2. war schon vorüber! Ein Gefühl grenzenloser Hoffnungslosigkeit überwältigte ihn. Er sank zu Boden und drückte die Stirn auf die Erde. In ihm war nur noch der Wunsch, allen Widrigkeiten der letzten Zeit zu entrinnen.

Der Arzt erhob sich von Askos Lager und trat auf Tri Quang zu. „Der junge Mann hat eine starke seelische Depression", sagte er. „Seine Abneigung gegen irgendwelche Vorgänge ist so stark, daß er nicht nur sie ignoriert, sondern einfach nichts mehr von seiner Umwelt zur Kenntnis nimmt. Für ihn ist die Welt zusammengebrochen."

„Aus Liebeskummer?" fragte Tri Quang.

Der Arzt dachte nach und warf auch prüfende Blicke auf Tri Quang. „Es sieht so aus, als ob das nur zum geringeren Teil der Grund für seinen seelischen Zusammenbruch ist. Wenn Ihre Frage persönliche Gründe hat, dann brauchen Sie sich keine Vorwürfe zu machen. Sein Kräfteverschleiß ist so stark, als beschäftige ihn schon seit ungefähr sechs Wochen etwas ganz Ungeheuerliches. Es scheint all seine Pläne, Träume und Hoffnungen zu bedrohen oder sogar schon zunichte gemacht zu haben."

„Er ist aber ein Mensch unserer Zeit. Wer kann heute noch ohne große Träume, Pläne und Hoffnungen auskommen?" fragte Tri Quang.

Der Arzt nickte. „Irgend etwas hat ihm aber den Boden unter den Füßen weggezogen. Seine Sinne arbeiten, aber ihre Wahrnehmungen dringen nicht bis in sein Bewußtsein. Er steht gewissermaßen wie in einem Moor und wagt nicht, auch nur noch einen Schritt vor oder zurück zu gehen."

„Ob man mehr über die Ursache seines Zusammenbruchs erfährt, wenn man in seinem Makrogen nachfragt?" überlegte Tri Quang.

„Ist er denn Mitglied einer solchen Gruppe?"

Tri Quang nickte.

„Nun, dann wird es sicher gelingen, ihn bald wieder gesund zu pflegen", sagte der Arzt. „Für ein krankes Gemüt gibt es nichts Besseres als das harmonische Klima eines ausgewogenen Gemeinschaftslebens in einem Makrogen."

„Ich kenne seine Gruppe nicht, aber ich werde ihn hinbringen", versprach Tri Quang.


## EINSATZBEFEHL FÜR BATHYSKAPHS

Das Flugzeug landete vor Mitternacht in Mossamedes. Die Limousine, die das Marineamt zum Flugplatz geschickt hatte, glitt über Straßen, die von vielen erleuchteten Fassaden moderner großer Gebäude gesäumt waren. Auch ein Park mit den Umrissen von tropischen Bäumen unter nachtblauem, sternenklarem Himmel zog vorüber. Der Fahrtwind vermochte die Schwüle kaum zu lindern. Die Leute auf den Straßen dagegen promenierten, als gäbe es keine angenehmere Zeit dafür als diese ersten Nachtstunden. Die Folge der Gebäude wurde dichter. Mehr Licht flutete von den Fassaden, und auch der Strom der Passanten nahm zu. Der Wagen fuhr durch die City. Als er hielt, tat sich vor Jochen eine dezent erhellte, angenehm kühle Hotelhalle auf.

Der Arbeitstag am nächsten Morgen begann früh. In den Industriewerken und Bürohäusern wurde die Kühle des Morgens genutzt, auch im Marineamt. Dort führte man Jochen in ein großes Konferenzzimmer. Das auffallendste Stück der Ausstattung in diesem Raum war ein zwei Meter großer Bildschirm. Etwa zwanzig Wissenschaftler, Frauen und Männer, waren versammelt. Sie hatten die Unterlagen, die Jochen im Flugzeug mitgebracht hatte, in den Nachtstunden bereits gesichtet und einen ersten Einblick genommen. Auf dem Bildschirm leuchteten gerade Computerdiagramme. Mehrere Leute brachten mit elektronischen Stiften Korrekturen an, die der Rechner sofort in die Darstellung mit korrekten Linien und Kurven integrierte.

Nach kurzer Begrüßung und einem Situationsbericht erhob sich der Präsident der Afrikanischen Meeresforschungsgesellschaft, Lisbog Makokou, und sagte: „Ich glaube, daß wir in diesen Tagen wichtige Entscheidungen über unsere Farmprojekte fällen müssen. Wir haben nämlich ungefähr den Ausgangspunkt der verseuchten Meeresströmungen gefunden. Es wird nun bald geklärt sein, ob wir unsere Pläne bloß abändern oder ganz fallenlassen. Zur Stunde beginnen die Bathyskaphs befreundeter Nationen ihre Tauchfahrten zu diesem Ausgangspunkt, um synoptische Messungen vorzunehmen, die uns endgültige Gewißheit bringen werden. Ich muß allerdings schon jetzt annehmen, daß unser Vorhaben, in unseren Gewässern Meeresforschung zu betreiben und Algenfarmen anzulegen, nicht verwirklicht werden kann. Wir sollten deshalb auch Ausweichmöglichkeiten erörtern, denn die Ernährungslage für die Bevölkerung unserer Föderation verlangt die Einführung der hochproduktiven Meereswirtschaft. Vielleicht müssen wir vorerst Meeresfarmen in der Ostsee und in anderen Meeren einrichten, um so das Abklingen der Strahlung im Wasser vor unseren Küsten in den nächsten Jahren nicht untätig abwarten zu müssen."

Jochen machte ein überraschtes Gesicht. Das war eine unerwartete Mitteilung. Aber unter diesen Umständen seine und Anjas Forderung nach Ostseefarmen bestätigt zu finden machte ihn nicht glücklich.

In den nächsten Stunden mußte Jochen viele Fragen über die ökologischen Verhältnisse in der Ostsee beantworten. Zwischen den einzelnen Beratungen fand er nur Zeit, hin und wieder einen Blick aus dem Fenster zu schicken. Das Gebäude des Marineamtes stand etwas außerhalb der Stadt am Atlantik. Den ganzen Vormittag tummelten sich Menschen im Wasser und am Strand. Draußen in der Brandung übten Wellenreiter. Wenige hundert Meter vom Strand entfernt, jenseits der Gischtzone, patrouillierten Haifischwachen mit Motorbooten auf der breit anrollenden Atlantikdünung. Gegen Mittag wurde der Strand leer. Die Menschen flüchteten vor der tropischen Sonnenglut in die Schatten der Häuser und Parks.

Am Nachmittag wurde Jochen überraschend zu Professor Makokou gebeten. Makokou fragte ihn, ob er bereit wäre, in einer neutralen Beobachtergruppe mitzuwirken, die an Bord der Bathyskaphs dabeisein sollte, wenn nach den Ursachen für die radioaktive Verseuchung der Meeresströmungen geforscht wurde.

„Es ist zu befürchten, daß die Bathyskaphs einige unangenehme Entdeckungen machen, die in der internationalen Politik eine Menge Staub aufwirbeln könnten. Um allen Zweifeln an solchen Feststellungen in der internationalen Öffentlichkeit vorzubeugen, möchte das Marineamt trotz des begrenzten Raumes in den Tauchfahrzeugen ausländische Fachleute als Beobachter einsetzen. Sie sind einer dieser Fachleute, Herr Märzbach, die uns derzeitig zur Verfügung stehen", sagte Lisbog Makokou.

Jochen spürte zwar ein starkes Unbehagen bei der Vorstellung, in große Meerestiefen hinabzutauchen. Auch hatte er wenig Lust, in das Licht der Öffentlichkeit und in internationale Verwicklungen zu geraten. Aber er sagte zu, denn es war doch verlockend, die Klärung dieser merkwürdigen Erscheinung im Atlantik aus nächster Nähe mitzuerleben.

Schon eine Stunde danach war er an Bord eines schnellen kleinen Tragflügelbootes, das ihn und die vier anderen Männer der Beobachtergruppe eintausendfünfhundert Kilometer auf den Atlantik hinaus zum Leitschiff der Bathyskaphs brachte. Jeder von ihnen sollte einem der Tauchboote zugeteilt werden. Auf der Hinfahrt lernten sich die fünf Männer kennen. Es gab Verständigungsschwierigkeiten, weil jeder von ihnen aus einem anderen Teil der Welt stammte. Doch schließlich erzielten sie Einigkeit darüber, wie sie vorgehen wollten.

Die Fahrt über den Atlantik war unfreundlich. Das Wetter konnte noch nicht als stürmisch angesehen werden, aber die Wasseroberfläche wirkte aufgewühlt. Die schnelle Fahrt hob den Rumpf hoch hinaus. Starke Motorkräfte stießen das Schiff voran. Der Kapitän hatte Befehl, seine Fahrgäste mit Spitzengeschwindigkeit zu befördern. Außer gelegentlichen harten Wellenschlägen gegen den Schiffskörper schoß das Fahrzeug ruhig über den Ozean dahin. Bereits am nächsten Morgen erreichten sie ihr Ziel.

Jochen und die anderen Mitglieder der Beobachtergruppe waren schon frühzeitig geweckt worden. Sie konnten gerade noch ihren Morgenkaffee trinken. Keiner von ihnen außer Jochen war mit einer Arbeit auf dem Meer vertraut. Sie fragten ihn deshalb zum wiederholten Male danach, wie solche Tauchfahrten verlaufen und was man dabei für Eindrücke oder Belastungen zu erwarten habe. Jochen war zwar auch noch nie in einem Bathyskaph gewesen, hatte den vier Männern aber durch seine Tauchfahrten als Meeresagronom in den oberen Wasserschichten an Erfahrung etwas voraus. Er gab sich Mühe, ihre Besorgnis und Unsicherheit zu zerstreuen.

Sie rätselten beim Frühstück ein weiteres Mal herum, was die Ursache der radioaktiven Verseuchung im Atlantik sein könnte. Der australische Geologe John Kimberland vermutete einen starken Erdriß auf dem Meeresgrund, aus dem radioaktives Material geschwemmt wurde. „Eventuell gibt es dort eine Uranlagerstätte", sagte er. Der Physiker Ugo Malagutti aus Italien befürchtete, es mit einem Abladeplatz von

Atommüll aus den sechziger oder siebziger Jahren zu tun zu haben. Und der Inder Raidir Banglapur, ein Ingenieur für Meerwasserentsalzung, schrieb das Unglück mit den verseuchten Meeresströmungen einem größeren Himmelskörper zu, der ähnlich dem Tungusischen Meteor herabgefallen sein könnte, diesmal aber glücklicherweise in ozeanische Tiefen verschwunden war.

Über die Formulierung „glücklicherweise" waren sie zuerst geteilter Meinung. Aber wenn ein solches Ding auf besiedeltes Gebiet gestürzt wäre, hätte die Katastrophe, ob mit oder ohne radioaktive Verseuchung, weitaus schlimmere Ausmaße erreicht. Raidir Banglapurs Version klang am wahrscheinlichsten, weil einige Monate zuvor tatsächlich ein starker Meteorfall stattgefunden hatte. In diesen Breitengraden der Südhalbkugel war es durchaus denkbar, daß der Absturz eines Großmeteors nicht einwandfrei oder gar nicht registriert wurde. Auf den stark bevölkerten Landteilen der Nordhalbkugel der Erde dagegen wäre das natürlich undenkbar gewesen.

Sie erwogen auch, ob vielleicht eine der amerikanischen Mondfähren mit Nuklearantrieb, die seit einigen Jahren entwickelt und erprobt wurden, einen Fehlstart gehabt hatte und in den Atlantik gestürzt war, denn die Position des Leitschiffes, das sich über dem Ursprungsgebiet der radioaktiven Strömung befand, lag etwa in der Startlinie von Kap Kennedy. Doch diesen Gedanken verwarfen sie schnell wieder, weil ein solcher Zwischenfall in Anbetracht der sorgfältigen Bahnverfolgung kosmischer Körper von zahlreichen Punkten des Erdballs aus kaum unbemerkt geblieben wäre, selbst wenn die Amerikaner es nicht bekanntgegeben hätten. Grundsätzlich wurde über jeden solcher Raumflugkörper, auch wenn es sich nur um ein Bruchstück oder um einen verlorengegangenen Skaphanderhandschuh handelte, genau Buch geführt. Die betreffende Stelle dafür hatte ihren Sitz in Genf und gab wöchentlich eine Broschüre mit allen Bahndaten heraus.

Nur der vierzigjährige Amerikaner Gido Flemsday blieb schweigsam, saß unausgeschlafen da und sah verdrossen vor sich hin. Er war einer der Experten, die im Auftrage seiner Regierung halfen, ein Atomkraftwerk für die Luanda-Föderation weit im Landesinneren bei Lumbala am Zambesi zu bauen.

„Als ich noch als Nuklearspezialist bei der Army war", sagte er schließlich, „sollte ich bei einem Geheimobjekt, angeblich beim Bau eines militärischen Zyklotrons, eingesetzt werden. Aber ich hatte zuviel Verwandte. Das wirkt sich bei Geheimprojekten immer nachteilig aus für die Leute, die was geheimhalten wollen. Man nahm statt meiner Tom Bradford. Ich traf ihn nur noch einmal in meinem Leben, kurz nachdem er sich zur Mitarbeit an diesem Geheimprojekt verpflichtet hatte. Er sagte was von Tiefseeanlagen und bat mich, da er sozusagen schon unter Verschluß war, noch ein bißchen zivilen Kram zu beschaffen, zum Beispiel eine unwahrscheinlich teure Armbanduhr. Als ich ihm das alles gab, nachdem ich ein paar Tage lang gründlich für ihn eingekauft hatte, machte er eine seltsame Bemerkung über seinen neuen Job. Er redete von einer Sonne in der Tiefsee und von einem Feuerbowling an der atlantischen Schwelle, mit dem man der Erde den Bauch aufschlitzen könne. Das war mir unheimlich. Ich fragte nicht weiter, weil es damals besser war, wenn man von Geheimprojekten nichts wußte. Heute nacht habe ich mich wieder an Tom Bradford erinnert, und ich befürchte, daß wir hier im Atlantik etwas finden könnten, womit er und eine Menge anderer Leute aus meinem Land damals zu tun gehabt haben. Ich habe nie wieder was von Bradford gehört. Lisbog Makokou scheint derartiges zu ahnen. Sonst hätte er kaum etwas davon gesagt, daß die Bathyskaphs Entdeckungen machen könnten, die in der internationalen Politik eine Menge Staub aufwirbeln würden. Ich weiß nicht, ob es uns überhaupt gelingen wird, an eine solche Anlage, falls sie hier irgendwo im Atlantik existiert, heranzukommen. Schließlich wird es wahrscheinlich ein Geheimobjekt sein, das abgeschirmt ist. Ich bin ein Narr gewesen, als ich mich auf diese Fahrt eingelassen habe. Sie kann unmöglich ein gutes Ende für uns nehmen."

Am Horizont stiegen winzig die Aufbauten eines Schiffes hoch. Sie wurden schnell größer. Ein Maat kam zu den fünf Männern und gab ihnen Bescheid, daß man angelangt sei und sie sich zum Umsteigen auf das Leit- und Kommandoschiff der Bathyskaphs fertigmachen sollten.

# VORSTOSS IN DIE TIEFSEE

Auf dem Leitschiff hatten sie kaum eine Stunde Aufenthalt. Sie wurden in aller Eile über den Stand der Nachforschungen informiert und bekamen dazu Unterlagen in die Hand. Dann verteilte man sie auf die einzelnen Bathyskaphs. Die Luken wurden hinter ihnen hermetisch verschraubt. Und schon glitten die Tauchfahrzeuge durch die Schleuse aus dem Mutterschiff.

Die Bathyskaphs hatten eine Besatzung von drei Mann. Es gab außerdem noch Platz für weitere fünf Personen Forschungspersonal. Diesmal waren jeweils nur vier Wissenschaftler an Bord. Der fünfte Platz gehörte dem Vertreter der Beobachtungskommission. Es dauerte einige Stunden, bevor die Bathyskaphs mehrere tausend Meter tief abgesunken waren und ihre Ausgangsposition erreicht hatten.

Jochen setzte sich über Hydrophon mit den anderen Bathyskaphs in Verbindung, um zu hören, wie dort die Tauchmanöver verliefen. Von Kimberland, Malagutti, Banglapur und Flemsday hörte er, daß der Vorstoß in die Tiefe auch bei ihnen störungsfrei verlief. Was man zu sehen bekam, war kaum mehr, als allgemein durch Film und Fernsehen von der Tiefsee bekannt war. Jochen selbst fühlte sich von seinem neuen, ungewöhnlichem Amt noch viel zu benommen, als daß er die Einmaligkeit dieses Erlebnisses einer Tauchfahrt voll empfunden hätte. Er nahm alles nur wie aus einer gewissen Distanz wahr, so als geschehe um ihn herum etwas, das er gar nicht wirklich erlebte.

Endlich sagte ihm der Marineoffizier, der das Bathyskaph steuerte: „Jetzt ist es gleich soweit. Wir erreichen unsere Ausgangsposition."

Jochen stülpte den Kopfhörer über und rückte an die eine der Sichtluken heran. Ein zweiter Scheinwerfer wurde eingeschaltet, aber noch schwebten sie viele hundert Meter über dem Grund. Er war vorerst noch nicht zu sehen.

Zuerst meldete das Bathyskaph, in dem Raidir Banglapur mitfuhr: „Hier Meduse! Hier Meduse! Tiefe fünftausendsiebenhundert Meter. Tauchen noch tiefer. Grund noch nicht erreicht."

Alle Mann um Jochen saßen auf ihren Plätzen und nahmen

ihre Messungen dort auf, wo sie sie bei der letzten Tauchfahrt hatten abbrechen müssen. Niemand sprach. Nur die
Geräteschreiber zeichneten zum Tanz der Zeiger an den
Skalen und zu den Schwingungslinien auf den Oszillogrammen ihre Zacken und Kurven.

„Abdrift durch starke seitliche Strömung", hörte Jochen bald
wieder eine Meldung aus dem Tauchboot des Inders.

Der Marineoffizier an der Steuerung des Bathyskaphs, der
die Meldung in seinem Kopfhörer auch vernommen hatte,
wandte den Kopf zu Jochen und schickte ihm einen bedeut-
samen Blick zu, der besagen sollte: Dieses Spielchen mit den
scharfen Strömungen kennen wir schon. Da können wir uns
auch heute wieder auf einige Überraschungen gefaßt machen.

„Aufsteigende Heißwasser schütteln uns", meldete diesmal
Raidir Banglapur. Er war auffallend um einen betont ruhigen
Tonfall bemüht. Das verriet, daß er über die heftigen Bewegungen seines Bathyskaphs doch sehr erschrocken war, es
aber niemand merken lassen wollte.

„Tiefe fünftausendneunhundert Meter", setzte er seinen Bericht fort. „Wir treffen auf starke Radioaktivität. Der Steuer-
mann versucht, aus dieser Strömung herauszukommen. Er
untertaucht sie durch schnelles Absinken; er hat Erfolg damit."

Raidir Banglapur machte seine Mitteilungen in immer größeren Abständen. Prasselstörungen stark verseuchter Wasserschichten beeinträchtigten den Empfang.

Aus seinem Beobachtungsfenster konnte Jochen sehen, wie
der Lichtstrahl des Scheinwerfers, der in seinem Blickfeld
war, rasch milchig eintrübte. Zugleich spürte er, wie der Antrieb des Bathyskaphs schwerer arbeitete. Auch sie waren in
eine Abdrift und in eine Heißwasserzone geraten. Der Boden
unter den Füßen schwankte sehr durch die schlingernden
Bewegungen des Fahrzeuges. Angestrengt arbeitete der Marineoffizier an den Steuergeräten, um die Bootslage auszugleichen.

Noch einmal drang die Stimme des Inders zu Jochen durch.
Er rief: „Unter uns ist ein schwaches Leuchten zu erkennen,
das eine große Ausdehnung zu haben scheint."

Der Bordingenieur klopfte Jochen auf die Schulter. „Wir machen jetzt mal für ein paar Minuten die Innenbeleuchtung und die Scheinwerfer draußen aus", sagte er und bediente auch schon die Schalter. Das gedämpfte Licht in der Kajüte erlosch.

Da erst sah Jochen, daß auch sie in eine Art Lichtwolke eingedrungen waren, die zunehmend heller wurde. Der Schein trat so kräftig auf, als habe jemand von draußen einen großen weißen Bogen Papier vor das Bullauge geklebt und durchleuchte es mit einer Lampe. Rasch ebbte dieser helle Schein wieder ab. Er kam nicht von irgendwo, sondern wirkte wie ein Bestandteil des Wassers. Jemand erklärte, das Bathyskaph habe eine Leuchterscheinung durchquert, die als dicke Schicht hundert Meter über dem Grund lagere, aber nie auf ihn herabsinke.

Jochen stellte im Hydrophon die Frequenzen der anderen Bathyskaphs ein. Er vernahm die Stimmen der Wissenschaftler, die Meßergebnisse an das Leitschiff durchsagten. In allen Tauchbooten war man rege bei der Arbeit. Am Tonfall seiner Stimme erkannte Jochen den Italiener Ugo Malagutti. Er wirkte nervös. Manchmal überschlugen sich seine Worte. Durch Störungen waren seine Sätze nur bruchstückweise zu verstehen: „Erkennen deutlich … Durchmesser etwa … Kuppelbauten … phosphoreszierende Wassermengen … plötzlich … ab vom Kurs … starkes Magnetfeld … eine unbekannte automatische Signalboje auf dem Grund blinkt … ein anderes Licht … pulst noch … wir steigen … schnell weg von hier, ist besser so … Schein verblaßt."

Jochen zog sein Taschentuch hervor und holte tief Luft. Verstohlen wischte er über die Stirn.

„Wir tauchen tiefer", kündigte der Marineoffizier an. „Alle vier Scheinwerfer einschalten und nach unten richten", ordnete er an. Jemand registrierte laut Entfernungswerte. Vermutlich war das der Abstand des Bathyskaphs zum Grund.

„Neue Weisung vom Leitschiff", sagte der Marineoffizier, nachdem er kurz auf eine Stimme in seinem Kopfhörer gelauscht hatte. „Messungen automatisch weiterlaufen lassen und sonst alle Mann an die Bullaugen. Boot zwei hat Kuppelbauten auf dem Grund gesehen. Es ist möglich, daß auch wir ein paar solcher Anlagen oder Reste davon ins Blickfeld bekommen. – Kamera fertigmachen!"

„Kamera ist fertig", meldete einer der Männer.

Jochen versuchte Kontakt zu Kimberland auf Bathyskaph „Sepie" zu bekommen. Er wollte hören, ob diese Kuppelbauten nur eine Einbildung waren oder ob man sie auch vom dritten Tauchfahrzeug aus beobachtet hatte. Die „Sepie" hatte ebenfalls schon eine Entdeckung gemacht, erfuhr Jochen bei dieser Gelegenheit. Kimberland gab an, daß man auf dem Kamm eines unterseeischen Höhenrückens eine mit Grundbojen markierte Fläche entdeckt habe, ein Plateau, auf dem verschiedene Materialien provisorisch wie auf einem Lagerplatz gestapelt seien. Alles sei aber schon von einer dünnen Schicht Schlick überzogen. Man habe dort auch ein Bündel von Stäben gefunden, die sich als Strahlungsquellen erwiesen hätten. Das Tauchboot sei eigentlich weniger von den Bojen als hauptsächlich von dieser Strahlung angelockt worden, die auf den Geräten registriert worden war. Die Besatzung brachte einen solchen Stab mit dem Greifer an Bord. In der Bergungskammer untersuchten sie das Objekt. Es erwies sich als Kernbrennstab zum Aufladen von Atommeilern alten Typs.

Jochen stellte fest, daß sein Bathyskaph, das den Namen „Aquilus" hatte, inzwischen an einen unterseeischen Berg geraten war. Um von der Strömung nicht an seine Hänge gedrückt zu werden, mußte die „Aquilus" rasch höhersteigen. Erst bei viertausend Meter Wassertiefe erreichten sie den Gipfel eines Felsmassivs. Hier schienen die verseuchten Strömungen nicht hingelenkt worden zu sein, denn die Radioaktivität sank auf den üblichen geringfügigen Wert, der auch sonst überall in den Weltmeeren anzutreffen war. Die Scheinwerfer wurden wieder für ein paar Minuten abgeschaltet. Auch der Antrieb wurde stillgelegt. Sie drifteten eine Weile. Diesmal blieb es draußen vor den dickglasigen Bullaugen dunkel. Es zogen keine leuchtenden Wasserschwaden vorbei. Erst allmählich wurden Fünkchen erkennbar, die, wie man Jochen erklärte, von Tiefseefischen stammten. Sie waren mit Leuchtorganen ausgestattet. Das Leben schien an dieser Stelle des Meeres noch nicht erstorben und ausgerottet worden zu sein durch die Radioaktivität der Strömungen.

# WRACKS ZWISCHEN DEN RIFFEN

Als dann die Scheinwerfer wieder aufflammten, huschten merkwürdig gestaltete Fische davon. Im Blickfeld erschienen bald darauf Riffe.

„Ich habe backbord zwölf Grad schräg voraus eine Metallmasse auf der Anzeige", sagte einer der Männer.

Der Marineoffizier an der Steuerungskonsole schlug diese Richtung ein und fuhr auf den angegebenen Punkt zu. Zwei Scheinwerfer schwenkten suchend umher. Da zeichneten sich plötzlich die Umrisse eines gesunkenen Schiffskörpers ab. Sie hatten ein Wrack entdeckt.

„Den Typ kenne ich! Das kann nur ein Atom-U-Boot gewesen sein", sagte der Bordingenieur.

„Die Strahlung steigt wieder rasch an", meldete das Besatzungsmitglied am Suchgerät.

„Weitere Echoreflexe von Metallmassen", gab ein anderes Besatzungsmitglied bekannt.

Vorsichtig führte der Marineoffizier die „Aquilus" an den Riffen entlang. Ein zweites und drittes Wrack wurde im Scheinwerferlicht erkennbar. Eines davon war zwischen den Felstürmen eines Grates eingekeilt. Der Wasserdruck hatte den Rumpf eingebeult und ein klaffendes Loch gerissen. Was für eine Katastrophe hatte es hier gegeben? Jochen überlegte. Ihm war aus der Seefahrtsgeschichte des letzten Jahrzehntes nichts über den Untergang von Atom-U-Booten in diesem Bereich des Atlantiks bekannt. Außerdem waren die Atom-U-Boote seit Beginn der Abrüstungsperiode zu U-Frachtern oder zu Forschungsschiffen umgebaut worden. Die Katastrophe mußte schon vor etlichen Jahren in höheren Wasserschichten eingetreten sein, denn diese Atom-U-Boote waren nicht so konstruiert, um den Wasserdruck in diesen Tiefen, in denen sie lagen, zu überstehen. Auch bedeckte eine beachtliche Schicht Schlick ihre Oberfläche.

Wenn es hier auf dem Meeresgrund geheime Anlagen gab, dann war es wahrscheinlich die Aufgabe dieser Atom-U-Boote gewesen, über diesen Anlagen zu kreuzen, dachte Jochen. Der Amerikaner Flemsday hatte noch auf dem Tragflügelschiff solche Andeutungen gemacht. Sie hatten sie zu bewachen gehabt. Jochens Eindruck war, daß diese Anlagen schon etliche Jahre lang nicht mehr benutzt wurden und nicht befürchtet zu werden brauchte, mit solchen Wachbooten jetzt noch in Berührung zu kommen. Am liebsten hätte er selbst einen Blick auf diese ominösen Kuppelbauten auf dem Meeresgrund getan, von denen im Sprechfunkverkehr vorhin schon einmal die Rede gewesen war. Einstweilen schwebte die „Aquilus" noch in der Nähe der Riffe und ihrer Wracks.

Abermals versuchte Jochen Verbindung zu Kimberland zu bekommen. Das blieb diesmal erfolglos. Auch seine Bemühungen, mit dem Amerikaner zu sprechen, gelangen nicht. Auf den Wellenlängen des Bathyskaphs von Gido Flemsday blieb es verdächtig ruhig.

Die nächsten Ereignisse in seiner Umgebung verdrängten erst einmal seine Befürchtungen darüber, daß die anderen Bathyskaphs in Schwierigkeiten gekommen seien. Vom Leitschiff war der Befehl an die „Aquilus" ergangen: „Identifizierung der Wracks unbedingt erforderlich! Bergen Sie Trümmerstücke!"

Die „Aquilus" manövrierte und warf auch einen Anker. Geschickt brachte der Marineoffizier das Bathyskaph auf wenige Meter an das Wrack zwischen den Rifftürmen heran. Ein Greifer wurde ausgefahren. Er tastete sich an die große Bruchstelle im Rumpf heran. Die Scheinwerfer leuchteten das Loch an der Flanke aus. Ein bojenähnlicher Körper wurde in einer Kammer sichtbar.

„Das könnte ein Rettungsbehälter sein", sagte jemand. „Da steckt vielleicht noch ein Toter drin."

Ein Mensch, wenn auch ein toter, war bereits eine Möglichkeit zur Identifizierung der Herkunft dieses Wracks. Der Greifer zog den Rettungsbehälter hervor. Sie nahmen ihn über die Schleuse an Bord des Bathyskaphs.

Im Verlaufe der nächsten halben Stunde wurden, ohne diesen Rettungsbehälter zu öffnen, noch einige weitere Wrack- und Instrumententeile aus dem Atom-U-Boot herausgelöst. Plötzlich klaffte der Rumpf des U-Bootes lautlos weit auseinander. Ein langer Riß entstand. Die Schlickablagerungen wölkten auf und trübten die Sicht. Der Greifer hatte gerade zugepackt, doch der Marineoffizier ließ die „Aquilus" sicherheitshalber sofort zurückscheren. Ein großes Gewicht ließ das Tauchschiff stark buglastig werden.

Als das Bathyskaph aus dem getrübten Wasser herausmanövriert worden war, konnte man erkennen, was der Greifer festhielt: ein raketenartiges Gebilde!

„Wenn das Ding losgeht", flüsterte jemand erschrocken. „Schnell fort von hier!"

Jochen sah, wie der Marineoffizier an der Steuerung die Zähne aufeinanderpreßte und seine Miene einen harten, angespannten Ausdruck bekam. Er drehte die Funksprechverbindung mit einem raschen Griff ganz laut und teilte dem Führungsstab an der Wasseroberfläche mit: „Achtung Leitschiff! Hier Aquilus! Wir haben etwas im Greifer, was eine Kernsynthesewaffe sein könnte. Wir setzen das Fundstück vorsichtig auf Grund. Hören Sie, Leitschiff? Ich verlasse unser Operationsgebiet! Das Wrack, aus dem die Rakete stammt, ist in Bewegung geraten. Niemand kann sagen, was in den nächsten Minuten, Stunden oder Tagen hier passieren wird, denn bestimmt sind im Wrack noch weitere Wasserstoffbomben verborgen!"

Der führende Wissenschaftler im Tauchboot schaltete sich in die Verbindung ein. Es entstand ein kurzes erregtes Hin und Her der Worte zwischen Bathyskaph und Leitschiff. Der Marineoffizier an der Steuerkonsole konzentrierte sich derweil ganz darauf, die Rakete vorsichtig wieder abzusetzen.

Ein schrecklicher Gedanke beschäftigte Jochen: Wenn nun die vermeintliche Rettungsboje auch ein Bauteil aus einer solchen Rakete darstellte? Wenn dieser Bauteil etwa sogar die Zündkapsel mit einer Kernladung für eine Wasserstoffbombe war?

Schnell verließ Jochen seinen Platz, ohne den anderen Männern etwas von seinem Verdacht zu sagen. Die Kapsel war bei der Bergung nur undeutlich zu erkennen gewesen. Er mußte sie selbst einmal genau in Augenschein nehmen und sich Gewißheit verschaffen, was man da eigentlich an Bord genommen hatte. Deshalb durchquerte er die Maschinenzelle hinter dem Bugraum mit den Mannschaftsplätzen und öffnete den Stauraum. Mißtrauisch musterte er den rostigen nassen Behälter. Eigentlich sah er harmlos aus. Jochen nannte sich insgeheim kindisch und schreckhaft. Vorsichtig hantierte er an einem Öffnungsmechanismus. Rasch sprang die Klappe der Kapsel unter einem leichten Überdruck auf. Unwillkürlich pochte das Herz Jochens heftiger. Irgend etwas Unangenehmes steckte bestimmt in der Kapsel.

Verdutzt sah Jochen, wie ihm aus dem Inneren der hüfthohen Kapsel nichts weiter als nur einige große glasklare Würfel entgegenfielen. In der Kapsel befanden sich noch mehr davon. Jochen hob einen solchen Würfel auf und steckte ihn in die Tasche. Das Licht in der Staukammer war zu schwach, um ihn eingehender zu beurteilen. Er wollte ihn mit an seinen Platz nehmen und dort genauer betrachten, denn im Würfel war eingeschlossen undeutlich ein kleiner Gegenstand zu sehen.

Ein Befehl ließ ihn auf seinen Platz im Bugraum zurückkehren. „Anschnallen! Anweisung vom Leitschiff an alle Bathyskaphs. Wir sollen uns mit äußerster Maschinenkraft aus dem Operationsgebiet entfernen und dabei gleichzeitig zum Meeresspiegel aufsteigen", gab der Marineoffizier bekannt.

Schon neigte sich das Bathyskaph, schwankte und hob schließlich seinen Bug wieder. Die Motoren liefen scharf summend an und trieben den Bootskörper dem Tageslicht entgegen. In der Konstruktion knisterte es unter dem rasch abfallenden Wasserdruck, und in den Tauchtanks zischte die Preßluft. Obwohl an Bord normale Druckverhältnisse herrschten, brauste Jochen das Blut in den Ohren. Mochte es der Aufregung der Situation oder sonst einem Einfluß zuzuschreiben sein, Jochen schwanden jedenfalls die Sinne. Als er seine Benommenheit überwunden hatte, fuhr die „Aquilus" schon in nur zehn Meter Tiefe mit voller Kraft voraus. Einer der Männer hatte ihm kaltes Wasser ins Gesicht gespritzt. Erleichtert sah Jochen, daß noch jemand von den Wissenschaftlern genauso benommen wie er in den Gurten hing.

„Hört mal zu", sagte der Marineoffizier an der Steuerkonsole und schaltete an seinem Verbindungsgerät. „Das ist die SOS-Welle!"

Ununterbrochen zirpten Signale. Der Mann von der Marine übersetzte sie: „An alle! An alle! See- und Luftraum im Süd-Atlantik sofort räumen. Katastrophengefahr! Kernsynthesewaffen unterseeisch auf Position ... festgestellt. Im Falle einer Reaktion muß mit vulkanischen Eruptionen, Flutwellen und Seebeben in erheblichen Größenordnungen gerechnet werden!"

„Das ist übertrieben, denn ich glaube nicht, daß eine solche Bombe dort unten einfach so losgeht", fügte er noch seine Meinung hinzu. Er hatte seinen ersten Schrecken inzwischen überwunden. „Aber falls doch so ein Höllenei platzt, ist es schon besser, man macht allen Kapitänen auf den Schiffen und in den Flugzeugen auf tausend Meilen im Umkreis gehörig angst."

Bald darauf nahm das Leitschiff die Bathyskaphs auf. Auch die „Aquilus" wurde eingeschleust. Als Jochen aus der Luke kletterte, warteten schon die anderen Kommissionsmitglieder auf ihn, einschließlich Gido Flemsday. Seinem Tauchboot war, obwohl Jochen keinen Sprechkontakt mit ihm hatte aufnehmen können, glücklicherweise nichts zugestoßen.

„Wir hatten nur einen totalen Kommunikationsausfall", sagte er und hob entschuldigend die Schultern. „Ich wußte deshalb nicht, was ihr ausgekundschaftet habt, und dachte, ich bin der einzige, der etwas Sensationelles zu berichten hat. Aber wie ich nun weiß, habt ihr alle ungewöhnliche Dinge zu sehen bekommen."

„Wieso? Was hat Ihre Mannschaft denn gefunden?" erkundigte sich Jochen bei ihm.

„Wir haben einen besonders schweren Brocken mit Trossen angekoppelt und mitgebracht", sagte der Amerikaner, „nämlich ein Stück von einem Ringsegment, ein Stück aus einem militärischen Zyklotron. – Ich habe recht behalten mit meinem Verdacht: Ich scheine tatsächlich auf die Spuren von Tom Bradford geraten zu sein. Das muß das Geheimobjekt sein, an dem er mitgearbeitet hat." Flemsday machte eine resignierende Geste. „Wenn ich daran denke, wie leicht ich vor etlichen Jahren statt seiner hierher hätte geraten können, wird mir übel, denn dann hätten mich schon längst die Fische gefressen, so wie ihn. Hier scheint etwas passiert zu sein, vielleicht schon vor über zehn Jahren. Bei dieser Sache ist kein einziger davongekommen."

Sie zogen sich zu einer Beratung zurück. An Bord des Leitschiffes hatte jetzt jedermann vollauf zu tun. Niemand kümmerte sich um sie. Im Äther herrschte auf allen Wellenlängen ein unvorstellbares Durcheinander von erregten Funksprüchen. Es ließ nur ahnen, was für eine Verwirrung auf den Schiffen, die den Atlantik befuhren, nach der Gefahrenwarnung herrschen mußte. Der Marineoffizier, der die „Aquilus" geführt hatte, machte noch einmal vor der gesamten Schiffsleitung genaue Angaben über das, was er auf dem Meeresgrund vorgefunden hatte. Dabei gab es wahrscheinlich manchen unter seinen Zuhörern, der sich wie auf einem Vulkan fühlte und der für jede Meile dankbar war, die man zwischen das Schiff und den Einsatzort bringen konnte.

Die fünf Männer der Beobachterkommission blieben von dem Trubel unberührt, den die Räumung des Atlantiks auch an Bord des Leitschiffes verursacht hatte. Jochen konnte es sich gut vorstellen, welche Verantwortung der Kapitän trug, als er einen Warnruf über die SOS-Welle ausstrahlen ließ. Aber der Bericht von der „Aquilus" und auch die Angaben von den anderen Bathyskaphs ergaben ein Bild, das eine deutliche Sprache hatte und den Warnspruch auf der SOS-Welle rechtfertigte.

Jochen und die anderen Männer der Kommission erörterten ihre Beobachtungen. Sie zogen eine Karte heran, auf der alle Messungen des heutigen Tages und der Tage zuvor eingetragen und ausgewertet worden waren. Dadurch war ein Gebilde aus ringförmigen Strömungsisobaren verschiedener Temperatur und Radioaktivität erkennbar geworden, in dessen Zentrum das beängstigende Leuchten in der Tiefsee und die noch beängstigenderen Bauten und Anlagen placiert waren. Von diesem Zentrum gingen einem riesigen Strudel ähnlich spiralförmige Strömungsarme ab, die radioaktiv verseucht waren. Einige davon wiesen fächerförmig auf die Küste der Luanda-Föderation, zu der sich die ehemaligen Länder Gabun, Kongo und Angola zusammengeschlossen hatten.

Jochen griff in die Tasche und zog in Gedanken den Würfel hervor, den er in der Bojenkapsel gefunden hatte. Der Würfel schien ihm nicht mehr so wichtig zu sein. Erst jetzt hatte er Zeit, ihn genauer zu betrachten. Seltsamerweise enthielt der Würfel, der sehr leicht war, im Inneren eine Armbanduhr, die natürlich längst zum Stillstand gekommen war. Ob auch alle anderen Würfel in der Bojenkapsel Armbanduhren enthielten? Das wäre zwar merkwürdig, aber nicht ausgeschlossen.

Die Unterhaltung zwischen Gido Flemsday, John Kimberland, Ugo Malagutti und Raidir Banglapur verstummte. Ihre Blicke richteten sich auf den durchsichtigen Würfel. Jochen sah ihre Verwunderung und berichtete, wo er herstammte und wie man die Boje mit diesem seltsamen Inhalt gefunden und geborgen hatte.

Gido Flemsday war auffallend bleich geworden. Er stand regungslos und musterte den Würfel mit düsterem Blick. Endlich griff er vorsichtig danach. Zögernd drehte er ihn hin und her. Sein Augenmerk war ganz auf die Armbanduhr gerichtet, die in dem Würfel eingeschlossen war. Ihr konnte man die Spuren einer langen Benutzung ansehen. Trotzdem blieb noch immer ersichtlich, was für ein teures Stück sie darstellte.

„Das ist sie", murmelte Gido Flemsday schließlich. „Ich erinnere mich genau: Das ist die Armbanduhr, die ich vor vielen Jahren für Tom Bradford besorgt habe. Eine solche Uhr konnte ich mir damals nicht leisten. Da vergißt man es nicht, wenn man solch ein Stück schon mal in der Hand gehabt hat."


# COUNT DOWN IM ZEITLABOR

Die Vorbereitungen für die Implizierung Si Jhuls in die Vergangenheit waren beschleunigt worden und standen vor ihrem Höhepunkt. Die verschiedenen Arbeitsgruppen konzentrierten die synchronisierten Dauerverbindungen ihrer Schirme auf den gewählten Zeitabschnitt der Vergangenheit.

Si Jhul selbst ging im Vorraum des Immunitrons, in der die Liegekammern für die Chrononauten waren, langsam auf und ab. Es gab drei solcher Kammern. Aber nur eine war erleuchtet. Die war für sie bestimmt. Darin stand ein Auto mit einem Wohnanhänger. Die beiden Fahrzeuge sollten mit ihr in die Vergangenheit gespiegelt werden. Was sonst noch an Ausrüstungen vorhanden war, hatte man ganz und gar dem Zeitabschnitt angepaßt, den Si Jhul erkunden sollte. Ihr Erscheinen im zwanzigsten Jahrhundert beziehungsweise das Erscheinen ihres bioenergetischen Abdrucks in der Vergangenheit durfte nicht auffällig sein oder befremdend wirken. Deshalb hatte sie auch Kleidung ausgehändigt bekommen, die der Mode des betreffenden Zeitabschnittes entsprach, und deshalb hatte sie sich auch das Wissen der Historiker über das betreffende Jahrhundert in einer Fülle von Details biofrequent eingeprägt. Das war eine monatelange Lernarbeit gewesen.

Jetzt wartete sie auf ihren Start in die Zeit. In einigen Minuten war es soweit, um in die Kammer des Immunitrons unter den Raster zu gehen und sich in den Wohnanhänger zu legen. Die gesamte Anlage war vorher eingeschaltet worden und mußte in ihrer Leistung langsam hochgefahren werden, aber erst beim Zeitstart wurde das Immunitron mit dem Spiegelraster an die Hauptanlage geschaltet. Eine große Ruhe kam über Si Jhul. Zuversichtlich betrat sie schließlich das Immunitron.

Si Taut dagegen hielt sich wie stets in den letzten Tagen vor dem Schirm der Aktionsgruppe vier auf. Man hatte Jochen Märzbach in einer seiner früheren Einstellungen kontrollhalber auf dem Bildschirm. Plötzlich kippte die Darstellung wie eine Klapptafel um. Si Taut sah wenige Sekunden lang sich selbst als Zeitverspiegelung, dazu eine unbekannte zierliche junge Frau, die ihn an das Mädchen vom Lagerfeuer am See erinnerte, Jochen Märzbach und Asko, den Schlaflosen, über dessen rätselhafte Krankheit in den letzten Tagen sogar im Weltbildkanal berichtet worden war. Sie saßen alle vier nebeneinander im Steuerraum eines hochmodernen Hybridraumschiffes. Mit einem kurzen Kreischen sprang das Bild in die ursprüngliche Einstellung zurück.

Die Techniker blickten verdutzt auf.

„Hundert", sagte der Computer und fing damit an, die letzte Startphase laut mitzuzählen.

Si Taut dachte scharf nach. Was er eben erblickt hatte, war verblüffend. „Wie gelangt Jochen Märzbach in die Zukunft? Wie ist es möglich, daß der Zeitschirm die Zukunft darstellt?" murmelte er. Es war klar, daß er eben ein Zeitphänomen beobachtet hatte. Die Einstellung auf dem Verspiegelungsschirm war für wenige Sekunden von der Vergangenheit in die Zukunft umgeschlagen. Asko, er selbst und die junge Frau waren eindeutig jetzt lebende Personen. Der Beweis dafür, daß das Bild aus der Zukunft stammte, war jedoch der Hybridraumer. Dieser kleine Raumschifftyp hatte derzeitig erst das Stadium der Konstruktion hinter sich. Ein einziges seiner Aggregate stand erst auf einem der Prüfstände der Mondwerft. Es würde noch einige Monate dauern, ehe dieser Flugkörper wirklich existieren konnte. Wie war es da zu erklären, daß Jochen Märzbach neben Asko in einem solchen Schiff sitzen würde? Die Zukunft, so sagten es die Lehrsätze, ist nicht spiegelbar. Vielleicht war dieser Lehrsatz falsch, und es wäre besser, ihn so zu formulieren: Die Zukunft ist zwar spiegelbar, nicht aber für Chrononauten erreichbar!

„Achtzig", sagte die Computer-Stimme.

Für Si Taut galt es zu überlegen, ob die Verspiegelung Si Jhuls wie geplant durchgeführt werden konnte oder abgebrochen werden mußte. Immerhin war der Vorfall als eine außergewöhnliche Zeitanomalie anzusehen. Auf keinen Fall durfte Si Jhul davon erfahren. Es würde sie beunruhigen. Es konnte Tage dauern, ehe sie das für die Implizierung erforderliche psychologische Gleichgewicht, ihre Konzentrationsfähigkeit, wieder zurückgewinnen würde. Eine solche Verzögerung des Unternehmens durfte es jetzt nicht mehr geben, denn die Zeit der Gegenwart lief unbeeinflußbar weiter und brachte den Augenblick der Katastrophe im Atlantik immer näher. Wie nahe sie war, das wußte niemand. Aber die Erschütterungen um das atlantische Epizentrum nahmen deutlich zu.

„Sechzig", ertönte unerbittlich die zählende Stimme.

Si Taut verließ den Raum der Aktionsgruppe vier und ging in sein eigenes Arbeitszimmer. Es galt, schnell festzustellen, wo in den letzten Minuten überall Störungen aufgetreten waren im Zusammenhang mit der Anomalie. Vielleicht gab das Hinweise auf die Ursache dieser Erscheinung. Also: Aktionsgruppe eins hatte die Führung der Kundschafterin übertragen bekommen. Aktionsgruppe zwei stand ständig in Reserve, um die Führung zu übernehmen, falls es im Bereich der Sektion eins Störungen oder Ausfälle geben würde. Aktionsgruppe drei war gegenwärtig abgeschaltet und sollte in einigen Tagen notfalls zum Geschehen um die Kundschafterin flankierende Einspiegelungen vornehmen. In der Hauptsache waren dazu Signal- und Leitvisionen für die Kundschafterin zu übermitteln. Aktionsgruppe vier besorgte die Überwachung des Unternehmens und war vor allem auf Schirm eins spezialisiert. Die Gruppen fünf bis zehn suchten weiter nach Anhaltspunkten in der Vergangenheit für das Ursprungsereignis. Sie hatten dafür festgelegte Programme.

An seiner Gerätekonsole tastete Si Taut eine kurze Zahlengruppe ein. Nacheinander erschienen auf seinem Bildschirm verschiedene Arbeitsbereiche des Zeitlaboratoriums. Überall stellte Si Taut ungefähr die gleiche Frage an seine Mitarbeiter. Die Antworten fielen unterschiedlich aus.

„Fünfzig", zählte der Computer im Count down weiter.

„Keine Störungen in den letzten Minuten", meldete ein Mann der Aktionsgruppe eins.

„Verbindung ins zwanzigste Jahrhundert bisher einwandfrei", kam auch die Meldung von Spiegel zwei.

„Immunitron seit fünf Minuten besetzt. Erreichte Leistung: Zweiundneunzig Prozent. Alle Systeme arbeiten normal", bestätigte der Chefingenieur.

„Ja, ich weiß", sagte He Rare, Leiter der Computerabteilung. „In einem Nebensektor hat es einmal kurz eine Störung gegeben. Mehrere Rechenabläufe sind von einem Zufallsgenerator phasenverkehrt umgelenkt worden. Der entsprechende Impuls dafür kam von außen, vom Zeitsatelliten."

„Danke." Si Taut schaltete sofort zum Satelliten um.

„Vierzig."

„Wir stehen einwandfrei rotationssynchron zum vorgegebenen geographischen Punkt über der Erde", meldete die Raumstation. „Alle Einspiegelungsimpulse treffen klar bei uns ein. An der Sendespirale bei euch in Kib-E-Ombo kann es also nicht liegen", sagte die Diensthabende. „Wir sind bereit, jederzeit den Hauptschalthebel umzulegen und euren Zeitleitstrahl mit dem Impliz in den gewünschten historischen Abschnitt umzulenken. Aber vielleicht hängt die Störung auf eurem Schirm vier mit den Forschungen und Versuchen der Eridaner zusammen", gab die Frau zu bedenken. „Ihre Station hat unseren Zeitsatelliten vor einigen Minuten auf einer schnelleren erdnäheren Umlaufbahn unterkreuzt. Sie haben dabei mehrere Zeitreflexe über eine Sonderanlage geschickt, die sie bei uns an Bord hatten installieren lassen", gab sie Auskunft.

„Das könnte die Ursache für unsere Störung sein", murmelte Si Taut. „Danke für den Hinweis", sagte er und schaltete die Verbindung zum Zeitsatelliten hastig ab.

Die eridanische Gaststation war inzwischen schon unter den Horizont getaucht. Von Kib-E-Ombo aus war sie nicht mehr direkt erreichbar. Doch Si Taut informierte sie über die Erscheinung, die ihre Versuche auf Schirm vier des Zeitlabors ausgelöst hatten, über Orbit-Relais-System.

„Dreißig."

Si Taut war erleichtert, weil er der Ursache auf der Spur war und es den Anschein hatte, als würde sich die Zukunftsspiegelung für das gegenwärtig anlaufende Unternehmen als harmlos erweisen. Seine Besorgnis war zwar noch nicht ganz beseitigt, aber doch schon gemindert. Mochten sich jetzt die Eridaner die Hirne über diesen seltsamen Vorgang zermartern. Hier im Zeitlabor konnte man ungestört weitermachen. Trotzdem beriet er sich noch einmal mit He Rare.

Der Mathematiker zupfte, wie das seine Gewohnheit war, wenn es Unsicherheitsfaktoren gab, an seinem Ohrläppchen. „Eine so kurze Störung auf einem Zeitspiegel, dessen Schaltung von der wirklichen Verspiegelung getrennt ist, braucht eigentlich nicht beachtet zu werden", sagte er. „Aber in diesem Fall haben wir es mit einer ganz und gar sensationellen Anomalie zu tun. Da rate ich, Si Jhul nicht zu implizieren. Bis wir eine Erklärung für den Vorgang gefunden haben, sollten wir das nicht wagen. Falls diese Erscheinung etwas mit den Forschungsarbeiten zu tun hat, die die Eridaner betreiben, werden sie sicherlich auch bald herausfinden, was eigentlich vorgegangen ist."

„Zwanzig."

He Rare wäre nie bereit gewesen, auch nur ein Wort von dieser plötzlichen Zukunftsspiegelung zu glauben, wenn das jemand anders als Si Taut berichtet hätte. Aber jetzt, in einer aktiven operativen Phase der Arbeit im Zeitlabor, mußte er es wohl oder übel akzeptieren. Später, wenn Zeit zur Erörterung sein würde, wäre auch Si Taut nicht in der Lage, ihn zu überzeugen, höchstens mit unwiderlegbaren Meßwerten und einer handfesten theoretischen Begründung, die die geltenden Lehrsätze umstieß.

„Wir können die Implizierung nicht abbrechen", widersprach Si Taut. „Die Zeit drängt. Es müssen Angaben über das Ursprungsereignis beschafft werden. Ich bitte die Eridaner ganz einfach, ihre Forschungen vorsichtig zu betreiben oder vorläufig sogar ganz sein zu lassen."

„Fünfzehn", sagte der Computer.

„War es bestimmt eine Zukunftsspiegelung?" fragte He Rare. „Ich bin froh, daß ich diesen Fall nicht zu entscheiden habe", fügte er noch hinzu. „Es geht hierbei schließlich auch noch um deine Si Jhul. Wenn du die Eridaner ersuchst, ihre Forschungen über Zeitverspiegelung zu unterbrechen, werden sie das nicht logisch finden. Zuerst erlaubt O'Rell es ihnen, daß sie bei uns in Erdnähe experimentieren; und kaum fangen sie damit an, werden sie aufgefordert, es wieder sein zu lassen."

„Elf."

„Ich werde die Implizierung nicht abbrechen lassen", sagte Si Taut zögernd. „Ich werde auch die Eridaner nicht behelligen." Er schaltete die Verbindung zu He Rare ab.

„Zehn."

Si Taut legte ein Bild vom Immunitron auf sein Gerät. Die Kundschafterin lag schon auf dem Bett im Wohnwagen unter dem Spiegelraster. In diesem Moment wurde sicherlich die Zuführung geöffnet, der das Schlafgas entströmte. Das Immunitron hatte inzwischen seine volle Leistung erreicht. In etwa zehn Starteinheiten war es soweit, daß die Kundschafterin in die Vergangenheit impliziert werden konnte.

Unwillkürlich versteifte sich Si Tauts Haltung. „Wir brechen ab! Schlafgas abstellen! Wir hatten eine Störung und …"

„Neun."

Si Taut atmete tief durch. Niemand hatte gehört, was er gerufen hatte. Auf seiner Schaltkonsole waren alle Verbindungen auf Null eingestellt. Seine Hand umspannte die Lehne des Sessels. Er verwünschte die Anomalie mit der Zukunftsspiegelung, die als unerwarteter Nebeneffekt aufgetreten war;

er wollte die Implizierung der Kundschafterin stoppen, aber er wußte, daß er das nicht verantworten konnte, seit das Epizentrum im Atlantik seine Aktivität weiter steigerte.

„Acht."

„Man müßte wissen, ob die Gefahr im Atlantik noch in diesem Jahr oder erst in Jahrzehnten auftritt", murmelte er.

Schnell stand Si Taut auf und ging in den Arbeitsraum der Aktionsgruppe vier.

„Sieben."

„Hat es noch einmal ein Umkippen gegeben?" fragte er mit unnatürlich gleichmütigem Tonfall. Wenn ihm die Suchtechniker seine Frage bestätigen sollten, stand es für ihn außer Zweifel, die Implizierung abbrechen zu lassen. Si Jhul sollte nicht Opfer unberechenbarer und unbekannter Einflüsse im Zeitfeld werden. Die Bedrohung aus dem Atlantik würde sicherlich nicht in diesem Jahr oder in der folgenden Zeit wirksam. Er würde es verantworten, die Implizierung auf später zu verschieben, falls inzwischen noch eine Zukunftsanomalie vorgekommen sein sollte.

„Sechs."

„Die Einstellung ist einwandfrei geblieben", sagte einer der Suchtechniker. „Alle Komplexe und Komponenten arbeiten normal. Keine Störung."

„Fünf – Vier – Drei – Zwei – Eins – Implizierung ist angelaufen", sagte der Computer.

Die Energiesäule, die schon seit mehreren Minuten unsichtbar aus der Zylinderspirale schoß, war aufgebaut worden. Der Kontrollschirm, der das Immunitron zeigte, überzog sich mit einem Schleier wie aus gehämmertem Kupfer. Das lag wahrscheinlich an der großen Distanz, die bis zur GRUM-Zeit zu überbrücken war. Aber dann wurden die Konturen wieder klar. Si Jhuls Körper lag unversehrt auf seinem Platz unter dem Spiegelraster. Ihr biofrequentes Impliz aber raste durch das Kontinuum und folgte der Trasse, die der Spiegelstrahl über die Zeitbrücke bis zum Ziel zurücklegte.

Gespannt warteten die Frauen und Männer des Zeitlabors auf das Ankunftsbild. Es kam vom Zeitsatelliten wie berechnet auf die Sekunde genau herab, deutlich und einwandfrei. Auf der ausgewählten Waldschneise war keine Menschenseele zu erblicken. Niemand war unerwünschter Zeuge des Vorgangs. Vorsichtig wurde das Impliz aktiviert. Und als es reagierte, leiteten sie es über eine längere Wegstrecke seinem ersten Handlungsort zu.

# TEIL II

## Asko, der Schlaflose
## Die Stimme aus Kib-E-Ombo

*Wer auch immer auf diesem Planeten einher-
geht, der trägt Verantwortung für die Zukunft
dieser Welt.*

### JULJANKA UND DAS KONTRADUR

Ein offener Zweisitzer mit Wohnanhänger fuhr schwungvoll
bis vor die Seebrücke von Hohendünen und blieb mit einer
nickenden Bewegung stehen. Juljanka stieß den Schlag auf
und sprang hinaus. Sie war mit einer langen grünen Hose, einer Weste und einer Hemdbluse bekleidet. Das wirkte sport-
lich, zugleich aber auch elegant. Ungeduldig nahm sie die
Sonnenbrille ab. An ihr Auto gelehnt, betrachtete sie kritisch
das große Doppelrumpfschiff, das in der Bucht vor Anker
lag.
„Ein schönes Schiff", stellte sie anerkennend fest. Aber noch
mehr fesselte sie der ferne Hintergrund. Das Panorama der
Küste umschloß die Meeresbucht in weitem Bogen. Juljanka
nahm ihr Fernglas aus dem Wagen und betrachtete Einzelheiten der Landschaft. Deutlich erblickte sie am gegenüberliegenden Kap mäßig hohe Steilhänge mit frischen Sandstür-
zen und bewaldeten Uferbuckeln. Davor war der helle Strich
des Strandes zu erkennen. Sie bekam Lust, an dieser Bucht
entlangzulaufen oder die Uferstraße zu benutzen und das
Kap zu besuchen. Immerhin hatte sie noch zwei Tage Zeit
bis zum Beginn der Ausbildung auf der „Katma 4". Doch
vorher wollte sie sich dort wenigstens zur Stelle melden.
Juljanka bestieg ein Motorboot. „Bit-te, Al-gen-schiff", sagte
sie gedehnt in der ihr ungewohnten Sprache und wies auf
den Katamaran. Dort angekommen, schlenderte sie über das

breite Deck und sah neugierig umher. Das Hauptdeck war sehr geräumig. Überall standen Sportgeräte. Sie sah viele Leute, die an diesen Geräten übten, das Deck geschäftig überquerten oder müßig den Sonnenschein genossen. Technos dagegen fehlten. Juljanka stutzte über diesen ungewöhnlichen Gedanken. Was sind Technos? Sie überlegte. Wie kam sie auf ein solches Wort, das sie noch nie gehört hatte. Technos mußten etwas anderes als Menschen sein. Aber was?

Daß die Männer sich hier anders verhielten, als sie es gewöhnt war, bemerkte sie schon nach wenigen Minuten. Sie streiften sie im Vorbeigehen nur mit Blicken aus den Augenwinkeln und sahen wie Sünder schnell weg, wenn sie dabei ertappt wurden. Daheim betrachteten die Männer ungenierter die Frauen. Juljanka lächelte amüsiert.

Wieder stockten für einen Moment ihre Gedanken, weil es ihr unmöglich war, sich an das zu erinnern, was für sie das Wort „daheim" bedeutete. Es fiel ihr einfach nicht ein. Doch das beunruhigte sie nicht. Es war nicht wichtig, das zu ergründen.

Von einem Schiffsoffizier ließ sie sich beschreiben, in welcher Kajüte das Büro der Ausbildungsgruppe „Farmtechnik" untergebracht worden war. Sie fand schnell hin, aber die Tür zu diesem Büro war verschlossen. Während sie noch überlegte, ob sie warten solle, sah sie einen vierschrötig wirkenden Mann mit langen Schritten den Gang entlangkommen. Der Mann zog ein Gesicht, als wolle er jeden Augenblick barsch lospoltern. Er musterte sie flüchtig und drückte die Klinke so heftig nieder, daß sie hart anschlug. Ärgerlich sah er Juljanka an, als sei sie schuld daran, daß die Tür nicht nachgab.

Ihre Blicke begegneten einander. Der verdrossene Ausdruck verschwand aus seinem Gesicht. Juljanka sah neugierige Augen auf sich gerichtet.

Jochen registrierte, daß die unbekannte junge Frau ihm gegenüber erstaunlich schön war. Er dachte: Wo habe ich meine Augen gehabt, als ich eben an ihr vorbeiging? Eigentlich ist es gut, daß die Tür verschlossen ist. Sonst hätte ich sie möglicherweise nicht beachtet.

Auch Juljanka betrachtete ihn genau. Er kam ihr bekannt

100

vor. Doch sie wußte nicht, woher sie sich an ihn erinnerte. Die helle Spezialkombination, die er trug, war wie angegossen. Darin hatte sie ihn bestimmt schon einmal gesehen, zumindest auf einem Bild.

„Niemand da in Büro. Ich stehen auch vergebens hier. Tür vielleicht morgen wieder offen", sagte sie, die Worte mühsam formend.

„Morgen, morgen, morgen", brummte er gewollt mürrisch, um seine Bewunderung für sie dahinter zu verbergen. „Sie sind von den Ausländern die einzige der Ausbildungsgruppe für Farmtechnik, die schon hier ist. Alle anderen scheinen es darauf angelegt zu haben, erst in letzter Stunde einzutrudeln. Lassen Sie sich am besten gleich eine Kajüte vom Zweiten Offizier reservieren. Jetzt kann man sie noch aussuchen. Sobald die Farmschüler in Scharen anreisen, ist es damit vorbei."

„Nein, danke, die paar Wochen während der Ausbildung hier schlafe ich in meinem Trampi-Campi."

„Worin? Im Trampi-Campi? Was ist denn das für ein Ding?"

„Ein Wohnwagen an Land hinter Auto."

Sie waren bei dieser Unterhaltung den Gang entlanggelaufen und wieder auf das Deck hinausgetreten.

„Ach so. Und was machen Sie bis übermorgen, bis die Ausbildung beginnt?" erkundigte er sich mehr aus Höflichkeit als aus wirklichem Interesse.

Juljanka ließ ihren Blick über das Wasser schweifen. So etwas wie Entdeckerdrang bemächtigte sich ihrer. „Ich werde fahren zum Kap", antwortete sie, mit der Hand einen weiten Bogen beschreibend, der die Küste rings um die Bucht erfaßte. „Welche Zeit benötigt man bis dorthin?" fragte sie.

„Mit dem Boot? Ach, nur eine halbe Stunde!"

„Nein doch, mit Auto."

„Ja, ja, nur eine halbe Stunde", wiederholte er. Jochen war unaufmerksam geworden, weil er in der Nähe des ankernden Forschungsschiffes ein Segelboot mit Anja und dem Matrosen entdeckt hatte. Diese beiden haben wohl während meiner Reise nach Mossamedes ihre Bekanntschaft verbessert, schlußfolgerte er und seufzte ingeheim.

Juljanka lachte. „Fahren Sie einen Rennwagen?"

„Ach so, mit dem Wagen dauert es bis zum Kap etwas mehr als eine Stunde", gab er Auskunft und berichtigte seinen Irrtum.

„Ich weiß nicht, welche Fahrtroute ...", sagte Juljanka unsicher. „Keine Karte. Wie wäre es, wenn Sie mitkommen, mir Straße zeigen? Ich Sie einladen für Ausflug."

Jochen hatte Mühe, seine Freude zu verbergen. Wahrhaftig, ich sollte mich auch vergnügen wie Anja mit dem Matrosen, dachte er. Ich laufe mir die Hacken ab, um alle Vorbereitungen für den Ausbildungsbeginn zu treffen. Aber andere kümmern sich nach Feierabend um nichts mehr. Unwillkürlich musterte er die junge Frau eingehender als zuvor. Sie sah elegant aus und wirkte dadurch unnahbar. Das war sie wahrscheinlich aber gar nicht. Schon Anja zum Trotz faßte er den Entschluß, auf ihren Vorschlag einzugehen und mitzufahren. Am Abend konnte er, falls sie mit dem Wohnwagen am Kap bleiben würde, mit dem Fährboot für Ausflügler zurückkommen. Deshalb fragte er: „Können wir gleich losfahren? Sonst schaffen wir die Strecke nicht bis Sonnenuntergang."

Juljanka stimmte zu.

Jochen verschwand in seiner Kajüte. Schon kurze Zeit später stand er wieder vor ihr. Den Arbeitsanzug des Meeresagronomen hatte er gegen eine leichte Sommerhose und ein weißes Oberhemd vertauscht. Das Haar glänzte frisch gebürstet.

Juljanka betrachtete ihn freimütig und nagte dabei am Bügel ihrer Sonnenbrille. Dann streckte sie blinzelnd die Hand aus und berührte mit den Fingerspitzen den Ärmel des Oberhemdes. „Weiß, das ist zu schade für Fahrt im offenen Wagen", sagte sie. „Wird sein grau und schwarz, wenn wir am Kap angekommen sind. Na, egal. Los, fahren wir!"

Sie ließen sich übersetzen. Ihr Sportwagen war eines der neuesten Modelle, einer der modernen vollelektrischen Typen, die nahezu geräuschlos rollten.

Um eine Unterhaltung in Gang zu bringen, die nicht nur darauf beschränkt blieb, ihr den richtigen Weg an Kreuzungen und Abzweigungen der Küstenstraße zu weisen, fragte Jochen: „Wie hoch ist die Speicherleistung der Batterie bei diesem neuen Wagentyp?" Er hatte gesehen, daß an allen geeigneten Flächen der Karosserie Solarzellen in der gleichen

102

Farbe des Lacks eingearbeitet waren. Sie ergänzten den Energieverbrauch teilweise aus dem Tageslicht. „Sicher hat er einen Aktionsradius von tausend Kilometer nach jeder Energiefüllung", vermutete er.

Juljanka streifte die Anzeigen der Armaturen, die, wie Jochen sah, mit fremdsprachigen Zeichen versehen waren. „Viel mehr", antwortete sie und ergänzte gleichmütig: „Fünfzigtausend Kilometer."

Jochen schickte ihr einen prüfenden Seitenblick zu. Wollte sie ihn verspotten? Er glaubte ihr nicht. Entweder hatte sie keine Ahnung von den technischen Daten ihres Fahrzeuges, oder sie besaß es erst wenige Tage und hatte noch keine Zeit gehabt, sich mit dem Wagen vertraut zu machen. Vielleicht aber hatte sie auch nur die fremdländische Bezeichnung an den Armaturen falsch abgelesen. Selbst ein Testfahrzeug aus einem Forschungszentrum war vermutlich nicht in der Lage, fünfzigtausend Kilometer mit nur einer Energiefüllung zu bewältigen. So etwas galt als Zukunftstraum der Automobilhersteller. Aus diesen Überlegungen heraus murmelte Jochen nur ungläubig: „So, so. Allerhand."

Wenn sie von Fahrzeugen keine Ahnung hat, ist es vielleicht zweckmäßig, ihr einige Hinweise zu geben, besonders zur Werterhaltung, dachte Jochen. „Wahrscheinlich ist der Wagenboden verzinkt oder sogar plastebeschichtet", äußerte er deshalb, „trotzdem sollte man den Unterboden jedes Vierteljahr waschen, sorgfältig trocknen und mit einem Rostschutzmittel einsprühen."

„Ach, so umständlich macht man das?" fragte sie unbefangen. „Bei meinem Fahrzeug ist das nicht notwendig. Die gesamte Karosserie besteht aus antistatischem Kontradur. Staub und Feuchtigkeit werden stets gleich wieder abgestoßen. Nichts rostet."

Jochen war beeindruckt. Also ist es doch ein Testfahrzeug, dachte er. Ein einflußreicher Verehrer aus einer Forschungsgruppe von Fahrzeugingenieuren wird es ihr für einige Zeit testhalber zugeschanzt haben. Bei ihrer Schönheit würden solche Beziehungen nicht verwunderlich sein.

„Kontradur?" murmelte er. „Davon habe ich noch nie etwas gelesen. Wissen Sie mehr über dieses interessante Material?"

„Nein. Ich glaube, man gewinnt es aus Titanlagern auf dem Mond in Vakuumschmelzung. Die Hauptvorkommen liegen, wenn ich nicht irre, auf der Mondrückseite, Kap Meteor."

Jetzt war Jochen völlig davon überzeugt, daß sie sich über ihn lustig machte. Er runzelte die Stirn und starrte verdrossen auf einen kleinen Schmutzfleck an der Windschutzscheibe. Außer einigen kleinen Mondstützpunkten mit nur wenig Besatzung gab es nichts weiter auf dem Mond. Die Gründung der ersten großen Tunnelstadt für ungefähr zehntausend Mann Personal, nämlich von Luna Gor, war immer nur noch ein Projekt, dessen Baubeginn für das Jahr zweitausend angesetzt worden war. Bis dahin hatte es noch einige Jahre Zeit. Und an Industrie auf dem Mond war für ein halbes Menschenalter erst recht noch nicht zu denken.

„Ist was?" fragte Juljanka, der seine plötzliche Schweigsamkeit auffiel. Sie hatte sich in den letzten Minuten vor allem darauf konzentriert, fehlerfrei, fließender zu sprechen. Das war ihr gelungen. Sie freute sich über diesen Erfolg. Seine Verblüffung über ihre Auskunft war ihr deshalb entgangen.

„Sie haben eine ausgezeichnete Phantasie", murmelte er und schmunzelte.

„Meinen Sie, es stimmt nicht?" fragte sie erstaunt zurück. Sein Tonfall verriet ihr, daß sie etwas Unsinniges gesagt haben mußte. „Na ja, Sie könnten recht haben", lenkte sie rasch ein. „Ich weiß wirklich nicht, wieso mir das mit dem Mond und dem Kontradur so selbstverständlich vorkam. Es war nicht meine Absicht, über Ihre Fragen zu spotten", erklärte sie unsicher. „Verzeihen Sie."

Jochens Schmunzeln wurde deutlicher. Er gewann schon wieder seine gute Laune zurück. „Die Prognostiker treiben es tatsächlich manchmal zu arg in den Zeitungen und im Fernsehen. Ihre verheißungsvollen Berichte klingen wie die Wirklichkeit oder zumindest wie die Wirklichkeit der allernächsten Zukunft. Es wundert mich gar nicht, wenn Sie da verschiedene Dinge durcheinandergeworfen haben. Für uns Menschen scheint nach den Angaben dieser Leute nichts mehr unmöglich zu sein. Sogar die Unsterblichkeit soll für jedes nach dem Jahr zweitausend geborene Kind möglich sein."

„Das nun gerade nicht", sagte Juljanka mit einer Gewißheit in der Stimme, als wäre eine solche Vorstellung durchaus ernst zu nehmen. „Es sollte zumindest nicht so schwer zu bewerkstelligen sein, die Menschen dreihundert oder vierhundert Jahre alt werden zu lassen. Und das ist doch fast schon soviel wie die Unsterblichkeit."


## SCHWÄRMEREI FÜR DIE ZUKUNFT

Sie bogen von der Hauptstraße ab. Voraus wurde eine große Brücke sichtbar. Juljanka hielt zu einer kurzen Rast auf einer stark besetzten Parkfläche neben der Brückenauffahrt an.

Diese Frau hat Humor, überlegte Jochen. Doch so verspielt wie sie durfte man das Problem nicht betrachten. „Ich möchte nicht Mitglied einer Regierung sein, die die aus solch einer Langlebigkeit erwachsenden Schwierigkeiten zu bewältigen hat", sagte Jochen, während er den Wagenschlag zuwarf und Juljanka folgte. Und lächelnd fügte er hinzu: „Kann man es dann den Frauen zumuten, zweihundert oder dreihundert Jahre mit ein und demselben Mann verheiratet zu sein?"

„Wäre das wirklich so problematisch, wie es sich anhört?" erwiderte sie erstaunt.

„Na, Sie machen mir Spaß", murmelte Jochen und schüttelte verwundert den Kopf. Er ging mit ihr zum Brückengeländer. Juljanka zog, einem Volksglauben folgend, ihr Taschentüchlein hervor, um es von der Brücke flattern zu lassen. Dabei spuckte sie diskret hinterher. Das leichte Tuch trudelte langsam tiefer, wurde von einem Luftzug erfaßt und sank endlich auf das Wasser herab.

„Wenn es gleich untergeht, fahren wir zurück. Es ist dann besser, wenn wir uns wieder trennen", erklärte sie den Brauch und zwinkerte Jochen zu. „Wenn es aber oben schwimmt, fahren wir weiter". Man sah es ihr jedoch an, daß sie diesem Aberglauben keine Bedeutung beimaß.

Das Tüchlein blieb auf der Wasseroberfläche. Sie kehrten zum Wagen zurück und setzten die Fahrt fort.

Juljanka hatte das warnende Gefühl gehabt, mit ihrer Bemerkung über das Kontradur und über die Langlebigkeit etwas falsch gemacht zu haben. Deshalb war sie der Brücke und dem Volksglauben dankbar. Sie boten ihr die Möglichkeit, ihren Begleiter von diesen beiden Themen abzulenken. Leider hielt der Erfolg dieser Bemühungen nicht an.

„Ist es etwa kein Problem?" fragte er und nahm das alte Thema damit wieder auf.

„Was? – Ach so. Sie meinen, ob es einer Frau zugemutet werden kann, zweihundert oder dreihundert Jahre lang ihr Leben nur mit einem Mann zu teilen? Nun, gut: Das kommt auf den Mann an!"

„Und auf die Frau!" ergänzte er strikt.

„Ja, gewiß, auch. Zunächst aber sind es die Männer, die polygam veranlagt sind und die manchmal glauben, daß sie sich nur auf ihre harten, kantigen Gesichter zu verlassen brauchen, um den Frauen zu gefallen. Das genügt natürlich nicht."

„Schieben Sie es nicht auf die harten, kantigen Gesichter der Männer", antwortete er. „Sie tun so, als seien das leere Masken."

„Bei einer Reihe von ihnen kann das durchaus zutreffen", behauptete sie.

„Und schöne junge Mädchen sind auch nicht immer geistreich. Doch zanken wir uns nicht. Sie jedenfalls sind jung, schön und klug", behauptete er.

Juljanka machte das Kompliment oder dieses Thema ärgerlich. Impulsiv beschleunigte sie die Fahrt. Entgegenkommende Fahrer wichen erschrocken zum Straßenrand aus. Juljanka beherrschte sich wieder und ließ den Wagen frei rollen. Seine Geschwindigkeit fiel von allein auf ein normales Tempo zurück.

„Danke", sagte sie schließlich doch. „Das kann ich zurückgeben. Sie haben nicht nur ein kantiges Gesicht, sondern Sie wirken auch sehr männlich und sind außerdem auch höchst bemerkenswert. – In der Zukunft, kann ich mir denken, werden alle Frauen und Männer schön sein, das heißt ebenmäßig in Gestalt und Gesicht. Die Genetik und der Sport werden dazu beitragen. Nur müssen die Besitzer dieser schönen Gestalten und Gesichter selbst genug tun, damit auch Geist und Charakter ebenmäßig sind."

„Bravo! Das wäre ein edles Menschengeschlecht!" rief Jochen. „Ich glaube auch: Ein schöner Mensch kann nur der sein, der klug seine Aufgaben meistert und der nur mal zurückweicht, wenn er einen sicheren Stand braucht. Allein schon die tägliche Pflichterfüllung ist für uns Menschen eine wunderbare Leistung."

„Nun, gewiß doch." Der enthusiastische Klang irritierte sie. „Nicht zu vergessen die Herzenswärme, Güte, Tatendrang, Heiterkeit und Lebenslust", ergänzte sie. „Vielleicht ist sogar das Lachen die Eigenschaft, die den Menschen am meisten auszeichnet. – Sind wir bald am Kap?" fragte sie plötzlich.

„Hinter dem Wald treffen wir wieder auf das Meer", versicherte er. „Es sind dann nur noch ein paar Kilometer bis zum Ziel."

Jochen beschäftigte immer noch die Langlebigkeit und das Zusammenleben von Mann und Frau in der Zukunft. Er überlegte, ob es von der eigentümlichen Frau an seiner Seite, die er vor zwei Stunden noch nicht gekannt hatte, mißverstanden werden könnte, wenn er auf diesem Thema beharrte. Oder war das von ihm eventuell doch nichts anderes als ein Annäherungsversuch? Na, wenn schon, dachte er. Sie jedenfalls sah kein Problem darin, wenn langlebige Menschen längere Zeit ihr Leben teilten oder gegebenenfalls auseinandergingen.

„Über eine so lange Zeit können sich zwei Partner unmöglich in ihren Interessen gleichartig entwickeln oder einander ergänzen", sagte er aus seinen Überlegungen heraus.

„Oh, ein Storch!" rief Juljanka erfreut und bremste den Wagen scharf ab, um dem großen Vogel nachzusehen, wie er mit langsamem, schwerem Flügelschlag zum letzten Beutezug dieses Tages über eine Wiese davonflog.

„Die Basis für das Zusammenleben zweier Menschen kann über Hunderte Jahre hinweg unmöglich erhalten bleiben, noch nicht einmal über achtzig Jahre hinweg", sagte Jochen, hartnäckig bei seinem Thema bleibend, wenngleich er Mühe hatte, nicht von dem Storch abgelenkt zu werden. „Das Sexuelle spielt dann sicherlich keine so große Rolle mehr in diesem kommenden Zeitalter hoher geistiger Reife."

Juljanka blinzelte ihm amüsiert zu und brach schließlich in ein Gelächter aus. „Ist das Ihre wirkliche Meinung? Nein, nein. Der Storch fliegt weg, und der Storch kommt auch wieder", erwiderte Juljanka. „Man müßte wissen, ob das Storchenpaar einander auch im nächsten Sommer treu bleibt oder ob es sich beim Vogelflug über fünftausend Kilometer hinweg nach Südafrika aus den Augen verliert. Das hat man sicherlich schon feststellen können. Man macht sich aber offenbar wenig Gedanken darüber, daß die Touristik uns Menschen auch immer mehr in Zugvögel verwandelt. Die schnelle Entwicklung des Verkehrswesens kann unmöglich ohne soziale Folgen bleiben."

„Wechseln wir doch einmal unseren Standpunkt", schlug Jochen vor, weil er sah, wie ihr dieses Thema anfing, Spaß zu machen. „Das ist zwar nicht einfach, aber es erzieht zur Objektivität. Ich erkenne nämlich andererseits auch an, daß die Treue im Zusammenleben zweier Menschen ebenso etwas Grundlegendes ist wie beim Storch oder beim Schwan. Für uns Menschen ist sie eine bewußt erworbene zivilisatorische Errungenschaft, die sich über Jahrtausende hinweg entwickelt und bewährt hat. Man wird sie nicht so einfach fallenlassen, auch wir Männer nicht, von denen Sie meinen, daß wir eine polygame Veranlagung haben. Wenn sich zwei Menschen aufgeben, dann schmerzt das", stellte er fest.

„Aber zusammenleben, wenn man einander nicht mehr bedarf, das schmerzt noch viel mehr", sagte sie. „Machen wir doch den kommenden Generationen keine Vorschriften, wie sie zu leben haben. Sie werden eigene moralische Anschauungen entwickeln und nach ihrer Weise glücklich leben. Was könnte eine Frau zwingen, dann noch bei ihrem Partner zu bleiben, wenn er ihren geistigen, kulturellen oder sexuellen Ansprüchen nicht mehr genügt? Vorausgesetzt natürlich, daß sie beide reif genug sind, um einer Bagatelle wegen nicht auseinanderzugehen."

Darauf wußte Jochen keine Antwort. Sie waren damit wieder am Anfang dieses Themas angelangt.

„Ob man später die Heirat als amtlich erlaubtes und registriertes Zusammenleben abschaffen wird? Schade, daß die Langlebigkeit und ihre Auswirkungen heute noch nicht auf der Tagesordnung stehen; heute gibt es in der Welt bedeutend dringendere Probleme", sagte Jochen ausweichend, um nicht zu ratlos zu wirken.

„Hundert oder hundertfünfzig Jahre könnten da schon Wandel schaffen", versicherte Juljanka. „Und dann hängt alles nur noch davon ab, ob Mann und Frau zusammenleben möchten und wie groß ihre Fähigkeit ist, in allen Bereichen des Lebens interessant, intensiv und abwechslungsreich füreinander zu bleiben. Es will verstanden sein, ein reiches Leben zu führen, in Bewährungssituationen fest zusammenzuhalten und unter Treue auch Verantwortung oder Aufopferung füreinander zu verstehen. Wenn das einem Paar gelingt, wird es auch dann noch zusammenleben, wenn seine beiden Kinder bereits erwachsen sind."

„Wieso werden Paare nur zwei Kinder haben?" fragte Jochen erstaunt. „So wie Sie es sagten, klang es irgendwie unumstößlich."

„Nun, also, zwei Kinder, das wäre vernünftig. Hm, es war nicht so absolut gemeint. Obwohl, na ja, man könnte es sich vorstellen, daß es mal so eine Art Modus dafür geben wird, sozusagen um eine Bevölkerungsexplosion zu verhindern", stotterte Juljanka. „Vergessen Sie es", fügte sie hastig hinzu. „Wir schwärmen wohl beide auch nur ein wenig von der Zukunft, nicht wahr?"

„Ja, wir schwärmen nur ein wenig von der Zukunft", stimmte er ihr zu. „Es macht Spaß, das zu tun. Wir Menschen sollten öfter von der Zukunft schwärmen, ehe wir sie planen. Ich möchte gern weiter mit Ihnen schwärmen."

„Einverstanden", willigte sie ein, wenn auch zögernd und unsicher. Das warnende Gefühl war wieder da. Aber sie fand keinen Grund, warum sie nicht mit ihrem Begleiter über die Zukunft reden sollte. „Einverstanden. Wir wollen also nicht nur über die Zukunft sprechen, sondern auch von ihr schwärmen."

Jochen nickte. „Vieles, was die Prognostiker heute verkünden, klingt sehr verheißungsvoll", sagte er. „Und selbstverständlich soll sich die Zukunft wie eine helle, warme und unentdeckte Weite verlockend vor uns ausbreiten. Aber allein an dem einen Problem, dem der Langlebigkeit, die ganz bestimmt verwirklicht wird, und all ihren Folgen bis hin zum Zusammenleben von Mann und Frau, sieht man, wie vielfältig die Zukunft sein könnte. Seitdem ich dabei war, wie im Atlantik das MNP, der Magmaball, entdeckt wurde, befürchte ich, daß es womöglich gar keine Zukunft geben wird."

„Doch, doch; es wird eine Zukunft geben", sagte Juljanka unerwartet heftig und spontan. Sie wußte nicht, was sie dazu bewog, sich durch seine Zweifel an einer Zukunft geradezu beleidigt zu fühlen.


# EIN EINHORNIGER KNORPELOCHSE

Sie waren nun schon fast am Ziel, am Kap. Juljanka lenkte den Wagen von der Straße auf einen schmalen betonierten Weg, der Platz für nur eine Fahrspur bot. Es war einer der ersten heißen Frühsommertage. Die Sonne sank zwar schon deutlich dem Horizont entgegen, doch der weitgespannte blaue Himmel mit dem Schleier von Windwolken in großer Höhe erinnerte noch an die Hitze des Tages. Hin und wieder strich ein Luftzug durch die Kronen der Kiefern. Er war zwar zu sanft, um die dunkelgrünen Nadelbüschel an den Enden der Zweige in Unordnung zu bringen, trug aber einen würzigen Harzgeruch heran. Die Unterhaltung über die Zukunft wurde Juljanka plötzlich zu anstrengend. Bei einem solchen Duft der Kiefern war es fraglich, ob es überhaupt Vergangenheit und Zukunft gab. Juljanka jedenfalls fühlte nur die Gegenwart. Sie empfand sich als harmonischen Teil dieses Waldes an der Küste und dieser schmalen Betonstraße, über die der Wagen dahinrollte. Der Motor summte leiser als das Zirpen der Grillen. Ein paar Leute stapften barfuß zwischen den Stämmen durch den Sand. Sogar der tückische puderartige Staub neben der Fahrbahn schien nicht mehr auf Räder zu lauern, die er festhalten konnte. Sanft strich der Fahrtwind übers Gesicht.

Aus einer Kurve ein Stück voraus kam ihnen ein Wagen entgegen. Juljanka suchte nach einer Ausweichmöglichkeit rechts neben der schmalen Straße, doch solche Stellen gab es nur auf der linken Seite. Folglich waren sie für den Gegenverkehr bestimmt. Das andere Fahrzeug passierte zwei solcher Ausweichplätze. Jochen und Juljanka wunderten sich darüber. Er machte ihr ein Zeichen, langsamer zu fahren. Juljanka hielt aber lieber neben der nächsten Fahrbahnverbreiterung auf der Hauptspur und wartete.

Das andere Fahrzeug stoppte vor ihnen. Mit herrischen Handzeichen bedeutete sein Fahrer Juljanka, sie möge von der Hauptspur fahren und ihm Platz machen. Juljanka war unsicher, fühlte sich aber im Recht. Fragend blickte sie ihren Begleiter an. Jochen bestärkte sie in ihrer Meinung und sah finster drein. Ihm mißfiel das anmaßende Auftreten des Fremden.

Ihnen blieb nicht viel Zeit zum Überlegen, denn der andere stieg aus und trat heran. Hochrot im Gesicht, schimpfte er und fuchtelte dabei wütend mit den Armen. Er ignorierte Juljanka und redete auf Jochen ein, als sei es unter seiner Würde, eine Frau am Steuer zu akzeptieren. Sein Redeschwall gipfelte in der Forderung, Jochens Ausweis und Juljankas Fahrerlaubnis sehen zu wollen.

Jochen schmunzelte unwillkürlich und sagte: „Dazu sind Sie nicht berechtigt."

„Ist denn irgend etwas Schlimmes passiert?" fragte Juljanka. Sie empfand nur Unverständnis für diese absurde Situation. „Habe ich etwas Verkehrtes getan?"

Jochen machte eine beschwichtigende Geste. „Für den Mann war es heute ein zu heißer Tag", sagte er milde zu ihr, aber doch noch laut genug, um von dem Fremden verstanden zu werden.

Der Mann geriet außer sich vor Wut. Die Lautstärke seiner Stimme und sein grimmiges Gesicht waren geeignet, einschüchternd zu wirken. Inzwischen war auch noch die Begleiterin des Mannes ausgestiegen und unterstützte ihn in vielen und lauten Worten. Weitere Fahrzeuge aus beiden Richtungen hatten sich angesammelt. Der unbeherrschte Fremde erklärte den Umstehenden, er sei fast dazu gezwungen worden, über die Betonkante der Fahrbahn in den Treibsand zu steuern, wo er sich dann bestimmt festgefahren hätte. Einige der umstehenden Leute glaubten ihm, andere zogen zweifelnde Gesichter. Der Fremde starrte demonstrativ auf das polizeiliche Kennzeichen an Juljankas Fahrzeug. Dazu murrte er etwas von „verdammten Ausländern" und drohte, einen Streifenwagen der Polizei kommen zu lassen.

In Juljankas Kopf dröhnte es. Dieser Auftritt war so häßlich, daß er außerhalb ihrer Wirklichkeit abzulaufen schien, so als sei sie gar nicht am Ort dieses Vorganges. Angestrengt dachte sie darüber nach, wie der Roman hieß, den sie einst gelesen haben mußte und in dem von einer GRUM-Zeit die Rede gewesen war. Dieser anmaßende Mann schien diesem Roman entstiegen zu sein. Insgeheim bedauerte sie schon den als Polizist bezeichneten Menschen, der offenbar dazu ausersehen war, diese Situation in Ordnung zu bringen. Wie wollte jemand dieses Durcheinander von Fahrzeugen und Beschuldigungen entwirren?

Sie betätigte einen Schalter und ruckte mit ihrem Fahrzeug so weit wie möglich zurück. Das schaffte anderthalb Meter Spielraum mehr als bisher. Jochen langte nach dem Fremden und zog ihn so nahe an das herabgekurbelte Fenster, daß sich ihre Nasen fast berührten. „Freundchen", sagte er leise mit einem gefährlichen Unterton in der Stimme, „steigen Sie jetzt ein und verschwinden Sie über die Ausweichspur nach Hause! Ihr Märchen vom Treibsand ist lächerlich. So wie Sie beträgt sich höchstens ein einhorniger Knorpelochse. Wenn Sie jähzornig veranlagt sind, sollten Sie sich lieber nicht an das Steuer eines Fahrzeuges setzen. Damit sind Sie eine Lebensgefahr für Ihre Umgebung."

Erstaunt registrierte Juljanka, welche Wirkung das hatte. Der Fremde ging wortlos weg, stieg ein und bestand nicht mehr darauf, die Hauptspur zu befahren. Nervös ließ er mehrmals den Motor aufheulen und steuerte auf die Ausweichstelle hinüber.

„Was haben Sie da zu ihm gesagt?" fragte Juljanka. „Ich habe es nicht richtig verstehen können. Man konnte sehen, wie er Angst bekam."

„Einhorniger Knorpelochse", antwortete Jochen böse und sah verdrossen auf das schmale Betonband. Aber als Juljanka über diesen merkwürdigen Ausdruck maßlos zu lachen anfing, überwand auch er seine Mißstimmung.

„Los! Fahren wir weiter und vergessen wir dieses komische Zwischenspiel", sagte er und machte einen tiefen Atemzug.

# KLEINE TRÄUME ÜBER GROSSE HELDEN

Ein paar Kilometer weiter suchten sie auf einem Parkplatz im Wald hinter den Dünen eine Stelle zum Abstellen für Fahrzeug und Wohnwagen. Bis zur Abfahrt des Fährbootes blieb noch eine Stunde Zeit. Sie gingen zum Strand und setzten sich in den Sand irgendwo zwischen die vielen Leute, die allmählich ihre Sachen zusammenräumten und anfingen, in Scharen heimwärts zu wandern. Jochen und Juljanka sahen ihnen zu oder folgten mit ihren Blicken zwei Schiffen am Horizont. Bald lag der Strand vereinsamt da. Hinter dem Kap ging die Sonne unter, und vom Wasser her begann es kühl zu wehen.

„Was ist das, dieses MNP im Atlantik, von dem Sie vorhin sprachen?" fragte Juljanka. Sie wußte selbst nicht, was ihr daran so bedeutsam erschien und was sie zu dieser Frage bewog, denn es war viel angenehmer, keine anstrengenden Gespräche zu führen, nur so im Sand zu sitzen, den Kopf in die Hand zu stützen und dem Meer zuzuschauen. Ohnehin würde der Mann neben ihr bestimmt bald wieder anfangen, an der Zukunft herumzurätseln und Fragen zu stellen. Es übte einen eigenartigen Reiz auf sie aus, dann mit so unumstößlicher Gewißheit von der Zukunft zu berichten, als gäbe ihr nicht die Phantasie, sondern exaktes Wissen die Worte ein. Vielleicht war an solchen Gedanken auch nur der schöne abendblaue Himmel schuld, zu dem sie immer wieder aufblicken mußte.

„Wie? Das wissen Sie nicht?" sagte er erstaunt. „Die ganze Welt ist über dieses Maritime Nukleare Phänomen, wie es amtlich genannt wird, in Aufregung geraten. Im Ausland spricht man auch noch vom Magmabowling."

„Ach so, natürlich, das Magmabowling meinen Sie", sagte sie rasch, um ihre Unwissenheit zu verbergen.

„Sehen Sie: Da haben wir nun endlich ein Weltabrüstungsabkommen, aber es gibt Leute, für die diese internationalen Vereinbarungen nicht zu existieren scheinen. Dieses MN-Phänomen ist eine eindeutige Hintergehung der Abrüstung!" rief Jochen aufgeregt. „Es ist zwar noch nicht erwiesen, ob Reste einer heimlich versenkten, bei der Abrüstung nicht registrierten Flotte von Atom-U-Booten und ihre gefährlichen

Ladungen an Kernsynthesewaffen etwas damit zu tun haben oder hier nur ein unglückliches Zusammentreffen verschiedener anderer Faktoren vorliegt", sagte er. „Aber weil ich das alles mit eigenen Augen gesehen habe, erscheint es mir, als ob die ganze Wahrheit über das MN-Phänomen noch nicht an die Öffentlichkeit gedrungen ist." Und dann erzählte er ihr von seiner Reise nach Mossamedes.

Juljanka hörte aufmerksam zu. Sie spürte, wie ihn das alles aufregte. „Das MN-Phänomen war doch nur eine einmalige vorübergehende Erscheinung. Sie sind wohlbehalten von dieser Reise zurückgekehrt und haben auch die Fahrten in den Bathyskaphs gut überstanden. Freuen Sie sich doch einfach, daß die Welt noch da ist", beschwichtigte sie ihn, obwohl sie dieses Thema eigenartig berührte und an ein Ereignis gemahnte, dessen sie sich jedoch nicht mehr entsinnen konnte.

Um ihn von diesem auch für sie unangenehmen Problem abzulenken und ihm an diesem schönen Abend am Meer zu einer besseren Stimmung zu verhelfen, schlug sie vor: „Lassen Sie uns noch ein wenig von der Zukunft schwärmen. Vielleicht von der Raumfahrt?"

Jochen nickte bereitwillig. „Ist das ein Thema, über das man so einfach ins Blaue hinein schwärmen kann?" fragte er skeptisch. „Die Raumfahrt entführt uns von unserer Erde. Dabei haben wir doch genug Grund, auf ihr zu bleiben und sie überhaupt erst einmal bewohnbar zu machen; denn noch ist sie das an vielen Stellen nicht."

„Oh, doch, man kann durchaus von der Raumfahrt schwärmen!" rief Juljanka begeistert. „Jetzt leben wir noch auf einer kleinen Insel Indigo. Aber warum sollten wir Menschen nicht ausziehen, um draußen im Kosmos vielleicht eine große Insel Indigo zu finden? Alte und junge Menschen träumen davon, daß die Erde nur die Wiege der Menschheit ist und wir sie eines Tages verlassen werden, um zu fernen Sternen zu fliegen und dort neue Welten zu besiedeln."

„Sie vergessen die Kosten und die Opfer", brummte Jochen. „Gorgow ist überfällig und von seinem Marsflug noch immer nicht zurückgekehrt. Seit Monaten fängt man keinen Funkspruch mehr von ihm auf. Wer weiß, was aus Metruin wird, wenn er in einigen Tagen zum Saturn abfliegt."

„Gorgow? Oh, Gorgow wird zurückkehren und ein Held sein", sagte Juljanka überzeugt und begeistert. „Und Metruin – ach, er ist ja jetzt noch sehr jung –, ja, Metruin könnte auch in die Geschichte der irdischen Raumfahrt eingehen. Vielleicht errichtet er erstmalig Etappendepots im Trümmergürtel zwischen Mars und Jupiter. Alle Raumfahrer haben Angst vor diesem Trümmergürtel. Aber Metruin wird der Bezwinger der Meteorströme sein. Er ist ein brillanter Pilot und Navigator. Und er wird auch die Monde des Saturn erreichen. Sein Name könnte auf ewig verknüpft sein mit der Gürtelkosmonautik und mit den Saturnforschungen." Sie richtete sich in die Hocke auf und gestikulierte bei ihrer Schwärmerei.

Jochen sah sie merkwürdig von der Seite an. „Ach du liebe nette Schwärmerin aus dem Trampi-Campi", sagte er plötzlich und legte ihr seine Hand auf die Schulter. „Sie sehen jetzt aus wie eine Siebzehnjährige, die alle Filmschauspieler mit ihren markanten Gesichtern und alle Schlagersternchen von der Wand über ihrem Bett abreißt, um daran einzig und allein nur noch das Bildnis von Metruin zu befestigen." Ihm gefiel ihre Begeisterung und ihre Phantasie. „Hellseherin", neckte er sie und stieß sie kräftig an, so daß sie aus dem Gleichgewicht kam und in den Krater einer verlassenen Sandburg purzelte. Sie schrie leise auf vor Schreck und drohte ihm. Demonstrativ setzte sie sich vier Meter von ihm entfernt erneut in den Sand.

„Ignorant", schimpfte sie. „Ich bin keine Hellseherin. Die Zukunft liegt doch deutlich vor uns ausgebreitet."

Trampi-Campi, dieser Name ist bestimmt ihre Erfindung, dachte Jochen. Es klang so lustig und irgendwie naiv. Das aber paßte gar nicht zu ihrem klugen Gesicht.

Eine Schar junger Leute erschien. Sie schichteten Windbruch aufeinander und entfachten dicht am Wasser ein Feuer. Die Dämmerung wurde dichter. Die jungen Leute legten zum Baden ihre Kleidung ab und ließen die Flammen zu ihrer lärmenden Fröhlichkeit prasseln. Wenn ich das letzte Fährboot erreichen will, muß ich mich jetzt verabschieden, überlegte Jochen. Aber er blieb dann doch sitzen; beziehungsweise er rückte näher zu Juljanka. Sie beobachteten die jungen Leute und sahen den umherschweifenden Möwen zu. Plötzlich bemerkte Jochen, wie eine Möwe nur wenige Zentimeter über die Flammenspitzen des Feuers hinwegstrich, ohne sich zu verbrennen. Einige Augenblicke später brach sich eine größere Welle am Ufer, die ihren letzten Ausläufer bis zum Feuer schickte, ohne aufzuzischen. Aber Jochen schrieb diese seltsamen Wahrnehmungen einfach der verwirrenden Nähe Juljankas zu.

Unklar erinnerte sich Juljanka, daß sie irgendwann schon einmal an einem solchen Feuer gestanden hatte, wie es die jungen Leute unten am Wasser angezündet hatten. Es war eine kostbare Stunde gewesen, die sie jemandem aus einem wichtigen Grund hatte rauben müssen. Je mehr sie darüber nachdachte, desto mehr verschwamm ihre Erinnerung daran. Ihr blieb nur das Gefühl, daß es diesmal keinen wichtigen Grund gab, auf eine solche kostbare Stunde unter einem abendblauen Himmel zu verzichten. Leicht berührte sie wie zufällig Jochens Hand.

## DEPESCHE EINS

An den Präsidenten der Weltregierung, Jandar O'Rell
Eilig. Sofort auf den Tisch!
Herr Präsident!
Im Auftrag des Instituts für Zeitverspiegelung in Kib-E-Ombo habe ich Ihnen die Mitteilung zu machen, daß unsere Erkundungen nach den Ursachen und dem Ausgangspunkt des Mega-Phänomens im Atlantik mit der Implizierung der Chrononautin Si Jhul in die Vergangenheit unerwartet eine kritische Phase erreicht haben und drohen, ein Mißerfolg zu werden. Unsere Verbindung zur Kundschafterin besteht zwar noch, und wir haben sie stabil im Bild, jedoch ist die Fokussierung der Verspiegelung auf einen Zeitpunkt vor dem Ursprungsereignis, wie wir das eigentlich beabsichtigt hatten, diesmal leider noch nicht gelungen. Die Kundschafterin geriet durch einen unbekannten Driftfaktor im Zeitfeld in den Zeitraum nach dem Ereignis. Das Projekt der Meeresfarmen vor der Luandaküste ist nach unseren neuesten Registrierungen zu diesem Zeitpunkt bereits aufgegeben worden, weil

große Teile des Atlantiks stark durch radioaktive Strahlung verseucht sind. Nach der Rückkehr unserer Leitperson Jochen Märzbach aus Mossamedes ist beschlossen worden, in der Ostsee Meeresfarmen einzurichten. Das Forschungsschiff, auf dem sich unsere Kundschafterin befindet, wird derzeitig nur als Schulschiff zur Ausbildung von Fachleuten für die Algenzucht benutzt. Sie scheint dort bezüglich ihrer Aufgabenstellung weitgehend isoliert zu sein.

Die Deplazierung der Kundschafterin in den falschen Zeitabschnitt wäre allein nicht unbedingt schon ein Mißerfolg, wenn der Rückruf aus der Vergangenheit in die Gegenwart ohne Komplikationen möglich wäre. In diesem Fall hätte das Labor nachfolgend sofort eine Neueinstellung vorgenommen und geeignetere Zeitkoordinaten anvisiert. Unglücklicherweise befolgt die Kundschafterin jedoch nicht den Rückruf beziehungsweise nimmt das dazu vorgesehene Signal nicht wahr (offenes Feuer am Wasser).

Aus den Beobachtungen durch das Labor geht hervor, daß der bioenergetische Abdruck Si Jhuls in der Vergangenheit sich nicht seines Quasi-Daseins bewußt ist und es als tatsächlich akzeptiert. Ihr Rückruf kann aber nur risikolos realisiert werden, wenn sie ihn selbst einleitet und psychisch aus eigener Willensleistung dazu bereit ist. Das ist gegenwärtig aber nicht der Fall.

Das Institut erachtet es deshalb als wichtig, Sie, Herr Präsident, davon zu unterrichten. Es erbittet Ihren Rat und wird darüber hinaus versuchen, der Kundschafterin deutlich zu machen, daß sie umgehend zurückkommen soll.

Langes Leben!

(gez.) Si Taut, Beauftragter des Forschungsrates für das Mega-Phänomen

## DRIFTALARM IM ZEITFELD

Zuerst entstand auf dem Zeitspiegel in Sektion eins an den Rändern eine Eintrübung des Bildes. Es zeigte die Kundschafterin, wie sie morgens zur gewohnten Zeit ihren Wohnwagen auf einem Parkplatz nahe der Seebrücke verließ, um mit einem Motorboot zum ankernden Schulschiff in die Bucht hinauszufahren, wo sie eine Ausbildung als Farmtechnikerin für ferngesteuerte Unterwasseraggregate erhielt.

Dann knickte eine breite Ecke des Bildes um und zerfiel in Kreuz- und Querstreifen.

Die Hände der Verspiegelungstechniker berührten Tastaturen auf ihren Schaltpulten. Ihre Blicke eilten über die Meßangaben.

„Raumkoordinaten stabil", meldete der Lokalisator.

„Zeitkoordinaten in leichter Drift", gab der Zeitüberwacher hastig bekannt.

„Immunitron konstant inflexibel", schaltete sich die Lautsprecherstimme einer Frau aus einem Nebenraum beruhigend hinzu.

„Fading im Zeitfokus", registrierte ein anderer Techniker aus der Mannschaft von Spiegel eins.

„Energiezufuhr für den Parallaxenausgleich im Zeitfeld um zwei Zehntel erhöhen", befahl der leitende Ingenieur.

„Das fehlt uns gerade noch, daß die Kundschafterin nicht nur ohne Rückkopplung zu uns ist, sondern auch noch durch eine Zeitdrift aus dem Bild verschwindet", rief der Lokalisator.

„Ehrlich gesagt, ich wundere mich, daß das nicht schon längst einmal passiert ist in all diesen Wochen, in denen unsere Kundschafterin nun schon im GRUM ist", entgegnete der Ingenieur.

Die abgeknickte Ecke wurde kleiner, und gleich danach füllte das Bild den Schirm wieder voll aus. Die Kundschafterin war gerade im Begriff, an Bord des Ausbildungsschiffes zu gehen. Dann aber fehlten ihr plötzlich die Beine. Ein breiter Streifen des Bildes an der unteren Kante flatterte.

„Basisschwund!" signalisierte der Computer.

„Raumkoordinaten unstabil", kam sofort eine Meldung vom Pult.

„Zeitkoordinaten statisch. – Also alles genau umgekehrt wie vorhin", ergänzte der Zeitüberwacher. „Der Dauerbetrieb scheint dem Gesamtkomplex aller Anlagen nicht gut zu bekommen", bemerkte er. „Ich schätze, das sind hier erste Abnutzungs- und Havarieanzeichen unseres Unternehmens."

„Mann! Beschwöre bloß nicht gleich einen Totalausfall,

wenn die Frequenzen in der Hauptachse unserer Zeitmetrik mal ein bißchen flattern", protestierte der Ingenieur gegen diesen Pessimismus des Zeitüberwachers.

„Vielleicht sind es solare Einflüsse", gab jemand aus einer Ecke der abgedunkelten Kammer zu bedenken, der bisher geschwiegen hatte.

„Ach was. Dagegen haben die Leute auf dem Satelliten doch schon längst eine Abschirmung gefunden. Das war vor ein paar Jahren eine unserer Kinderkrankheiten. Jetzt machen uns solare Einflüsse nicht mehr zu schaffen", entgegnete der Zeitüberwacher.

„Die Beine müssen wieder an die Kundschafterin ran, sonst zerfällt uns die ganze Arretierung des Koordinatenkomplexes", mahnte der Lokalisator.

„Spannungsabfall im Verstärkersystem, Sektor siebzehn", meldete der Computer.

„Was für ein Spannungsabfall? Energie aus dem Netz?"

„Unsinn. Natürlich Spannungsabfall im Zeitfeld."

„Sektor siebzehn? Verdammt! Das ist doch die Endstufe, die die Trägermodulation unmittelbar in die Spirale abfließen läßt!"

„Dann müssen wir Si Taut verständigen. Jetzt wird's heikel."

Fünf Minuten später brach das Bild auf dem Spiegelschirm ganz zusammen. Nachdem die Sprechverbindung zur Kundschafterin von Anfang an nicht funktioniert hatte, gab es nun auch keine Sichtverbindung mehr zu ihr. Der Computer gab Driftalarm. Die Techniker steuerten die Verspiegelung einstweilen blind, denn noch blinkte auf der Kontrolltafel das violette Feld. Das bedeutete, daß die Zieleinstellung intakt war und die Kundschafterin sich nach wie vor als bioenergetischer Abdruck im vorgesehenen Zeit-und-Raum-Koordinaten-Feld bewegte.

Si Taut in seinem Kommandoraum erschrak, als Driftalarm im Zeitfeld gegeben wurde. „Spiegel in Sektion zwei?" fragte er knapp über seine Schaltkonsole in der zweiten Gruppe an.

„Ebenfalls kein Bild. Kontrolle zusammengebrochen", kam rasch die Meldung. „Die Computersignale ändern sich, das violette Feld verblaßt."

„Sektion drei: Notmaßnahme zuschalten", befahl Si Taut.
„Welchen Impuls sollen wir infiltrieren?"
„Leichtes Unwohlsein", entschied Si Taut. Dadurch würde die Kundschafterin, falls noch weitere Dämpfungen auftraten, veranlaßt werden, in den räumlichen Koordinaten zu bleiben, was ihre Wiederauffindung erleichterte.
„Sektion vier?" fragte er. „Wie läuft eure Beobachtung?"
„Kontrollempfang über Reserve Kili-M-Anjaro einwandfrei", erhielt er Bescheid. Auf verschiedenen Punkten des Erdballs waren weitere, aber kleinere Sendespiralen als Verbindung zum Zeitsatelliten aufgebaut worden. Eine davon befand sich auf dem Kilimandscharo.
Si Taut schaltete sein kleines Tischgerät auf Schirm vier. Auf dem Ausbildungsschiff fand gerade eine Unterrichtsstunde mit Anschauungsmaterial auf dem großen Deck statt. Ein paar Bojentypen und ein Grubber für die Bearbeitung des Seegrundes wurden den Farmschülern erläutert. Die Verkleidung der Maschine hatte man teilweise abgenommen, so daß technische Details im Inneren zu erkennen waren.
Die Kundschafterin empfand offensichtlich Magenschmerzen, denn sie legte die Hand auf den Leib und rieb verstohlen. Dann trat sie etwas zurück und lehnte sich an eine der aufgestellten Bojen. Aber schon besserte sich ihr Zustand. Immerhin würde sie sich gewarnt fühlen und, sobald die Übelkeit in den nächsten Stunden noch zwei- oder dreimal auftrat, bestrebt sein, auf dem Schiff oder im Wohnwagen zu bleiben. Die Kundschafterin war auf dem Kontrollbild von Sektion vier, das die Eridaner über die Zeitspirale auf dem Kilimandscharo speisten, gut zu erkennen. Sie trug eine Kleidung, die auf Si Taut einen etwas lächerlichen Eindruck machte.
Die Störungen dauerten elf Minuten, dann stellte sich das Bild auf Spiegel eins wieder ein, zuerst matt, gleich danach aber gewohnt deutlich und kontrastreich. Der Driftalarm im Zeitfeld konnte beendet werden.
Auf dem Beratungsbild erschien das Gesicht von He Rare. Er leitete die zentrale Computersektion des Instituts für Zeitverspiegelung. „Nun?" sagte er besorgt, „unser großes Unternehmen hat nicht nur Schlagseite, sondern es ist auch ins Schlingern geraten, nicht wahr?"

„Was hat der Computer für einen Defekt lokalisiert?" fragte Si Taut, ohne weiter auf die Bemerkung He Rares zur Drift im Zeitfeld einzugehen.

„Es war gewissermaßen ein Syndrom im Transferkomplex, ein sogenannter Minkowski-Effekt", sagte He Rare. „Der B-Zyklus war hauptsächlich betroffen. Wir haben ihn jedoch bei laufendem Betrieb neu justieren können. Es ist alles wieder in Ordnung. Aber ich befürchte Nachhalleffekte, weil wir die Energieleistung steigern mußten und damit natürlich auch die Reflexionsgrenze überschritten haben."

Si Taut runzelte die Stirn und überlegte. „Bei der Zeitbrücke, wie wir sie über dreihundert Jahre hinweg für Si Jhul aufgebaut haben, würde ein solcher Nachhall also ungefähr in sechzehn, in zwanzig und in zweiundzwanzig Stunden auftreten."

„Ja, das stimmt", bestätigte He Rare.

„Gut, dann werde ich bis auf einen Notdienst sämtliche Beobachter und Techniker für zwölf Stunden zum Ausschlafen in die Hochhäuser schicken. Und in genau fünfzehn Stunden setzen wir alle zehn Sektionen in Betrieb. Der dritte Nachhall ist der gefährlichste. Für ihn müssen wir am besten gerüstet sein. Jede Wellenfront wird von der vorhergehenden verstärkt."

„So ist es. Genau das wollte ich auch vorschlagen", sagte He Rare und blickte abwartend auf Si Taut.

Nachdem Si Taut die erforderlichen Anweisungen erteilt hatte, dachte er einige Augenblicke nach. Hermann Minkowski war ein Mathematiker gewesen, der zum Anfang der GRUM-Zeit gelebt hatte und der noch vor der Entstehung der Relativitätstheorie Einsteins die Bedeutung der Zeit als Faktor des vierdimensionalen Raumes begriff. Er hatte den drei Raumkoordinaten als vierte Koordinate die Zeit als imaginäre Zahleneinheit zugeordnet. Das wirkte zwar nur wie eine formale Vereinigung von Zeit und Raum, galt aber doch in dieser klaren Darstellung als erster Schritt in Richtung auf die Zeitverspiegelung, wie sie das Labor jetzt anwandte. Sicherlich hätte Minkowski bereits damals die Raum-Zeit-Theorie umfassend ausgearbeitet, wenn er nicht schon im Alter von vierundvierzig Jahren an seiner simplen Krankheit, einer Blinddarmentzündung, gestorben wäre.

Später hatte man Aufzeichnungen gefunden, die man ihm zuschrieb und die Störeffekte im Zeitfeld, wie sie jetzt auftraten, voraussagten.

He Rare sah von seinem Beratungsschirm her schweigend zu, wie Si Taut eine Grundlagendefinition vom Computer abrief. Offenbar überprüfte er damit einen neuen Gedankengang. He Rare war neugierig, ob er und Si Taut auch diesmal, wie schon so oft, einander sehr ähnliche Gedanken hatten. Gerade bei diesem Unternehmen war es gut, sich immer wieder mal die Theorie ins Gedächtnis zu rufen.

Der Antwortschirm des Computers fixierte ein paar Sätze Text: „Der Minkowski-Raum wird auch jetzt noch, im dritten Sternenzeitalter, als vierdimensionale Grundlage solcher Ereignisse erklärt. Dabei geht man nach wie vor von unabänderlichen physikalischen Größen der Lorentz-Invariation und der Einsteinschen Relativitätstheorie aus, zu denen Minkowski als Fundament seine Vierervektoren eingeführt hatte. Das gestattet die Zerlegung der unabänderlichen physikalischen Größen unabhängig von der Position des Beobachters. Es bedeutet zum Beispiel, daß ein Signal oder ein Objekt von beliebiger Ruhemasse, das von einem bestimmten Punkt ‚O' ausgesandt wird, entlang einer vierdimensionalen Minkowskischen Weltachse jeden Punkt innerhalb eines lichtkegelähnlichen Raumbereiches erreichen kann. Der Ausgangspunkt eines solchen Signals oder einer solchen Ruhemasse ist die Gegenwart. Sie hat rasterartigen Charakter. Wenn eine Minustransformation vorgenommen wird, bei der die Zeit t kleiner als der Ausgangspunkt O ist, erreicht man die Zukunft, aber nur theoretisch: ist t größer als O, erreicht man die Vergangenheit."

Bis zu diesem Punkt genügte die Definition Si Taut. Er schaltete den Antwortschirm ab. Offenbar hatte er jetzt eine klarere Übersicht zur Situation gewonnen als zuvor. Wie zur Beweisführung wandte er sich He Rare zu und sagte: „Im ersten Fall ist der Abstand von O zum Ziel imaginär und deshalb nicht oder noch nicht erreichbar; im zweiten Fall ist unser Abstand zum bioenergetischen Abdruck der Kundschafterin im Ziel reell. Der hier vorliegende Fall eines Minkowskischen Nachhalleffektes wird davon abgeleitet, daß eine der Konstanten inzwischen ..."

„... eine Veränderung erfahren haben könnte", setzte He Rare fließend den Gedankengang fort, „einfach deshalb, weil alle Dinge in Veränderung begriffen sind, wenn manchmal auch über Zeiträume hinweg, die für den Menschen gar nicht oder nur bedingt erfaßbar sind, deren Tendenz aber berücksichtigt werden muß."

„Richtig, das meine ich", pflichtete ihm Si Taut in diesem wissenschaftlichen Disput bei. „Unser Problem ist es jetzt, daß wir nicht wissen, welcher der Minkowskischen Vierervektoren verändert ist und unsere Transmissionsachse beeinflußt. Es könnte die Linear-, die Licht-, die Zeit- oder auch die Raumkomponente sein. Wir sind mit unserer Kunst am Ende, wenn wir nicht genug Intuition aufbringen, um hier am Ausgangspunkt O die jeweils richtigen technischen oder energetischen Operatoren zu aktivieren."

„Wir schaffen das schon", sagte He Rare zuversichtlich. „Ich werde versuchen, mit meiner Arbeitsgruppe in den nächsten Stunden diese Intuition aufzubringen und die Unveränderlichen mathematisch nach der Nachhallursache abzuklopfen."

„Viel Erfolg!" wünschte ihm Si Taut ernst.


FUNKEN SPRÜHEN ÜBER KIB-E-OMBO

Bereits am Abend erwiesen sich alle Befürchtungen Si Tauts als zutreffend, denn die erste Nachhallfront traf schon nach acht Stunden ein, kurz vor Einbruch der Dunkelheit. Die reduzierte Mannschaft in Sektion eins und vier bemerkte zunächst einzelne, dann mehrere Dutzend und schließlich Hunderte irrlichternde Punkte, die scharf umgrenzt aus der Tiefe des Bildes hervortraten und als matte Flecken verschwammen und sich auflösten. Je dichter ihre Folge war und je mehr sie einander überlagerten, um so milchiger trübte das Bild ein. Die Meßwerte gerieten durcheinander und wurden abgefälscht. Es entstanden Geisterkonturen. Auf dem Bild war kaum noch zu erkennen, was die Chrononautin tat. Zuletzt hatte man sie mit Jochen Märzbach auf dem Hubschrauberlandedeck gesehen, das von Flutlicht überstrahlt war. Eine Abreise Jochen Märzbachs stand bevor. Es war nicht zu ermitteln, wohin er flog und ob die Kundschafterin ihn begleitete, denn die Bildverbindung brach zusammen, noch bevor der Hubschrauber startete. Auch das von den Eridanern gespeiste Bild, das über die Station Kili-M-Anjaro hereinkam, wurde verzerrt und verschwand.

Von diesem Augenblick an sprühten Lichtgarben über Kib-E-Ombo. Kaskaden von Funken schossen, wie von einem Katapult geschleudert, immer wieder aus der turmhohen Zylinderspirale hervor und trieben im leichten Nachtwind auf die Stadt zu, um wenige Minuten danach zu erlöschen. Die Oberfläche der Zylinderspirale wurde in dieser Nacht rauh und narbig.

In der Stadt standen die Menschen stumm oder flüsternd auf den Straßen und auf den Flachdächern der Baukomplexe. Auch sie beobachteten diese Erscheinung mit Sorge, denn sie ahnten, daß es im Labor für Zeitverspiegelung Schwierigkeiten gab und die Kundschafterin in Gefahr war.

„Wie mag es ihr ergehen?" und „Wird sie jemals aus der GRUM-Zeit zurückkehren?", so ungefähr lauteten die meisten der Fragen, die die Leute in Kib-E-Ombo und aus der Umgebung der Stadt in dieser Nacht stellten.

Schon als die Funken in vermehrter Anzahl aus der Tiefe des Bildes hervortraten, löste der diensthabende Spiegeltechniker ohne Vorwarnung erneut Alarm aus. In den Hochhäusern am Rande des Sperrgebietes sprangen die Spiegelmannschaften aus den Betten. Sofort meldete sich auch Si Taut.

„Nachhalleffekt vor der Zeit", meldete ihm der Diensthabende.

Als jedoch die Techniker und Beobachter in den unterirdischen Felskammern eintrafen, um an allen Zeitspiegeln den Betrieb aufzunehmen, war die Verbindung zur Kundschafterin schon zusammengefallen.

„Die Anlagen auf dem Satelliten werden das nicht aushalten", gab He Rare zu bedenken, „vor allem nicht in stundenlangem Dauerbetrieb."

„Die Eridaner leisten mit der Gaststation Unterstützung. Sie kräftigen den Trägerstrahl mit Infra-Invariablen. Das ist aber auch schon alles, was die Eridaner für uns tun können. Alle anderen Probleme müssen wir hier unten von den zentralen

Schaltstellen aus im Institut bewältigen," antwortete Si Taut.

„Mir will nicht in den Kopf, daß der Nachhall schon um die Hälfte früher einsetzt", sagte He Rare. „Auf der Mitte der Zeitbrücke muß so etwas wie eine Barriere für Zeitverspiegelung vorhanden sein. Niemandem ist es eingefallen, daß es dergleichen geben könnte."

„Nimm es mir nicht übel, aber jetzt ist keine Zeit zu theoretischen Erörterungen", sagte Si Taut. „Wir schaffen es nicht, allein Grundlagenerwägungen anzustellen. Ich habe Ludark verständigt. Er ist zur Zeit irgendwo in Europa und wird ein paar Fachleute zusammenrufen, um den Nachhalleffekt theoretisch zu durchdenken. Wir müssen jetzt versuchen, mit der akuten Lage fertig zu werden", beschwor ihn Si Taut.

„Schon gut, schon gut", murmelte He Rare und ging in seine Computersektion. Er verstand die Aufregung Si Tauts nicht ganz. Solange sein Hauptcomputer das violette Signal gab, war Si Jhuls Verspiegelung in der GRUM-Zeit existent. Und das war die Hauptsache. Die Störungen des verfrühten Minkowski-Effektes waren nicht stark genug, um das Kundschafterunternehmen scheitern zu lassen. Außerdem kannte man diesen Effekt und war deshalb gewappnet. Die Auswirkungen des verfrühten Nachhalls konnten durch geeignete Maßnahmen gemildert oder unterdrückt werden.

Als der erste Nachhall vorüber war und wieder Zeitkoordinaten aus der GRUM-Periode fixierbar wurden, setzte an allen Spiegeln eine fieberhafte Tätigkeit ein. Bestimmte schon bekannte Koordinaten wurden eingespeist. Damit begann die Suche nach der Kundschafterin und nach Jochen Märzbach. Die dämpfende Barriere auf der Mitte der Zeitbrücke war immer noch vorhanden und mußte mit Koordinatenstaffeln in benachbarten Bereichen umgangen werden.

Über Kib-E-Ombo trieben keine Funkengarben mehr aus der Zylinderspirale unter den Nachtwolken dahin. Mitten im letzten Schwarm war für Momente auch die lange Reihe hellerleuchteter Fenster eines vorüberziehenden Luftschiffes sichtbar geworden, das gleich wieder von einer Wolke verdeckt wurde. Die Aufregung der Bewohner der Stadt ließ nach. Sie wußten nicht, daß man im Sperrgebiet gegen Mitternacht noch stärkere Minkowski-Effekte erwartete.

Sektion sieben verzeichnete ein erstes Ergebnis. Sie holte JM, wie sie den Meeresagronomen kurz nannten, auf den Zeitspiegel, als er in einem großen Passagierflugzeug saß und in Richtung Mossamedes flog. Man vermutete, daß er zu einer Beratung der internationalen Beobachterkommission reiste oder Gido Flemsday zu einem Meinungsaustausch über das Mega-Phänomen auf dem Bauplatz des Atomkraftwerkes bei Lumbala am Zambesi aufsuchte.

Was die Techniker für ein paar Augenblicke auf dem Zeitspiegel zu fixieren vermochten, das waren ein paar Zeilen eines Zeitungsartikels, den JM las. Diese Zeilen lauteten: „Der Luft- und Seeraum des Atlantiks ist seit Wochen wie leergefegt. Nach der Funkwarnung der Bathyskaphs über nukleare Prozesse in der Tiefsee werden nur noch Routen auf dem Nordatlantik benutzt. Viele südamerikanische Atlantikhäfen liegen still. Nur sehr mutige Kapitäne fahren in Küstennähe hinauf nach Mittel- und Nordamerika. Sie besorgen den dringendsten Frachtverkehr, obwohl sie wissen, daß beim Eintritt einer Katastrophe kaum jemand in der Lage sein wird, sie rechtzeitig zu warnen oder ihnen gar zu helfen. Einer Stoßwelle aus Licht, Hitze und Strahlung würde bald eine Druckwelle und danach eine gewaltige Flutwelle folgen. Sie dürfte auf den Routen in Küstennähe verheerende Folgen haben. Wohl dem, dem es dann gelingt, der Flutwelle entgegenzufahren und sich von ihr auf hoher See überrollen zu lassen. Kaum anders sieht es auf der anderen Seite des Atlantiks aus, in den Häfen der Afrikaner."

Die Mannschaften an den Zeitspiegeln trafen auf noch einige solcher Szenen, Momentaufnahmen über JM, die keine aufschlußreichen Angaben über das Mega-Phänomen oder über die Kundschafterin erbrachten.

Dann stieß die Sektion zehn auf einen Tag etliche Wochen nach dem Ursprungsereignis, an dem in der Kongreßhalle von Mossamedes eine Pressekonferenz des Marineamtes der Luanda-Föderation stattfand. Dieses Ereignis war leicht auf dem Zeitspiegel zu arretieren und eine Weile zu verfolgen. Hunderte von Berichterstattern aller großen Nachrichtenagenturen, Zeitungen sowie vieler Rundfunk- und Fernsehstationen aus aller Welt waren dort versammelt. Als der Präsident der Afrikanischen Meeresforschungsgesellschaft, Lisbog Makokou, vor die Reporter trat, ging das Stimmengemurmel in ein Raunen über und erstarb schließlich ganz. Auch die Techniker vor den Zeitspiegeln wurden aufmerksam. Besonders Si Taut erwartete von dieser Einstellung Hinweise auf das Ursprungsereignis. Hier war ihnen zufällig ein wichtiger Vorgang ins Visier geraten.

Professor Makokou sagte: „Bei unseren Untersuchungen im zentralen Südatlantik nach der Ursache für plötzlich auftretende radioaktive Meeresströmungen haben Forschungsgruppen eine bisher unbekannte Naturerscheinung, von den Bathyskaphs zunächst als Tiefseeleuchten bezeichnet, entdeckt. Wir sind heute über unsere damalige Vermutung leider noch nicht hinausgekommen. Nach wie vor können wir nur feststellen, daß es sich dabei um einen Kernprozeß gehandelt haben muß, der unter dem Druck der etliche tausend Meter hohen atlantischen Wasserdecke in großer Tiefe gebremst ablief. Eine dabei auftretende Gravitationsanomalie war stark genug, um die überschüssigen Energien dieses grellen Tiefseeleuchtens festzuhalten oder aber ins Erdinnere abzuleiten. Der Energieüberschuß dieses Kernprozesses hat sich also glücklicherweise keinen Weg an die Meeresoberfläche gebahnt. Er ist inzwischen beendet. Die Auswertung verschiedener Messungen läßt die Schlußfolgerung zu, daß auf dem Meeresgrund eine Glutkugel von etlichen hundert Metern Durchmesser geruht haben muß. Es kann sich dabei nicht nur um einen Magmaausbruch gehandelt haben, sondern hier müssen auch Kernsynthesewaffen mit im Spiel gewesen sein, von denen wir verschiedene Beweisstücke aus der Gefahrenzone bergen konnten. Das Tiefseeleuchten ist inzwischen überraschend wieder verschwunden. Seine kurze Existenz ist für die Wissenschaft mit vielen Rätseln verbunden. Wir wagen aber die Vermutung, daß mit einer erneuten Aktivität dieses Maritimen Nuklearen Phänomens nicht mehr zu rechnen ist. Es läßt sich leicht erraten, welche schrecklichen Ausmaße die Katastrophe angenommen hätte, wenn sie explosiv zum Ausbruch gekommen wäre. Wir, die Bevölkerung zu beiden Seiten des Atlantiks, können froh darüber sein, daß wir nur von dem kleineren Übel dieses Phänomens betroffen worden sind: von der radioaktiven Verseuchung der Meeresströmungen, die auf unsere Küsten treffen. Doch die Verseuchung wird Jahre anhalten."

Nach diesen kühl vorgetragenen Mitteilungen wurde die Stimme Lisbog Makokous eindringlicher. „Bei den Tauchaktionen der Bathyskaphs sind, wie ich schon andeutete, auch Waffen gefunden worden. Sie wurden aus den Wracks von Atom-U-Booten geborgen. Hören Sie, was in einem Bericht einer internationalen Beobachterkommission steht, deren Mitglieder hier auch anwesend sind und sich zur Verfügung gestellt haben, um Ihre Fragen zu beantworten. In dem Text heißt es: ‚Die Umgebung der Wracks ist mit Reaktorteilen, Kernmaterial und massiven Teilen eines zerfetzten Zyklotrons bedeckt. Eine erste Prüfung der eingebrachten Funde läßt vermuten, daß es sich um versenkte Rüstungsbestände aus Geheimarsenalen handelt, die bei den Abrüstungskontrollorganen nicht registriert sind.'

Nun, bekanntlich enthält das Weltabrüstungsabkommen einen Passus, wonach Regierungen und militärische Befehlshaber, die die vollständige Abrüstung den Kontrollkommissionen nur vortäuschen und die versuchen, Teilbestände vor allem ihrer nuklearen Rüstung an geheimen Orten aufzubewahren, von einem internationalen Gerichtshof als Kriegsverbrecher abgeurteilt werden. Offenbar drohte einer geheimen militärischen Gruppe unbekannter Nationalität die Entdeckung eines nichtregistrierten Kernwaffendepots in der Tiefsee. Deshalb sah sie sich wahrscheinlich gezwungen, dieses Arsenal in aller Eile zu verlagern. Dabei ist etwas eingetreten, was nicht vorauszusehen war. Jedenfalls ist ein Teil dieser Flotte von Atom-U-Booten, die solche Waffen und Materialien transportierten, untergegangen.

Die Kernbrennstoffe, die von jenem Zeitpunkt an in der Tiefsee unkontrolliert lagern oder noch in den Rümpfen der Wracks gestapelt sind, stehen vermutlich mit dem Maritimen Nuklearen Phänomen im Südatlantik in unmittelbarem Zusammenhang. Wahrscheinlich ist in den geheimen Anlagen, die die Bathyskaphs als Kuppelbauten auf dem Meeresgrund gesehen haben, eine kritische Masse entstanden, die nicht unter Kontrolle gebracht werden konnte. Wir wissen nicht, in welcher Richtung und mit welcher Absicht man dort experimentiert hat. Für uns steht heute nur fest, daß man verantwortungslos gehandelt hat. Es können keine guten Absichten gewesen sein, die man verfolgte. Sonst hätte man sie nicht geheimgehalten. Was auch immer geschehen sein mag, es ist eine Tatsache, daß das Meerwasser verseucht ist. Wir Wissenschaftler des Institutes für Meeresforschung in Luanda erheben deshalb gesellschaftliche Anklage gegen einen Kreis unbekannter Personen. Wir verlangen, daß in internationaler Zusammenarbeit Nachforschungen angestellt werden, um die Schuldigen und ihre Helfer ausfindig zu machen und um sie einem internationalen Tribunal zur Aburteilung zuzuführen ..."

In diesem Augenblick setzte die zweite Wellenfront des verfrühten Nachhalleffektes ein. Das Bild auf dem Zeitspiegel in Sektion zehn sowie die verschiedenen Szenen auf allen anderen Spiegeln begannen zu schwanken, Doppelkonturen zu bilden und dann rasch zu flackernden Bildfetzen zu zerfallen. Si Taut gab Anweisung, alle Spiegel abzuschalten und die Anstrengungen gemeinsam darauf zu richten, das Impliz der Kundschafterin im Feld der Standardkoordinaten blind zu steuern sowie das Immunitron zu überwachen. Die Funkengarben der Zylinderspirale lösten sich diesmal in systematischer Formation als Spin in immer größeren Windungen, die dann in der Hochatmosphäre zergingen. Es gelang, der Modulationsachse auf der Zeitbrücke einen stabilen Durchfluß zu verschaffen.

In der kurzen Pause zur dritten und letzten Welle des Nachhalls vermochten es die Sektion drei sowie die Sektion sieben, JM anzuvisieren. Es war eigenartig, ihn zugleich zu verschiedenen Zeiten und an verschiedenen Stellen zu sehen, aber da man die Zielkoordinaten an den beiden Spiegeln unterschiedlich angeordnet hatte, war das keineswegs eine paradoxe Erscheinung.

Auf Spiegel drei sah man JM in einer Unterhaltung mit Gido Flemsday. Sie saßen auf der Heckbank eines Motorbootes, das auf einem afrikanischen Fluß schaukelte. Vermutlich war es der Zambesi, denn in der Ferne sah man die Kühltürme des neuen Atomkraftwerkes, an dessen Bau Flemsday mitarbeitete. Der Amerikaner angelte.

„Das Projekt der Meeresfarmen vor der Luandaküste ist nun doch aufgegeben worden", sagte JM gerade. „Unsere Wissen-

schaftler vom Institut für Meeresforschung in Rostock-Warnemünde hofften immer noch, daß die radioaktive Verseuchung der Gewässer vielleicht doch rasch nachlassen würde. Aber nach der Pressekonferenz von Lisbog Makokou ist auch der größte Optimismus verflogen."

Flemsday nickte und holte mit ein paar schnarrenden Umdrehungen der Spule mehrere Meter Angelschnur ein. „Ich habe die Berichte in den Zeitungen über diese Pressekonferenz gelesen", sagte er. „Ich war zwar auch dort, dachte aber nicht, daß sie soviel Aufregung in der ganzen Welt verursachen würde. Hier auf der Baustelle waren die Leute danach bereit, die Übeltäter auf der Stelle zu rupfen und in den Busch zu jagen, falls sie ihrer hätten habhaft werden können. Ich mußte auf verschiedenen Versammlungen der Arbeiter sprechen und von meinen Tauchfahrten als Kommissionsmitglied erzählen. Es gab Männer, die waren so wütend, daß sie sich am liebsten auf mich gestürzt hätten, bloß weil ich zufällig ein Amerikaner bin und manche Merkmale des MNP auf mein Land als Urheber dafür hindeuten."

„Hast du etwas von den Armbanduhren erzählt, die in durchsichtigen Würfeln eingeschmolzen sind?"

„Nein, nicht ein Wort", erwiderte Flemsday. „Das ist sowieso noch ein weiteres Rätsel mit diesen Armbanduhren. Ich glaube nicht, daß es jemals gelöst werden wird. Sie müssen irgendeine Bedeutung haben, bloß welche? Wie wird das alles nur weitergehen?"

„Zunächst kommt es euch Amerikanern teuer zu stehen", sagte JM, „wenn sich eindeutige Beweise gegen euch finden. Die Weltöffentlichkeit wird euch dazu verurteilen, die Hauptlast der Nachforschungen und Bergungen zu tragen. Diese nuklearen Materialien, die auf dem Meeresboden verstreut sind, müssen geortet und gehoben werden, um die Reinheit des Wassers wiederherzustellen. Das dauert bestimmt viele Jahre."

„Ich weiß. Das wird fast so teuer sein wie unsere ersten bemannten Mondflugunternehmen, schätze ich, denn die anderen westafrikanischen Staaten werden auch ihre Meeresfarmen stillegen müssen, befürchte ich", sagte Flemsday.

Die Szene geriet aus der Visierkoordination des Spiegels. Während eine Neueinstellung versucht wurde, raunte einer der Techniker Si Taut zu: „Wenn JM mehrere Monate in dieser Kommission mitgearbeitet hat, ist er für uns ungeheuer wichtig. Dann hat er wahrscheinlich alle Angaben über das Ursprungsereignis im Kopf."

Auf der Fläche des Spiegels sieben war zu gleicher Zeit zu sehen, wie JM von einer seiner Luandareisen zum Schulschiff in der Ostsee zurückkehrte. JM betrat das Arbeitszimmer von Professor Hardt. Zuerst war nur das Bild klar da, dann kam auch der Ton mit in die Koordination. Hardt sagte gerade: „Der Angriff auf den Hunger in der Welt, besonders auf den Eiweißmangel in der Ernährung von Milliarden Menschen in Afrika und Asien, darf nicht ins Stocken kommen. Unser Beitrag sollte dabei nicht fehlen. Inzwischen haben Beratungen in verschiedenen Hauptstädten stattgefunden. Man arbeitet eine Neuverteilung der Aufgaben aus. Die Bestrebungen gehen dahin, einstweilen an der Ostseeküste, im Schwarzen Meer und im Pazifik sowie vor der Nordküste Australiens neue Meeresfarmen einzurichten, deren Erträge hauptsächlich den geschädigten afrikanischen Staaten zufließen sollen."

„Dann war es also richtig von uns, auf diesem Schiff noch vor diesen Beschlüssen mit der Ausbildung von Farmfachleuten begonnen zu haben, die wir in der Ostsee einsetzen können", stellte JM zufrieden fest. „Ich wünschte, ich könnte hier die Ärmel aufkrempeln. Aber ich sehe ein, daß ich auch in der Kommission mitzuarbeiten habe. Man muß den Ursachen für das Mega-Phänomen auf den Grund kommen. Einer der Wissenschaftler hat eine erschreckende Vermutung geäußert: Er meint, daß die Erdkruste ausgerechnet im Wirkungsbereich des Phänomens am dünnsten ist und die dort konzentrierte nukleare Sprengkraft ausreichen würde, den Erdball aufzureißen."

In diesem Augenblick mußte Si Taut den Befehl geben, alle Tätigkeiten an den Spiegeln abermals einzustellen. „Die letzte Welle kommt", kündigte er an.

# EINE SCHWIMMENDE INSEL

Unter dem Hubschrauber zog eine geriffelte Fläche vorüber: das Wellenfeld der Ostsee! Anja und Jochen reckten unruhig die Hälse und hielten Ausschau. Nur der schmale Strich der Küste gab dem schweifenden Blick Anhaltspunkte. Eine Silhouette von Bauten zeichnete sich einmal für wenige Minuten auf ihr ab und glitt vorüber: Port Ustka!

Anja sprang auf, kletterte auf ihren Sitz und stützte sich auf Jochen, um über den Piloten hinweg mehr sehen zu können. Aufgeregt schüttelte sie Jochen an der Schulter. „Dort!"

Aus dem hellen Grau von Meer und Horizont schälten sich winzig die Umrisse von Deckaufbauten: eine schwimmende Insel, ein Ponton aus Stahl, Glas, Plasten und Beton. Die Insel wurde größer, die Aufbauten schienen zu wachsen. Der Hubschrauber kreiste und ging tiefer. Unter ihnen lagen die weiten Decks der Meeresfarm, die als erste in der Ostsee eingerichtet worden war.

Der Pilot setzte zur Landung an. „Hier AF eins. Platz vier erlaubt", tönte es aus einem Lautsprecher vor dem Piloten.

Silbern glänzende Tankanlagen und Rohrschlangen lagen unter ihnen. Sie gehörten zum Tangverarbeitungskomplex der Farm. Zwischen den Aufbauten stand ein kantiger grünweiß gestreifter Turm mit einer Kuppel. Das war der Leitturm für die Fernsteuerung der Ernte- und Bearbeitungsmaschinen auf oder unter der Wasseroberfläche. Blinkende Fensterbänder umsäumten die anderen mehrstöckigen Aufbauten. Riesenlettern waren auf das Deck gemalt. „AF 1" las Jochen.

Der Hubschrauber setzte mit einem sanften Stoß auf. Sie sprangen heraus. Anja überquerte das Landedeck, beugte sich über das Geländer und atmete tief die Seeluft ein. Endlich stehe ich auf einer richtigen Meeresfarm, dachte sie. Nahe dem Flaggenmast über der Kommandobrücke kreiste die Radarantenne. Auf dem Knauf des Mastes saß eine Möwe. Eine Tür ging auf. Aus dem Aufzug stürzte bellend ein Spitz. Er jagte über das Landedeck und sprang an Anja hoch. Zögernd streckte sie die Hand nach ihm aus und bemühte sich, ihn von ihren Beinen fernzuhalten.

„Ruhig, kusch dich!" rief sie. Der Spitz nahm sofort Platz

und sah sie erwartungsvoll an. Anja klopfte ihm das Fell.
„Braver Kerl", sagte sie.

„Bevca!" ertönte eine rauhe Männerstimme. Der Spitz
sprang auf und trippelte auf einen Mann zu, der mit ver-
schränkten Armen, in der einen Hand eine Pfeife, an der Reling lehnte. Er betrachtete die beiden Neuankömmlinge und
ihren Hubschrauber. Seine Miene war dabei ernst und um
einen Schein zu grüblerisch. Diesen Eindruck mochten die
scharfen Falten hervorrufen, die quer über seine Stirn verliefen. Auch seine Mundwinkel waren tief eingekerbt. Und an
den Augen waren feine Linien strahlenförmig eingegraben.
Er sah zu, wie die Fracht entladen wurde.

Kleine Deckstransporter fuhren zwischen Aufzug und Hubschrauber hin und her. Sie schafften durchsichtige Plastebe-
hälter fort. Jochen und Anja hatten eine Ladung gezüchteter
Algen mitgebracht. Es war die letzte Sendung von Setzlin-
gen, die auf der „Katma 4" herangezogen worden waren. Mit
ihnen wurden die ersten Algenfelder der Farm angelegt. Als
zum Schluß Anjas und Jochens Koffer ausgeladen wurden,
steckte der Mann langsam die Tabakspfeife in den Mund,
schloß seine derbe Jacke und ging auf Anja zu. Der Hund
trottete neben ihm her. Der Mann ergriff zwei der Koffer und
ging zum Lift.

„Honzek", sagte er über die Schulter. Das war die ganze Vorstellung. „Kommt mit! Wir wohnen zusammen."

Einige Etagen tiefer nahm sie ein langer hellerleuchteter
Gang auf. In weiten Abständen waren zu beiden Seiten Türen. Honzek führte sie in eine geräumige Wohnkajüte mit
Sesseln, Bücherschrank und Musiktruhe, Rauchtisch und
Klubecke. Durch ein breites Panoramafenster strömte Tageslicht herein. Ringsum waren die Türen zu den Schlafkabi-
nen, die zu diesem Wohnensemble gehörten.

„Wunderschön ist es hier", sagte Anja und lief mit freudigem
Gesicht umher.

Schnelle Schritte klapperten auf dem Gang. Juljanka trat zusammen mit jemandem ein, den sie Stanislaw nannte. Sie
hatte den Arm voller Blumen. „Für uns alle", erklärte sie
statt einer Begrüßung. „Ich habe sie aus Port Ustka besorgt.
Ich wohne auch hier zusammen mit euch, mit Stanislaw und
Honzek."

„Oh, meine schöne Wahrsagerin!" rief Jochen gut gelaunt aus und begrüßte sie herzlich. Sie hatten sich seit mehreren Wochen nicht mehr gesehen. „Juljanka hat Metruin eine große Zukunft vorausgesagt; und Gorgow ist, so wie sie das behauptet hat, als Held zurückgekehrt." Er erklärte den anderen, warum er sie als Wahrsagerin bezeichnet hatte.

„Pscht", machte Juljanka und legte einen Finger übertrieben geheimnisvoll auf den Mund. „Das sollte doch niemand wissen, daß ich über die Zukunft Bescheid weiß."

Genaugenommen war sie selbst überrascht gewesen, als ihre Voraussage über den Raumfahrer Gorgow eintraf und er tatsächlich mit seiner Mannschaft unversehrt wieder die Erde erreichte, nachdem sie einige abenteuerliche Situationen durchgestanden hatten. Rasch zog sie sich aus dem Mittelpunkt des Interesses zurück und zeigte Anja erst einmal, welche angrenzenden Schlafkajüten noch unbesetzt waren. Während Anja eine davon für sich mit Beschlag belegte, fragte Jochen den Mann mit der Tabakspfeife: „Bist du aus der Tschechoslowakei?"

Honzek nickte. Etwas spöttisch sah er seinen Gesprächspartner von der Seite her an, so als wolle er sagen: Na, jetzt willst du mich also mal ein bißchen unter die Lupe nehmen. Nun rede schon und stelle deine Fragen, damit wir uns aneinander gewöhnen können.

„Was wirst du auf der Farm hier machen, was für eine Aufgabe hast du, meine ich?" erkundigte sich Jochen.

Honzek hatte mit seiner Antwort keine Eile, paffte erst einigemal und blies dichte Rauchwolken in die Luft. Schließlich sagte er: „Ingenieur, Unterwasseraggregate."

„Ausgerechnet ihr aus der Tschechoslowakei baut die Unterwassermaschinen, komisch", sagte Jochen, „dabei habt ihr in eurem Land gar kein Meer."

„Wir haben Kopf, das genügt, der ist groß genug."

Oha, dachte Jochen, der weiß, was er will.

# MEMOIREN AUS DER ZUKUNFT

Um das Schweigen, das plötzlich eingetreten war, zu beenden und um keine frostige Stimmung aufkommen zu lassen, fragte Juljanka: „Hat jemand von euch hier an Bord schon ein wenig herumgeschnüffelt? Ich wüßte gern, ob es auch eine Turnhalle gibt?"

„Deck C", antwortete Stanislaw.

„Fein! Ich werde regelmäßig turnen gehen. Du auch, Jochen?"

Jochen runzelte die Stirn. Er würde in den nächsten Wochen und Monaten zwischen seinen Reisen nach Mossamedes hier auf der Farm etwas anderes zu tun haben als zu turnen. Um aber nicht als unsportlich zu gelten, stimmte er erst einmal brummend zu.

„Wie oft?" fragte er.

„Jeden Tag!" verlangte Juljanka.

„Lieber wäre es mir, täglich eine Stunde lang mit dir von der Zukunft zu schwärmen", sagte er und zwinkerte ihr in geheimem Einverständnis zu. „Wir sollten gleich damit anfangen", schlug er vor. „Heute habe ich noch einen freien Tag hier an Bord, aber ab morgen stecke ich sicherlich bis über beide Ohren in der Arbeit."

„Ja, natürlich, geben Sie uns doch allen gleich eine Probe Ihres Talents", unterstützte Honzek sofort Jochens Idee und klopfte seine Pfeife aus. Er hielt ein solches Spiel mit Prophezeiungen auf der Grundlage von Prognosen für einen amüsanten, anregenden, nützlichen Denksport. „Was ist mit Metruin?" fragte er. „Inzwischen ist er gestartet und hat die Mondbahn schon zehn oder zwanzig Millionen Kilometer hinter sich gelassen. Wenn es stimmt, daß Sie Gorgows glückliche Rückkehr vorausgeahnt haben, werden Sie sicherlich auch noch etwas über Metruin wissen."

Juljanka runzelte die Stirn. Der Ingenieur schien an ihrer prognostischen Fähigkeit zu zweifeln. Das forderte ihren Ehrgeiz heraus. „Mir ist so, als hätte ich schon mal Metruins Biographie gelesen. Ich habe so ein Gefühl, als wenn seine Raumreisen schon Geschichte geworden sind", sagte sie nachdenklich.

„Großartig, diese Idee", spornte sie Honzek an. Er war begeistert und vergaß darüber sogar einen Augenblick lang, sein Feuerzeug in den Taschen seines Anzuges zu suchen. Er steckte die Pfeife deshalb erst einmal kalt in den Mund. Zu Anja, die gerade aus ihrer Kajüte kam und sich zu ihnen setzte, sagte er augenzwinkernd: „Sie hat Metruins Memoiren gelesen und wird uns jetzt daraus etwas erzählen, nicht wahr?"

„Ich kann mich nur noch an zwei Dinge erinnern", entgegnete Juljanka und blinzelte Honzek spöttisch zu. „Bei seinem ersten Vorstoß zum Saturn gingen die Strahlenwerfer, also die Meteoritenabwehr, entzwei. Ohne sie war eine Rückkehr zur Erde über die Etappendepots des Gürtelgebietes ausschließlich Glückssache. Er und seine Männer holten sich daher von einem der Saturnmonde große Blöcke von irgendeinem gefrorenen Material, vielleicht gefrorene Ammoniakgase, tauten es oder bearbeiteten es, bis es drei oder vier Kegelspitzen abgab. Diese Kegel setzten sie ihrem Raumschiff auf den Bug. Sie hatten etwa den doppelten Durchmesser des Rumpfes. Dann starteten sie, schoben die Kegel an und folgten ihnen in mäßigem Abstand. Sie benutzten sie als Prallschirm. Diese Provisorien flogen gegen die Drehrichtung der Ekliptik. Die massiven Eiskegel pflügten daher für sie eine schmale Bahn durch die Schauer aus Raumstaub und durch alle Meteoritenschwärme, deren Weg sie kreuzten. Die ersten beiden zerbröckelten unter den Einschlägen nach und nach oder verdampften unter den Schauern von Mikropartikeln. Der letzte Kegel aber hielt fast bis zur Erdbahn durch."

Honzek sah die Farmtechnikerin enttäuscht an. „Das klang aber nicht wie Memoiren von Metruin, sondern eher wie aus dem Nachlaß von Jules Verne", sagte er.

„Wer an Wahrsagungen glaubt, verdient es auch nicht anders, als daß man ihm Märchen auftischt", rief Anja schadenfroh.

„Und woran erinnerst du dich noch?" fragte diesmal Stanislaw, dem Juljankas Einfall, unbeschadet seines geringen Wahrscheinlichkeitsgehaltes, gut gefallen hatte.

„Metruin machte mehrere Flüge zum Saturn, neun waren es, glaube ich, teilweise auch nur mit Lastraketen zur Versorgung von Expeditionen. Bei seinem letzten Flug hatte er wieder gründlich Pech. Zwei von seinen vier Triebwerken waren durch und durch ausgeglüht. Im Manövrieren behindert, geriet er in den Malstrom der Saturnringe. Doch das war eigentlich sein Glück. Sein Raumschiff hatte einfach nicht genug Schubkraft, um ein Abstürzen auf den Saturn zu verhindern. So aber konnte Metruin wenigstens noch eines der größeren Ringsegmente ansteuern und auf ihm landen. Dort ließ er alle entbehrlichen Lasten ausladen. So erleichtert, startete er zum Rückflug. Unter anderem ließ er auch mehrere Dutzend Roboter sowie Werkzeug, Zwischenwände, Anlagen, Material und sogar einen Computer auf dem Saturnsegment zurück. Es war alles in allem eine große umfassende Expeditionsausrüstung, die er nicht hatte ans Ziel bringen können. Die Roboter gehörten noch zu den vorsintflutlichen Golemtypen. Sie gerieten in Vergessenheit, bis viele Jahrzehnte später ein Raumfahrer – Wolfram Klarsfeld hieß er wohl – bei Vermessungsarbeiten auch dorthin verschlagen wurde und sie aufstöberte. Die Roboter hatten eine regelrechte Roboterkolonie aufgebaut und hielten die Menschen für eine besondere Art von Fabrikat."

Honzek hieb sich aufs Knie. „Der Witz gefällt mir!" rief er. „Man stelle es sich mal vor: Ein Raumfahrer betritt ahnungslos irgend so einen dicken Brocken, der da durch das Universum segelt; und da stapft ihm um die nächste Felsecke ein Roboter entgegen und fragt: ‚Hallo, Freund Blech, aus welcher Serie bist du? Ich glaube, dein Kniegelenk quietscht. Was für eine Sorte von Schmieröl bevorzugst du?'"

„Das ist doch kein Witz", sagte Jochen verdrossen. Wenn jemand etwas für einen Witz hielt, das keiner war, oder lachte, wenn es keinen Grund dafür gab, dann verdarb ihm das immer die gute Laune. „Hört zu!" sagte er schnell. „Ich weiß einen richtigen Roboterwitz: Ein Mann besitzt unter anderem einen Roboter und zwei Wecker. Der eine Wecker geht immer nur vor, und der andere ist kaputt. Da beauftragt er seinen Roboter, ihm bei der Lösung des Problems zu helfen. Er fragt ihn: Welchen von den beiden Weckern soll ich wegwerfen? Der Roboter antwortet: Herr! Wirf den Wecker fort, der immerzu vorgeht. – Über diesen Rat erstaunt der Mann. Er fordert seinen Roboter auf, ihm das näher zu erklären. Da sagt der Roboter: Herr! Der Wecker, der immerzu vorgeht, der zeigt fast nie die richtige Zeit an. Aber der Wecker, der

kaputt ist, der zeigt zweimal am Tag die richtige Zeit an!"
Anja, Honzek, Stanislaw und Juljanka lachten herzhaft über
diese typische Roboterlogik. „Ihr gefallt mir", versicherte
Honzek. „Da habe ich die richtige Wohnmannschaft gefunden. Am besten, Juljanka erzählt uns noch etwas über Metruin. Es ist zu kurios, etwas über den achten oder neunten
Raumflug eines Mannes zu hören, der gerade zu seinem ersten Raumflug gestartet ist."
„Nein, auf keinen Fall", sagte Juljanka ablehnend und
sprang auf. „O weh!" rief sie. „Ich habe vergessen, die Blumen ins Wasser zu stellen." Sie lief aus der Kajüte hinaus,
um schleunigst ein paar Vasen zu besorgen.


## DEPESCHE ZWEI

An den Leiter des Instituts für Zeitverspiegelung in Kib-E-
Ombo.
Lieber Prof. Dr. Si Taut, ich teile Ihre Sorge. Mir liegt das
persönliche Wohl der Kundschafterin sehr am Herzen. Wie
ich von anderen Forschungsgruppen erfahren habe, nimmt
jedoch die Reaktion im Atlantik nahe der dünnsten Stelle
im Erdmantel zu. Der Forschungsrat der Weltregierung trifft
deswegen Vorbereitungen, um schwerwiegenden Ereignissen, die eventuell eintreten könnten, so wirksam wie möglich
zu begegnen. Es empfiehlt sich auch, die Kundschafterin sofort aus der Vergangenheit abzuberufen und sie umgehend
in einen günstigeren Zeitabschnitt zu implizieren. Das Fehlen von Informationen über den Ursprung des Mega-Phänomens wirkt sich zunehmend negativ aus. Ich habe mich deshalb in dieser Sache um noch mehr Unterstützung an die
eridanischen Gäste auf dem Mauna Kela und auf ihrer
Raumstation Quragsehl gewandt. Da sie uns auf ihren Hei-
matplaneten in einigen Punkten bei der Zeitverspiegelung
voraus sind, haben die Gäste die Hoffnung, uns helfen zu
können. Zur Zeit fliegen Lastraketen die Gaststation auf
Erdumlauf an, um sie mit den erforderlichen Materialien
zum Bau einer Hilfsanlage für unseren Zeitsatelliten zu ver-
sorgen. Diese Hilfsanlage wird auch den Rückruf der Kund-

schafterin trotz der derzeitigen Komplikation durch die dämpfende Barriere ermöglichen. Ich schlage vor, bis es soweit ist, vorerst weiter mit den Mitteln des Labors zu versuchen, die Kundschafterin zu erreichen und ihre Verspiegelung aufzuheben.

Langes Leben!

(gez.) Jandar O'Rell, Weltpräsident


## AGGREGAT AUSSER KONTROLLE

Stanislaw beugte sich über einen der kleinen Bildschirme. Er konzentrierte seine Aufmerksamkeit auf den Grubber Nummer eins, der entlang einer Reihe gelbweißer Netzmasten, die ein Algenfeld begrenzten, über den Meeresboden fuhr. Die sorgfältig zugeknöpfte Jacke beengte ihn. Obwohl er es nicht liebte, hemdsärmlig zu arbeiten, zog er sie aus. Dabei ließ er keinen Blick vom Bildschirm, um notfalls mit einem schnellen Knopfdruck die Maschine zu stoppen oder umzudirigieren, falls sie den Netzmasten zu nahe kam.

Er hatte Juljanka, die hier im Leitstand mit der Fernsteuerung von Unterwassermaschinen vertraut gemacht werden sollte, die Überwachung von vier anderen Grubbern übertragen, die nicht so scharf auf Kurs gehalten werden mußten wie dieser eine Grubber. Die Maschinen bereiteten den Meeresgrund für ein neues Algenfeld vor. Eigentlich war es nicht vorgesehen, die Assistentin in der ersten Zeit ihrer Ausbildung mit operativen Aufgaben zu betrauen, aber ihr Talent für technische Steuerungsprozesse war viel zu ungewöhnlich, um sie nur zusehen zu lassen.

Wieder traten zwanzig Meter voraus die Umrisse eines Netzmastes hinter dem trüben Wasservorhang hervor. Stanislaw schätzte ab, ob die Maschine den Mast bequem passieren würde. Plötzlich rückte der Netzmast in die Bildmitte. Irgendein großer Stein im Meeresboden mußte den Grubber aus der Richtung gebracht haben. Die Maschine lief jetzt unter dem Raffseil des Sperrnetzes direkt auf den Mast zu. Stanislaw drückte mehrere Befehlstasten.

Schwerfällig manövrierte der Koloß, umfuhr den Mast und

ging wieder auf Kurs.

Juljanka hatte inzwischen ihre vier Grubber vor einem Algendickicht gestoppt. Auch Stanislaws Grubber erreichte das Dickicht und hielt an. Ehe sie den Impuls für das Wenden auslösten, gönnten sie sich eine Verschnaufpause. Die Maschinen fernzusteuern, das strengte sie beide an; denn sie waren diese Arbeit noch nicht gewöhnt.

Stanislaw zog die Jacke wieder an. Dabei schnippte er einige Stäubchen von den Ärmeln. Ein Blick in den Spiegel zeigte ihm, daß der Anzug, wie es sein mußte, tadellos saß. Zufrieden strich er auch sein Haar glatt. Dann stellte er sich an das Panoramafenster und sah zur Küste hinüber. Paarweise schoberten Motorboote mit Netzen die lose treibenden Algen und transportierten sie zur Farm, wo ein Kran die Netze in die Bunker der Verarbeitungsanlagen entleerte.

Juljanka streifte ihre dünnen Handschuhe ab und ging ein paar Schritte vom Steuerpult weg. Sie war, ganz im Gegensatz zu den ersten Tagen ihrer Arbeit hier an Bord der Meeresfarm in der Ostsee, zufrieden mit ihrer Leistung. Ihr Einfühlungsvermögen in die Fernsteuerung von Arbeitsmaschinen auf dem Meeresboden hatte Stanislaw und die anderen Ingenieure in Erstaunen versetzt. Juljanka hatte bisher von dieser Fähigkeit nichts gewußt und war jetzt begeistert davon.

Zuerst sah es so aus, als wäre Stanislaw gekränkt, weil sie so wenig Mühe hatte, gleichzeitig mehrere Maschinen zu überwachen und zu lenken. Doch weil Jochen, Honzek und andere das als Intuition, als ein Wunder einstuften, störten ihn ihre Überlegenheit und ihre Feinfühligkeit bei Fernsteuerungsprozessen bald nicht mehr. Das tatsächliche Wissen über die Maschinen und Anlagen besaß unumstritten er.

Juljanka hatte deutlich das Gefühl, ihre Fähigkeiten für diese Arbeit nicht erst durch die Ausbildung auf dem Schulschiff erworben zu haben. So sehr sie sich aber bemühte, das zu ergründen, es gelang ihr nicht, eine Erinnerung daran zu wecken. Sie leitete die Fähigkeit der optimalen Ausnutzung ferngesteuerter Maschinen von einer Methode ab, die sie als „symbiotische Inspiriose" bezeichnete. Als sie aber diesen Ausdruck einmal benutzte, merkte sie sofort, daß niemand der umstehenden Fachleute damit etwas anzufangen wußte und man darin nur ein Wortspiel, eine ihrer launigen Klangfiguren wie Trampi-Campi oder Kontradur sah. Eigentlich wunderte sie sich selbst darüber, wie ein solch eigentümliches Wort über ihre Lippen gekommen war.

Juljanka führte verstohlen ihre Hand zu einer Skalengruppe. Die Zeiger pendelten unruhig hin und her. Diese Arbeit hier am Pult für Fernsteuerung machte ihr wirklich Spaß. Plötzlich ertönte ein Signal. Einer der Grubber war selbständig in Tätigkeit getreten. Schon schnellte Juljankas Hand zur Stopptaste, aber das Ungetüm kroch weiter. Ratlos sah sie Stanislaw an.

„Hier Farm! Tauchverbot für alle! Aggregat außer Kontrolle! Elektroniker auf See, bitte melden!" rief Stanislaw über den Farmfunk aus.

Glücklicherweise war Honzek im Außendienst. Er meldete sich sofort und dirigierte sein Tauchfahrzeug zu der defekten Maschine. Honzek verstand es von allen Ingenieuren am besten, mit einer solchen Situation fertig zu werden. Die Maschine war leicht zu finden, denn sie walzte eine breite Gasse in ein Algendickicht. Honzek stieg aus und schwamm zu ihr hin, klammerte sich an ihr fest, öffnete eine Klappe und brachte den Grubber mit einem Hebelgriff zum Stillstand. Honzek pflegte zu jeder Maschine „Aggregat" zu sagen, und Stanislaw hatte es sich von ihm angewöhnt. Auch diesmal meldete Honzek: „Aggregat abgeschaltet!"

Juljanka war erleichtert, weil diese Situation so schnell gemeistert worden war.

Stanislaw überlegte. Oft verbarg sich hinter solchen Pannen ein größerer Fehler an den Mechanismen oder in der Elektronik. Es war besser, diese Fehler gründlich in der Werkstatt an Bord der Farm zu beheben, statt das provisorisch auf See zu tun. Man riskierte damit nur einen neuen und größeren Schaden.

„Fehlersuche abbrechen!" gab Stanislaw an Honzek durch. „Maschine bergen!"

Es dauerte gar nicht lange, bis Jochen von dieser Anweisung erfuhr. Erbost erschien er bei ihm. „Du läßt einen Grubber in die Werkstatt schaffen? Wie ich den Reparaturladen so kenne, dauert das doch sicherlich ein paar Tage, bis er wieder läuft."

„Honzek kann den Fehler an der Fernsteuerung unter Wasser nur schlecht suchen. Unterwasserarbeit ist unbequem."

„Und wenn nun der Schaden nichts mit der Fernsteuerung zu tun hat? Oder wenn der Grubber funktioniert, falls man ihn aus unmittelbarer Nähe mit Steuerimpulsen von einem Scooter aus versorgt?" schlug Jochen vor.

Stanislaw lachte. „Das ist nicht der Sinn der Fernsteuerung. Außerdem riskieren wir mit defekten Aggregaten nur neue Havarien."

„Willst du künftig die Maschinen bei jeder kleinen Störung in die Werkstatt schaffen lassen?" brauste Jochen auf.

„Gewiß", bestätigte Stanislaw.

„Na, mit so einem Dispatcher können wir uns ins nächste Mauseloch verkriechen. Damit übertrumpfen wir nie die Pazifikfarmen. Wegen deiner übertriebenen Vorsicht verzögern sich die Arbeiten auf den Algenfeldern."

„Die Leistungsfähigkeit der Pazifikfarmen zu überbieten, das ist für eine Ostseefarm ein absurdes Ziel. Dafür ruiniere ich nicht unsere Geräte", sagte Stanislaw mit Nachdruck.

Honzek hatte inzwischen für den Abtransport des defekten Grubbers zur Farm gesorgt und war an Bord gekommen. Er stellte sich zu den beiden Streitenden. Beschwichtigend wandte er sich an Jochen. „Es ist besser so", sagte auch er. „Lieber in der Werkstatt einem Fehler auf die Spur kommen und dafür einen Tag opfern, als ein solches Aggregat zu verlieren."

„Euch Ingenieure kenne ich", brummte Jochen und gab nach. „Das Experimentieren auf dem Prüfstand nimmt dann wieder kein Ende. Sorge wenigstens dafür, daß der Grubber in ein oder zwei Stunden wieder im Einsatz ist."

„Das wird sich machen lassen", versprach Honzek und ging in die Werkstatt.

Jochen blickte mißmutig in der Dispatcherzentrale umher und bemerkte Juljanka am Steuerpult für die Fernbedienung der unterseeischen Maschinen. Alle Aggregate arbeiteten. Wie hat sie es nur so schnell geschafft, souverän die Tastenfelder zu beherrschen, dachte er erstaunt. Sie war wie verwachsen mit dem Steuerpult. Ihre Leistung war so gut, als hätte sie eine zehnjährige Erfahrung. Das jedenfalls war sein Eindruck. Immerhin war sie erst vor kurzer Zeit mit ihrem

Trampi-Campi von irgendwoher angefahren gekommen, hatte nur einen Einführungskursus auf der „Katma 4" absolviert und war ohne praktische Erfahrung zur Meeresfarm versetzt worden. Jochen musterte ihr Gesicht und bemerkte darauf einen Ausdruck, als habe sich sein Wortwechsel vorhin mit Stanislaw in ihren Ohren wie der Streit zweier störrischer Jungen angehört.

Ein paar Tage später gab es schon wieder Ärger mit Stanislaw. Und wieder erkannte er in Juljankas Miene eine gewisse Heiterkeit. Besucher, die eine andere Umgebung gewöhnt waren, pflegten so zu lächeln, wenn in ihrer Gegenwart ein nichtiger Familienstreit ausgetragen wurde, der sie nicht berührte, sondern höchstens amüsierte.


## ASKO, DER SCHLAFLOSE

Seit vierzehn Tagen herrschte Stille im Haus. Nichts sollte ihn am Einschlafen hindern. Aber Asko wußte, daß er nicht schlafen konnte. So stark bedrückte ihn sein Wissen um das Geheimnis des Mega-Phänomens in der Erdkruste unter dem Atlantik. Nach den nächtlichen Experimenten mit den Trommeln und den Technos hatte er neugierig in Kili-N-Airobi Aufzeichnungen aus weit zurückliegenden Zeiten durchsucht und dabei das Geheimnis des Mega-Phänomens entdeckt, das seine Gruppe bewachte. Das war vor über zwanzig Tagen gewesen. Seitdem trug er schwer an dem Geheimnis, schlief fast gar nicht mehr und war ein Ruheloser geworden. Hin und wieder, wenn es ihm besser ging, dachte er nicht an dieses Mega-Feuer, das im Meer lauerte, sondern an die Heimat, an Alaska.

Heute war wieder der Arzt dagewesen. Er hatte Asko gründlich und lange untersucht und auch eindringlich mit ihm gesprochen. Aber das Geheimnis hatte er ihm nicht entlocken können. Asko hatte sehr darauf geachtet, es ihm nicht preiszugeben. Er mußte es allein tragen und noch besser als seine Gefährten auf das Moho-Pult achten. Vielleicht lauerte die Gefahr in der Erdkruste noch weitere Jahrhunderte, aber ebenso konnte die Katastrophe schon im nächsten Monat ausbrechen. Deshalb war es eigentlich gut, daß wenigstens er das ganze Geheimnis kannte, allerdings um den Preis der Ruhelosigkeit. Die Bedrohung war so groß, daß ihm, sobald er daran dachte, immer wieder der Atem stockte. Die Gefahr war von Menschen früherer Zeiten verursacht worden, und das wirkte so ungeheuerlich auf ihn, daß er es niemandem in der Gruppe zu sagen wagte. Sollte es dennoch bekannt werden, dann würde das womöglich auch die anderen aus seiner Gruppe zur Schlaflosigkeit verdammen.

Asko schlug die Augen auf. Sein Blick traf Tri Quang, die am Fußende seines Lagers stand. Er hatte es zuerst nicht glauben wollen, daß sie es gewesen war, die ihn entkräftet und ohnmächtig gefunden und nach Hause gebracht hatte. Die Gruppe hatte sie gut aufgenommen, und so war sie jetzt noch immer hier. Wie zierlich sie ist, dachte er. Ihr helles Kleid bauschte sich im Luftzug der Halle. Tri Quang lächelte ihm zu. Mit ihr waren auch die anderen alle gekommen, die als Gruppe in diesem Haus wohnten und zur Studien- und Lebensgemeinschaft dieses Makrogens gehörten. Einige Gesichter sprachen ihm Mut zu, in anderen lag der Ausdruck von Bedauern und Wehmut über Askos rätselhaften Zustand. Er schloß wieder die Augen. Trotzdem hellwach, hörte er das feine Knistern ihrer Kleidung und ihren Atem, den Atem des Hauses. Er spürte, wie betroffen sie von der Diagnose des Arztes waren. Diese für sie unerklärliche Krankheit seines Gemüts war eine schwere Prüfung für die Gemeinschaft ihrer Gruppe.

„Er ist ungewöhnlich empfindsam", sagte jemand leise. „Er muß in Kili-N-Airobi etwas erfahren haben, was ihm einen Schock versetzt hat."

Sein Puls schlug normal. Auch die Körpertemperatur war richtig: dreihundertzehn Grad absolut. Aber dann jagte wieder die Angst seinen Puls hoch und ließ ihn heftig atmen. Ich gehe, dachte er. Ein Kranker wie ich stört die Harmonie. Die Gruppe jedoch braucht Harmonie, wenn sie ihre Aufgabe erfüllen und sich gründlich auf das Leben vorbereiten will. Mag Tri Quang meinen Platz einnehmen? Zugleich empfand er, daß er bleiben mußte, denn da er jetzt mehr wußte als die anderen, war es seine Pflicht, besonders gut auf das Moho-Pult zu achten.

„Ich gehe", sagte er dann doch. Das klang ruhig und sachlich, war ohne Schmerz und Pathos, so gefühllos wie die
künstliche Stimme eines Technos. Aber er hielt die Augen
dabei geschlossen, damit sie nicht darin lesen und seine
wirklichen Gefühle erkennen konnten. Die Gruppe ahnte
nicht die volle Wahrheit; und er wußte noch immer nicht, ob
er sie ihnen sagen oder weiterhin verschweigen sollte.
„Nein, du wirst nicht gehen", sagte Tri Quang. Ihre Worte
klangen freundlich, aber bestimmt. Dabei kostete es sie
große Anstrengung, ihrer Stimme diesen Klang zu geben.
Wenn Asko so mit geschlossenen Augen dalag, wurde in ihrer Erinnerung immer wieder schmerzvoll jener Morgen
wach, als sie ihn bewußtlos fand.
Sie ist so zierlich, dachte er wieder, und ihre Stimme klang
gestern noch kindlich. Gestern? Wie lange war es doch schon
her, daß er sie im Luftschiff getroffen hatte? Sie waren damals beide noch so jung gewesen. Tri Quang war das eigentlich auch jetzt noch. Er aber, er schlief seit über zwanzig Tagen kaum. Deshalb fühlte er sich alt und müde.
„Nein, du wirst nicht gehen", wiederholte Tri Quang ihre
Worte eindringlich. „Ge Nil ist beauftragt, als erster von uns
deinen Schlaf symbiotisch zu ersetzen. Der Arzt hat ihn über
das Mittel und die Methode unterrichtet. Wir anderen werden es ihm später gleichtun."
Asko bewegte eine Weile stumm die Lippen. Endlich sprach
er. „Ge Nil oder ein anderer wird mir nicht ewig helfen können. Ich gehe", bat er. Doch er wußte zugleich, daß er das
nicht tun durfte, selbst wenn sie doch noch zustimmen
sollte. Da fühlte er ihre Hand auf seiner Stirn.
„Du wirst bald wieder schlafen können", sagte Tri Quang.
Asko richtete sich hastig auf und sah sie verwundert an.
Auch die anderen wandten sich ihr erstaunt und hoffnungs-
froh zu.
„Wirklich?" Er stieß die Frage hervor.
„Ich ahne es", sagte Tri Quang.
Enttäuschung zeichnete sein Gesicht. Er fiel auf sein Kissen
zurück. Ich ahne es, wie unwissenschaftlich das klingt,
dachte er bitter. Aber sie ergriff seinen Arm und drückte ihn
herzlich. Da glaubte er ihr. Ihre Zuversicht überzeugte ihn,
und er legte den Kopf auf das Kissen zurück.

# DIE SPINNE MIT DEN MESSERKÖPFEN

Einhundertsechzig Tonnen erntete die Farm pro Tag von den Tangfeldern. Das war deprimierend wenig. Die Mäher sind zu leistungsschwach, dachte Jochen. Er ging zu Honzek in die Kajüte. Der Ingenieur saß vor einem Reißbrett und hantierte mit dem Winkellineal. Er beachtete Jochen zuerst gar nicht. Nach einer Weile sagte er: „Ich kann es mir schon denken, warum du zu mir kommst. Schneller müßten die Mähaggregate laufen und nach einem anderen Prinzip arbeiten." Er sog an seiner kalten Pfeife und klopfte sie aus. Dann wies er mit dem Pfeifenstiel auf das Zeichenbrett.

Jochen wurde aus den Linien und Strichen nicht klug. Fragend hob er die Schultern. „Würde die neue Konstruktion mehr leisten?" fragte er.

„Das will ich wohl meinen", antwortete Honzek und klatschte mit der flachen Hand auf das Zeichenbrett. „Stände uns dieses Aggregat schon zur Verfügung, wären heute mindestens dreihundert Tonnen Algen in die Verarbeitungsbunker gekommen!" rief er.

„Du übertreibst", sagte Jochen zweifelnd.

„Doch, doch", versicherte Honzek. „Ich habe es genau beobachtet: Der Mäher gleitet heran, die Pflanze gibt nach, rutscht unter seinen Rumpf, und die Messer zertrennen sie ein Stück weiter oben als gewünscht. Teilweise bleiben die Büschel sogar zur Hälfte stehen. So ist das zur Zeit. Deshalb ist die Ausbeute bisher immer so unbefriedigend gewesen. Unsere Mäher arbeiten nach einem falschen Prinzip. So kann man Getreide ernten, aber nicht Tange und Algen. Wir müssen dafür eine bessere Methode finden. Juljanka hat mich da auf eine Idee gebracht. Sie meint, haarfeine messerartige Drähte, die am Ende meterlanger Ruten schnell im Wasser rotieren, wären wahrscheinlich viel leistungsfähiger."

Honzek warf die Tabakspfeife auf den Tisch und entwickelte auf einem kleinen Blatt Papier diese Idee. Mit wenigen Strichen skizzierte er ein Gebilde auf das Blatt, das eigentlich keine Ähnlichkeit mehr mit einem unterseeischen Mäher hatte. Acht dünne Arme reckten sich, einer mageren überdimensionalen Seespinne vergleichbar, nach allen Seiten. Haarfeine Striche, vielleicht dreißig oder vierzig dicht hintereinander, stellten an ihren Enden die Messerköpfe dar. Sie waren die haarfeinen Messerdrähte, von denen Honzek gesprochen hatte. Es war sofort zu erkennen, daß ein solches Aggregat bedeutend mehr leisten konnte als die Mäher, die sie derzeitig einsetzten.

Honzek erläuterte: „Ein Motorboot fährt ein Tangfeld ab, hin und her. Es schleppt diese Spinne am Meeresgrund nach. Sie hat einen Durchmesser von zwanzig Metern. Ihre dünnen peitschenartigen Beine kreisen rasend durch das Wasser. Jede Speiche ist am Ende mit einer Anzahl haarfeiner Drähte von hoher Reißfestigkeit bespannt. Die Drähte rasieren das Feld. Die Pflanzen steigen an die Wasseroberfläche und werden dort, wie bisher auch, abgefischt. Jede Farm benötigt nur noch halb soviel Mäher als gegenwärtig. Reißt ein Draht, sind noch genug andere als Ersatz im Messerkopf vorhanden."

„Läßt sich ein solches technisches Spinnenungetüm schnell bauen?" fragte Jochen begeistert. „Das wäre großartig!"

„Nun, einige Monate dauert so etwas schon. Diese Idee ist gut. Ich weiß nicht, warum Juljanka darauf gekommen ist und nicht ich. – Übrigens: Im Fernsehen sprach man vorhin von einem Funkspruch Metruins. Seine Strahlenwerfer fangen an, unregelmäßig zu arbeiten! Juljanka scheint tatsächlich eine Hellseherin zu sein."


DER FEUERSCHEIN

Eines Nachts hatte Jochen einen seltsamen Traum. Eine Vision versetzte ihn in die Zukunft, und er erlebte einen kurzen Ausschnitt aus der Welt einer späteren Zeit. Die Vision begann damit, daß er wieder mit Juljanka im Auto fuhr. Er war glücklich wie bei der Fahrt vom Ausbildungskatamaran zum Kap und fühlte sich in ihrer Nähe leicht und unbeschwert.

Jochen blickte zum Fahrzeug hinaus. Überall standen Palmen. Jeden Moment mußte die Silhouette einer Stadt auftauchen. Alles ringsum erinnerte ihn an Mossamedes.

Ein fahles Licht lag über dem Land, wie an einem trüben

Tag oder wie in einer hellen Mondnacht.

Er bemerkte, daß sie nicht auf einer Straße fuhren. Ihr Fahrzeug glitt schwebend über die Rasenfläche. Also war es gar nicht Juljankas Sportwagen aus Kontradur, sondern ein noch ungewöhnlicheres Auto, in dem sie beide saßen. Es ähnelte einer Sesselkabine mit einer flachen durchsichtigen Kuppel. Nicht einmal ein Steuer oder ein Schalthebel waren vorhanden. Betroffen darüber, sah er zu Juljanka hinüber. Aber sie blickte nur geradeaus und lächelte seltsam angestrengt und starr.

Er folgte ihrem Blick. Aus einem fernen Wald, hinter dem er Mossamedes vermutete, löste sich ein Schwarm von Fahrzeugen und näherte sich ihnen mit hoher Geschwindigkeit. Die fremdartigen Schweber stoben vorbei und flohen in großer Eile wie vor einem unsichtbaren Unheil.

Am Waldrand sah Jochen eine Gruppe von Menschen entlanghasten. Sie hoben im Laufen wie in letzter Verzweiflung die Hände hoch, und ihre Münder waren weit geöffnet, so als schrien sie. Aber ringsum blieb alles lautlos.

Der Wagen glitt weiter. Auf der weiten Grasebene mit den Palmenhainen entdeckte Jochen in der Ferne einen weißen Palast. Das Bauwerk ähnelte in seinen futuristischen Umrissen einem bizarren Schloß oder einer grotesken Moschee. Sie stiegen aus und gingen schnell darauf zu. Noch während Jochen das Bauwerk musterte, überzog sich die Fassade mit dem Widerschein eines aufflammenden Lichtes. Rubinrot stand ein Schein am fernen Himmel über dem Meer.

Sie erreichten das Portal des Bauwerkes. Juljanka öffnete es ihm. Sie traten ein. Suchend durchschritten sie Säle, die wie Klubräume eingerichtet waren. Das ließ darauf schließen, daß es sich um Gemeinschaftswohnräume für eine Anzahl von Menschen handelte. Ein warmes gelbweißes Licht durchflutete die fensterlosen Säle. Nirgends begegnete ihnen einer der Bewohner. Nur ihre eigenen Schritte hallten von den Wänden wider.

Endlich, im fünften oder sechsten Raum, erblickten sie eine einsame Gestalt. Sie war mit einem weißen Anzug bekleidet, der einem Skaphander ähnelte. Der Mann stand mit abgewandtem Gesicht und lauschte angespannt. Mit einer knappen Geste bedeutete er ihnen, den Schritt zu verhalten.

Nach einigen Augenblicken atmete er erleichtert auf und sagte leise zu Juljanka: „Noch nicht, uns bleibt noch eine kurze Frist. Wenn es nicht glückt, ist eine Katastrophe auf dieser Hälfte der Erdkugel unausweichlich. Es muß glücken." Juljanka und der Fremde schienen sich zu kennen.

Erst dann drehte der Mann sein Gesicht Jochen voll zu. Es war schmal und wirkte energisch. Jochen schätzte das Alter des Fremden auf fünfunddreißig oder achtunddreißig Jahre. Der Mund war erstaunlich klein und die Haut straff und pfirsichfarben. Der Blick, eben noch kühl und entschlossen in die Ferne gerichtet, wandelte sich und wurde weich und freundlich.

„Ich bin Si Taut. Mein Leben begann vor einhundertvierzig Jahren. Ich grüße dich, Mensch aus der Epoche des GRUM, des Großen Umschwungs. Sei bei uns willkommen. Du erscheinst zur richtigen Zeit", sagte er. „Dies hier ist die Wohnung einer kleinen Gruppe junger Frauen und Männer, die eine Studien- und Lebensgemeinschaft gebildet haben. Ich bin bei ihnen zu Gast. Es sind alles künftige Wissenschaftler, manche auch Meeresfachleute wie du. Laß dir von dieser Arbeitsgruppe erzählen:

Ein Tunnel verbindet die Wohnräume mit dem Tiefseelabor. Wenn sie einer neuen Idee nachspüren oder ein neues Phänomen entdeckt haben, arbeiten sie viele Tage lang angestrengt und ausdauernd. Sie erlernen dabei auch die Kunst der symbiotischen Inspiriose, des direkten gedanklichen Kontaktes zu den Maschinen. Wenn aber die Zeit der Freude für sie kommt, feiern sie lange und schöne Feste. Sie sind eine großartige Gemeinschaft.

Ihre wichtigste Aufgabe ist es, die dünnste Stelle des Meeresbodens über dem Magma der Tiefe zu bewachen."

Si Taut seufzte und lauschte wieder. Er hing seinen Erinnerungen nach. Als er weitersprach, wurde sein Gesicht ernst.

„Vor wenigen Stunden, heute mittag, sprangen sie alle wie auf ein Signal hinauf und liefen zum Tunneleingang. Sie waren sehr aufgeregt, und ich verstand nicht, was sie riefen. Aber nun weiß ich es!"

Er unterbrach seinen Bericht und wandte erneut den Kopf ab. „Jetzt", murmelte er dann.

In Jochen stieg ein Gefühl der Angst auf, und er spürte den

Schlag seines Herzens bis zum Hals. „Was – was haben sie gerufen? Was – ist jetzt?" fragte er stockend.

Si Taut winkte ihm zu, an eine Wand zu treten. Er streckte beide Handflächen aus, und die Wand wurde durchsichtig. Jochen sah, daß das große Haus am Strand stand. Der Strand war menschenleer, und die Brandung trug keine Wellenreiter. Gerade ging die Sonne unter. Streifen eines kräftigen Abendrotes durchzogen den Horizont. Jäh wechselten die Farben in ein smaragdenes Grün. Nicht diese seltsame Erscheinung war es, die Jochen mit großer Verwunderung erfüllte und ihm dann schließlich Entsetzen einflößte, sondern vielmehr eine kleine, weißblaues Licht sprühende Kugel, die dicht neben der versinkenden Sonne aus dem Meer stieg. Sie blendete unerträglich grell.

„Eine Magmakugel!" rief Jochen und riß die Hände vor die Augen.

„Eine Magmakugel! – Ja, mein Freund aus der Epoche des GRUM. Das riefen die Männer und Frauen, die dieses Haus bewohnen, auch, als sie so plötzlich aufsprangen und zum Tunneleingang liefen. Eine Magmakugel steigt aus der Tiefsee. Die Erdkruste bricht auf."

Jochen stöhnte.

„Nicht wahr, du kennst es, dieses nukleare Phänomen aus der Tiefsee? Es stammt doch aus deiner Zeit? Ihr habt es uns hinterlassen, aber wir wußten lange Zeit nichts von seiner Existenz. Ihr glaubtet damals, es sei ein einmaliges Phänomen gewesen, als es erloschen war. Doch jetzt ist es als Magmakugel wieder hervorgebrochen. – Na, lassen wir das", sagte Si Taut mit einer beschwichtigenden Geste. „Ich weiß, daß du dafür nicht mitverantwortlich bist und man dich nicht auf eine Stufe mit den Schuldigen stellen darf. Es liegt nun eben an uns, mit dem fertig zu werden, was dein Zeitalter uns hinterlassen hat und was dann während des hundertjährigen Strahlungssturmes aus dem Kosmos ganz und gar in Vergessenheit geraten ist. Die Vorbereitungen sind jedenfalls getroffen.

Gleich erfolgt der Start. Wir müssen erreichen, daß die Magmakugel nicht zurückfällt, sondern in den Kosmos entweicht, sonst zerspringt sie zu nahe über dem Boden und versengt weite Teile unseres Planeten. Was wir unternehmen müssen, ist ein tollkühnes Wagnis. Und ich bitte dich, mitzukommen. Ein Mensch aus der Epoche des GRUM, der einen großen Teil der Fakten über diesen Magmaball kennt, muß dabeisein. Sonst gelingt uns der Sieg nicht über diesen glühenden, sengenden Feind. Gib deine Einwilligung! Sag, daß du bereit bist, mitzukommen und uns zu helfen!"

Jochens Herzschlag stockte. Sein Hals wurde trocken. Er brachte kein Wort hervor. Mühsam nickte er. „Was muß ich tun?" fragte er stockend und starrte entsetzt auf den fernen Glutball, an den er sicherlich mit Si Taut heranfliegen mußte.

Eine andere Wand wurde mit einer Handbewegung durchsichtig gemacht. Sie gab den Blick auf eine Terrasse frei. Auf ihr stand startbereit ein diskusförmiger Flugkörper. Reif bedeckte ihn. Am Einstieg sah Jochen zwei Gestalten in ebensolchen Anzügen, wie Si Taut einen trug.

Si Taut neben ihm sagte: „Ich danke dir. Sieh, dort steht unser Hybridraumer. Mit ihm werden wir den Kampf gegen die Magmakugel aufnehmen. Tri Quang und Asko fliegen mit uns aufs Meer hinaus."

Die zwei Gestalten am Einstieg hoben die Arme und winkten ihnen zu, was wohl bedeutete, sie sollten beide schnell an Bord kommen.

„Hier ist dein Schutzanzug. Komm! Wir müssen uns beeilen", forderte Si Taut Jochen auf. –

An dieser Stelle brach der Traum ab. Als Jochen am Morgen erwachte, grübelte er noch eine Weile über diese Vision nach. Deutlich hatte er den rubinroten Schein, den dampfenden Flugkreisel und die Gestalten in den weißen Schutzanzügen noch vor Augen. Bisher hatte er einen Traum nie so deutlich in Erinnerung behalten wie diese Bilder von der Begegnung mit dem Mann in diesem futuristischen Bauwerk am Meer.

# NACHTÜBUNG VOR PORT USTKA

„Also gut, du sollst deinen Willen haben." Stanislaw hieb entschlossen mit seiner Faust auf den Tisch. „Abgemacht! Wir probieren die Koppelsteuerung aus und machen einen Synchrontest, obwohl ..."

„Ich weiß, ich weiß: Es ist noch viel zu früh dazu; du hast noch zuwenig Erfahrung mit den Maschinen und so weiter." Jochen hob abwehrend die Hand. „Bevor du dein Wort gibst, bricht einem der Schweiß aus. Da muß man Überredungskünstler sein. Also abgemacht: Du versuchst es!"

„Ja, bestimmt. – Ich verstehe, daß du mehr Pflanzen benötigst, damit die Weiterverarbeitung an Bord nicht immer wieder stockt. Aber wir müssen die Koppelsteuerung erst noch einmal üben, und zwar bei spiegelglatter See."

„Auch das noch", seufzte Jochen. „Ich habe es doch geahnt, daß dein Versprechen noch mit einem Pferdefuß verbunden ist. Seit wann kann man im Herbst mit spiegelglatter See rechnen?"

„Rege dich nicht auf, heute nacht werden wir spiegelglatte See haben. Der Wetterbericht verspricht es."

Jochens Gesicht hellte sich auf. Er wurde zusehends vergnügt und rieb seine Hände aneinander.

In diesem Augenblick klopfte es an der Tür, und ein Matrose brachte ein Telegramm aus dem Funkraum herüber. Es war für Stanislaw bestimmt. Er las es durch und sagte: „Denke dir nur, das Schulinternat von Port Ustka teilt mir mit, daß meine Schwester, Dana, die dort schon seit zwei Jahren wohnt, verschwunden ist. Zuletzt hat man sie gestern mit einem ganz neuen Kinderwagen in der Stadt gesehen. Ist das nicht seltsam?" Stanislaw machte ein beunruhigtes Gesicht. „Am besten, ich fahre gleich mal mit einem Motorboot nach Port Ustka und frage im Internat bei den Erziehern nach. Aus den paar Worten im Telegramm kann ich mir keine richtige Vorstellung machen."

„Und was wird aus dem Synchrontest, der Koppelsteuerung?" fragte Juljanka.

„Ja, was wird daraus?" wollte auch Jochen wissen. Er war ärgerlich.

„Juljanka! Du könntest die Vorbereitungen allein treffen",

sagte Stanislaw. „Wir hatten ja schon alles durchgesprochen. In ein oder zwei Stunden bin ich wieder zurück. Dann fangen wir gleich mit den Versuchen an und probieren die Koppelsteuerung."

„Schön! Ich erledige die Vorbereitungen", stimmte Juljanka zu und griff zu einigen Tabellen.

Jochen murmelte etwas von „Scherereien mit so einer Schwester" und „albernes Schulmädchen", vertiefte sich dann aber ebenfalls in Aufzeichnungen.

Stanislaw war inzwischen schon draußen auf Deck, sprang in ein Motorboot und fuhr hinüber zur Küste, wo wenige Meilen entfernt das Leuchtfeuer der Hafeneinfahrt von Port Ustka blinkte.

Als er nach zwei Stunden zurückkam, berichtete er: „Unmöglich, daß das was mit Dana zu tun hat. Es ist etwas passiert, was unangenehm ist: Aus der Schulsternwarte ist ein Fernrohr verschwunden, eines mit neunzigfacher Vergrößerung. Jemand hat es gestohlen. Man verdächtigt Dana. Sie ist tatsächlich in die Astronomie verliebt. Noch neulich, als sie mich hier besuchte, erzählte sie mir etwas von einer Kamera, mit der sie Aufnahmen vom Andromeda-Nebel und vom Pferdekopf im Orion, einer Dunkelwolke vor der Milchstraße, machen wollte. Und nun sind gerade diese beiden Geräte abhanden gekommen."

Danas Streich beschäftigte Stanislaw sehr. Er versuchte, die Motive dafür zu finden. Als gegen Mitternacht die Versuche mit der Kopplung der Schwimmäher zu einer Erntekette begannen, war er nicht richtig bei der Sache und überließ es hauptsächlich Juljanka, dieses Verfahren auszuprobieren. Zunächst bedienten sie beide von ihren Kontrollpulten aus je ein Paar Mäher über Fernsteuerung. Auf den Anzeigegeräten war abzulesen, in welchen Tiefen und in welcher Richtung die Aggregate schwammen. Jochen stand hinter Juljanka und Stanislaw und verfolgte gespannt den Ablauf des Versuchs. Die Mäher gingen gehorsam auf Tiefe, sobald es ihnen signalisiert wurde, machten gemeinsam Wendungen oder beschrieben Kreise. Die Trimmautomatik war gut synchronisiert und glich Differenzen in der Strömung aus.

Alles funktionierte so gut, daß man daran denken konnte, einen Schritt weiter zu gehen und drei Maschinen aneinanderzukoppeln.

Die Maschinen tauchten auf, Scheinwerferstrahlen fielen von der Farm aus auf sie, und ein Motorboot mit Honzek und anderen Ingenieuren fuhr zu ihnen hin, um die Umkopplung vorzunehmen.

„Wird es mit der Dreierkette auch so gut funktionieren?" fragte Jochen.

„Warten wir es ab. Schwierig wird es erst, wenn wir die Fünferkette ausprobieren. Bis jetzt war unser Test nur ein Kinderspiel", gab Juljanka zur Antwort.

Bis Honzek und die Monteure die Umkopplung vorgenommen hatten, blieb Stanislaw Zeit zum Nachdenken über Dana. Der Himmel war sternübersät. Über der Küste stand eine Wolkenbank. Der untergehende Mond hatte sich hinter ihr versteckt und versilberte ihren Saum. Zwei Wolkenbuckel und die anschließenden Streifen erinnerten an die Umrisse eines Kamels. Stanislaw beobachtete, wie das Wolkenkamel langsam wanderte. Seine Gedanken stockten. Er schlug sich mit mit der flachen Hand an die Stirn. Ihm war eingefallen, wo er Dana suchen könnte. „Schwesterchen, Schwesterchen", murmelte er. „Du machst erstaunliche Sachen! Hoffentlich stimmt es, was ich vermute."

„Führst du Selbstgespräche? Geht dir Dana noch immer nicht aus dem Sinn?" fragte Jochen. Es verdroß ihn, daß Stanislaw mit seinen Gedanken nicht bei der Arbeit war.

Stanislaw hatte sich an eine Unterhaltung mit seiner Schwester, die fünfzehn Jahre jünger als er war, erinnert. Kürzlich war sie auf die Farm zu Besuch gekommen. Die schwimmende Insel schien ihr damals wenig zu imponieren. Offensichtlich hatte die Farm ihren Unwillen erregt.

„Wie gefällt dir unsere schwimmende Insel?" hatte er sie gefragt. Er erwartete ein großes Lob.

Statt dessen hatte sie sich anstelle einer Antwort bei ihm erkundigt: „Fährt die Farm bald weiter, oder bleibt sie hier für ewig verankert?"

„Soll sie weiterfahren?" Stanislaw war über ihre Frage erstaunt, weil sie wie ein Wunsch geklungen hatte.

„Ja, sie stört, wenn ich bald mal auf dem Kamel sitze und nach oben schaue", hatte sie etwas unklar entgegnet.

Dana ging in der Freizeit gern in die Schulsternwarte. Das

Schulzentrum in Port Ustka mit seinen Lehrgebäuden und Internaten stellte einen geschlossenen Komplex landeinwärts am Rande der Stadt dar. Das „Kamel" aber waren zwei Erhebungen in der Küstenlinie. Zwischen beiden Dingen, der Schulsternwarte und dem Hügelzug, sah Stanislaw einen Zusammenhang. Er erinnerte sich an Danas frühere Klagen, wonach das Licht der Stadt häufig bei Beobachtungen der Schulsternwarte störe, vor allem die des nördlichen Bereiches der Polkalotte. Die Erhebungen an der Küste dagegen lagen abseits von diesem städtischen Lichtschein und eigneten sich gut für bestimmte Sternbeobachtungen. Es war Dana zuzutrauen, daß sie auf eigene Faust eine nächtliche Exkursion zu den Kamelbergen unternommen hatte.

Stanislaw erklärte Jochen und Juljanka seine Vermutung. „Ich muß mich überzeugen, ob sie stimmt", sagte er. „Ich fahre gleich mal zur Küste hinüber."

„Was? Jetzt? Zur Küste willst du fahren? Schon wieder?" Jochens Ärger schlug in Zorn um. „Du willst den Versuch abbrechen? Das erlaube ich nicht. Du bleibst jetzt hier. Basta!"

„Dann fahre ich. Ich bin entbehrlich", sagte Juljanka. „Neulich bei Danas Besuch hier auf der Farm habe ich mich sowieso schon ein wenig mit ihr angefreundet. Ich werde als Frau diese Sache mit dem Kinderwagen und dem Fernrohr bestimmt besser klären können als Stan." Schnell zog sie ihren Mantel an und lief davon, bevor Jochen etwas dagegen einwenden konnte.

„Ich teste allein weiter, wie besprochen: Dreier-, Vierer- und Fünferkette!" rief Stanislaw ihr nach. „Grüße Dana!" Er dachte: Juljanka wird sich nicht auf pädagogische Ermahnungen und auf Vorhaltungen beschränken; sie wird die Angelegenheit bestimmt mit Fingerspitzengefühl und Verständnis behandeln. Anders würde Dana es wahrscheinlich nicht einsehen, daß sie den Bogen ihrer Leidenschaft überspannt hat.

Dana sah das Boot schon von weitem. Der schwarze Punkt war auf der schimmernden glatten Wasserfläche die Spitze eines breiten Keils von Kielwellen. Es kam aus Richtung der Farm, deren Scheinwerfer und Bordleuchten den Himmel über dem Meer sanft erhellten. Das leise Summen des Motors verstummte, und das Boot glitt lautlos auf den Strand zu. Wenige Schritte davor lief es knirschend auf Grund und blieb mit einem Ruck stehen. Jemand sprang heraus und watete an Land. Eine Gestalt zeichnete sich deutlich gegen den hellen Sand ab. Sie überschritt den Strand und verschwand im niedrigen Gehölz der Krüppelkiefern hinter den Dünen, das dunkel den Fuß der Kamelberge säumte.

Das kann nur Stan sein, dachte Dana. Nur er ist so scharfsinnig und findet heraus, wo ich bin. Er wird mir wegen des Fernrohres ins Gewissen reden wollen. Ob er verlangen wird, daß ich meine Beobachtungen sofort abbreche? Als großer Bruder könnte er das, und ich müßte das einsehen. Lieber wäre mir, wenn er möglichst bald wieder ginge und mich allein zusammenpacken ließe. Sie seufzte, beugte sich zum Okular, sah hinein und machte im Schein einer matten Taschenlampe einige Notizen über ihre astronomischen Beobachtungen.

Kurz danach hörte sie es im Gehölz knacken. Leicht und gewandt kam der Besucher den Berg herauf. Dann hatte er den Rand der kleinen Lichtung zehn Schritt hinter ihr erreicht. Sie sah sich um: Nicht Stanislaw, sondern eine Frau stand dort.

„Hallo, Dana! Ich bin es, Juljanka", sagte die Frau. „Ein bißchen steil dieser Berg für Kinderwagen."

Dana fühlte, wie sie rot wurde. Sie war froh, daß Juljanka sie nicht sehen konnte. Das mit dem Kinderwagen mußte Stan erfahren und es ihr erzählt haben. Sicherlich lachte sie insgeheim, daß sie das Fernrohr mit einem Kinderwagen transportiert hatte.

„Laß dich nicht stören. Mach weiter", forderte Juljanka sie auf. „Einen Kinderwagen zu nehmen ist besser, als ein so kostbares Gerät mit dem Fahrrad zu befördern." Sie trat zu ihr an das Stativ. „Bist du zufrieden mit der Sicht heute

nacht?" fragte Juljanka.

Dana drehte ihren Kopf erstaunt zu der Besucherin. Nicht der leiseste Vorwurf klang aus deren Stimme. Juljanka schien es für ganz normal zu halten, daß das Fernrohr hier stand. Sie ging einmal um die Lichtung. „Hast du ein Zelt?" fragte sie aus der Dunkelheit des Hintergrundes.

„Dreißig Meter weiter, zwischen den niedrigen Krüppelkiefern", sagte Dana.

Juljanka ging es besichtigen und prüfte die Ausrüstung. Als sie zurückkam, zog sie eine Thermosflasche hervor, die sie mitgebracht hatte, und füllte ihr einen Becher. „Nur Tee", sagte sie. „Ganz praktisch, dein Freiluftobservatorium hier auf dem Hügel. – Wann bist du mit deinen Beobachtungen fertig?"

„Wenn der Himmel nicht eintrübt, bleibe ich diese und auch die nächsten beiden Nächte noch hier oben in Klausur." Dana wärmte ihre klammen Hände an dem heißen Becher voller Tee.

Juljanka schmunzelte über die anspruchsvolle Bezeichnung „Klausur" für Danas abenteuerliche Amateurbeobachtungen. Laut aber fragte sie: „Hast du genug zum Essen?"

„Das ist nicht so wichtig. Hauptsächlich habe ich Zwieback mitgenommen", antwortete Dana.

Juljanka schwieg einige Zeit lang und sah auf die See hinaus. Dort spielten wieder die Scheinwerfer über der Farm. Vermutlich gingen Stanislaw und Jochen jetzt schon dazu über, die Viererkette zu üben und zu erproben.

Dana summte leise eine Melodie und preßte immer wieder ihr Auge an das Okular des Fernrohres. Die Melodie klang etwas schwermütig.

„Laß sehen, auf welchen Stern du eingestellt hast", sagte Juljanka. Dana trat zur Seite und machte ihr Platz. „Fünf, sechs, sieben Monde", zählte Juljanka.

„Ja, im Augenblick, aber fünf stehen hinter dem Planeten."

„Aha, also ist es der Jupiter, nach dem du siehst."

„Du verstehst etwas von Astronomie? – Ich beobachte ihn notgedrungen, bis ihr auf der Farm schlafen geht."

„Wieso notgedrungen?"

„Die Farm stört mit ihrem hellen Licht. Und ausgerechnet

heute werden andauernd die Scheinwerfer angemacht. Die Farm liegt genau unter dem Himmelsabschnitt, an dem die Wega leuchtet."

„Ach so. Und die Wega interessiert dich also besonders? Was macht sie so interessant?"

„Wir reisen doch dorthin!"

„Wer reist dorthin?" Juljanka horchte auf. „Wir? Ist das für uns beide nicht etwas zu weit weg?"

„Nur sechsundzwanzig Lichtjahre."

„Nur sechsundzwanzig Lichtjahre. Hm. Du möchtest also sozusagen Kosmonautin werden und wünschst dir ein Raumschiff, das dazu geeignet ist, diese Entfernung zu überwinden?"

„Nein. Wir alle fliegen dorthin. Die ganze Erde. Sie ist unser Raumschiff. Unser ganzes Sonnensystem strebt auf das Sommerdreieck und auf die Leier zu."

„Wann werden wir dort ankommen?"

„Wir beide? Ich meine uns nicht, auch nicht die heutige Menschheit. Wir zwei werden nie dort ankommen. Aber die Menschen späterer Zeitalter werden einmal dort ankommen. Die Hälfte des Weges hat die Erde in den fünf Milliarden Jahren ihres Bestehens schon zurückgelegt, vierundzwanzig Lichtjahre. Sie war ganz zu Anfang also rund fünfzig Lichtjahre weit von der Wega entfernt. Man hält es für möglich, daß fast hundert Planeten um sie kreisen. Solch ein System von Planeten müßten wir um die Sonne herum haben. Die Menschheit würde dann Dutzende Planeten entdecken und bewohnen können. – Die Welten der blauen Wega sollen wunderschön sein", sagte Dana träumerisch.

„Das behaupten einige Wissenschaftler, nehme ich an. Und weil du es nicht erleben kannst, willst du dir die Ankunft der Erde dort ausmalen. Dazu mußt du dann die Wega zumindest als Fünkchen im All sehen, durch das Rohr etwas heller und größer als mit dem freien Auge, nicht wahr?"

„Die anderen, die sehr viel später leben, werden sie sicherlich kennenlernen", wiederholte Dana, noch immer nachdenklich.

„Bestimmt. Aber sie werden dann vergessen haben, daß eine ihrer Milliarden Urahnen, die Dana hieß, heimlich mit einem gestohlenen Fernrohr im Kinderwagen auf einen Hügel

am Meer gezogen ist, um sich die Augen nach der Wega aus-
zuschauen."

„Ja, sie werden es nicht mehr wissen. Aber ich muß immer
daran denken, daß sie es einmal geben wird."

Dana ahnte nicht, daß eben einige dieser Nachfahren, nämlich Si Taut und seine Spiegeltechniker, am Schirm eines
Zeitspiegels standen und das Gespräch mit anhörten. Eben-
sowenig ahnte sie, daß diese Beobachter in einer Zeit lebten,
in der man in Richtung Wega den Planeten Groß-Indigo entdeckt hatte, zu dem Großraumschiffe mit Siedlern im Tief-
kühlschlaf hinfliegen würden.

Der Anblick der Szene nachts auf dem Hügel am Meer erinnerte Si Taut an die Worte, die die Chrononautin am Feuer
vor dem Haus am See bei Kib-E-Ombo zu den jungen Leuten gesagt hatte: „Die meisten jener Menschen, zu denen ich
in die Vergangenheit gehe, könnten wir auch heute noch auf
der Stelle liebgewinnen." Dana gehörte zu diesen liebenswer-
ten Menschen aus der Vorzeit. Und Si Jhul weilte, obwohl
ihr Körper im Immunitron lag, gleichsam dort unter diesen
Menschen. Er machte sich Sorgen um sie. Hier im Labor
hatten sie noch immer nicht ermitteln können, durch welchen technischen Fehler es unmöglich war, zur Kundschafterin Kontakt herzustellen, um ihr Anweisung für die Rückkehr zu geben.

Si Taut wischte mit der Hand über Augen und Stirn. Seltsames Gespräch, das er dort auf dem Schirm mitten in einer
Nacht der Vergangenheit mit anhörte. Es war die ewige
Sehnsucht des Menschen nach den Sternen, die dieses Mädchen zur Wega aufblicken ließ. Erstaunlich, daß dort am pri-
mitiven optischen Fernrohr jemand stand, der so weit in die
Zukunft dachte und auf seine Weise die Zeit überbrückte.

Wenn man dieses Mädchen so ernsthaft über solche Dinge
sprechen hörte, konnte man nur ahnen, wie weit ihm das
Herz wurde, wenn es zu den Sternen aufsah, die für sie und
ihre Zeitgenossen noch nicht erreichbar waren.

Wie war es möglich, daß Zeitgenossen eines so sympathi-
schen Menschenkindes Scheußlichkeiten wie die GRUM-
Waffe ersonnen hatten, um damit zwei Erdteile zu verwü-
sten?

Dana summte inzwischen eine neue Melodie, diesmal unbeschwerter. Man konnte sogar den Text verstehen. Es war ein Raumfahrerlied. Si Taut erkannte es, weil er sich einmal einige Zeit mit den Anfängen der Kosmonautik in der GRUM-Zeit beschäftigt hatte. Dieses Lied galt dem ersten Eroberer des Weltalls.

Roter Himmel!
Dunkle Nacht!
Sterne sprühen!
Schwarze Pracht!
Meteor und Strahlung drohen,
aber ich bin nicht allein;
dort als Bogen,
lichtumwoben,
liegt die Welt im Sonnenschein.

Flammen tanzen
blendendhell.
Steig, Rakete,
fliege schnell!
Stürm des Himmels weite Tore,
laß den Erdball hinter dir!
Dichtes Schweigen,
Sternenreigen.
Unsre Bahn durcheilen wir.

„Ob Metruin jetzt schon im Gürtelgebiet angekommen ist?" fragte Juljanka.
Dana knipste ihre Taschenlampe an und kritzelte einige Zahlen auf den Schreibblock. „Bis vorgestern, als er seinen letzten Funkspruch für die Erde abgesetzt hat, ist alles programmgemäß verlaufen", sagte Dana. „Die Strahlenwerfer seines Raumschiffes arbeiten wieder störungsfrei, heißt es in einer Meldung aus dem Stab der Raumflotte für die Presse. Wenn meine Berechnungen stimmen, wird Metruin in zwei Stunden ein Steuermanöver durchführen, um die Hestia-Lücke besser für den Weiterflug ausnutzen zu können."
„Lücke im Asteroidengürtel zwischen Mars und Jupiter. Entfernung: zwei Komma fünf astronomische Einheiten", sagte Juljanka im Tonfall eines befragten Schülers.

Dana lachte. „Oh! Ihr Leute von der Meeresfarm wißt wirklich in der Astronomie Bescheid. Bravo! Das hätte ich nicht erwartet!"

„Dana! Erwachsene wissen meistens sehr viel, manchmal sogar etwas über die Astronomie. Was ihnen nach ihrer Jugendzeit verlorengeht, das ist meist die Phantasie. Merkwürdigerweise ist mir die Phantasie nicht verlorengegangen. Ich habe sogar zuviel davon", sagte Juljanka und zögerte einen Moment, bevor sie weitersprach. „Zum Beispiel träume ich davon, was in einer Zeit lange nach Metruin sein könnte. Ich kann mir vorstellen, wie ich durch die Tunnel der Mondstadt Port Selena gehe, die es jetzt noch gar nicht gibt. Dann bilde ich mir sogar ein, einer meiner Vorfahren hat zu einer Expedition gehört, die Nachbarn im Kosmos entdeckt hat, und zwar beim Alpha Eridani."

„Das ist eine interessante Vorstellung, Juljanka."

Danas Aufgeschlossenheit veranlaßte Juljanka, noch mehr von ihrem merkwürdigen Wissen preiszugeben. „Diese Nachbarn aus dem Kosmos werden dann eine Gaststation auf Erdumlaufbahn haben, ebenso wie wir Menschen solche Gaststationen bei ihnen haben, die ihre beiden Planeten Oasis-Vitra und Oasis-Sandra umkreisen."

„Es wird also eine gute Zusammenarbeit zwischen ihnen und uns geben, nicht wahr?" registrierte Dana lebhaft. „Das könnte noch vor der Zeit sein, in der die Erde die blauen Welten der Wega erreichen wird."

„Ja, richtig, einige Zeit davor. Und aus meinen Träumen kenne ich auch die Geschichten von Männern, die auszogen, um im Kosmos eine zweite Erde für uns Menschen zu finden. Sie trafen auf einen Planeten, der etwas größer, etwas schwerer und etwas wärmer als die Erde ist. In ihren Liedern besingen sie die Erde als die kleine Insel Indigo, während sie ihre neue Welt als die große Insel Indigo bezeichnen. Wahrscheinlich nennen sie diese neue Welt auch deswegen so, weil dort gleich von Anfang an alles schöner und besser sein soll als auf dem Mutterplaneten, vor allem ohne die Fehler, die im Laufe der Jahrhunderte geschehen sind."

„Das ist ein schöner Traum", sagte Dana versonnen.

„Ich habe nicht nur gute, sondern auch schlechte Träume", gestand Juljanka. „Zum Beispiel könnte es eine Zeit geben, in der eine Strahlungsfront das Sonnensystem durchzieht. Sie bedroht die Menschen auf der Erde und bringt die Prozesse auf der Sonnenoberfläche in Unordnung. Die Raumflotte legt dann einen Staubring um die Sonne und einen Staubschild vor die Erde, um die heiße Strahlung zu mildern. Ich habe in einem Traum ein berühmtes Gemälde gesehen, das erst noch erschaffen werden wird. Auf ihm ist dieser Staubring um die Sonne dargestellt. Das berühmte Gemälde heißt: Sols Ring. Die beiden Malerinnen Nora Dahl und Nomi Lyb haben es erschaffen. Hundert Jahre also dauert der Strahlungssturm. Trotz des Schattenwurfes von Ring und Schild steigt die Temperatur auf der Erde beträchtlich an. Die Eiskappen der Pole schmelzen weitgehend ab, und der Meeresspiegel steigt. Eine Anzahl Küstenstädte, meist die schönsten Städte der Erde, müssen geräumt werden. Dann normalisiert sich wieder alles. Diese Zeit erfordert Helden auf der Erde und in der Raumflotte."

„Größere Helden als Gagarin, Armstrong, Gorgow und Metruin?" fragte Dana.

„Zumindest genau solche. Danach wird das Leben auf der Erde wieder leichter. Aber da droht den Menschen eine neue Gefahr, diesmal aus der Erdrinde."

„Und wir Menschen werden diese Gefahr besiegen?" fragte Dana erwartungsvoll.

Juljanka versuchte, Danas Gesicht im schwachen Widerschein des Nachthimmels zu erkennen. Sie wollte dem Mädchen mehr von ihrem seltsamen Wissen erzählen, das offenbar nicht Träumen entstammte, sondern unbegreiflicherweise wie Erlerntes aus dem Geschichtsunterricht in ihrem Gedächtnis haftete. Aber da wurde ihr bewußt, daß das Mädchen noch viel zu jung war, um mit solchen Orakeln belastet zu werden. Es wäre nicht richtig, vor Dana jene Dinge zu erwähnen, von denen Juljanka selbst nicht wußte, was sie zu bedeuten hatten. Es war ihr deshalb willkommen, wenn Dana nicht wissen wollte, welcher Art die Gefahr war, und es für sie nur wichtig war, ob man eine solche Gefahr besiegen kann. Deshalb sagte Juljanka schnell: „Aber natürlich, Kind. Die Menschen werden damit fertig werden. Unsere Nachfahren werden es bestimmt herausbekommen, was man tun muß, damit kein Magma aus dem Inneren unseres Planeten wie eine Fontäne an den Himmel geschleudert wird und als Feuerwolke den Erdball umkreist. Eines Tages wird die Menschheit die blauen Welten der Wega erreichen, Groß-Indigo besiedelt haben, und die Erde wird eine blühende Welt sein."

Dana seufzte erleichtert auf. Über der Farm erloschen die Scheinwerfer und die Lichter.

„Na also!" rief Dana. „Dort ist Feierabend."

Der Himmel über dem Meer zeigte ein sattes, angenehmes Schwarz. Die Sternbilder hoben sich deutlich hervor.

Dana schwenkte das Fernrohr herum und stellte es auf die Wega ein. Juljanka ist eine großartige Frau, dachte sie. Wunderbar, was sie sich alles über die Zukunft ausdenkt. Und außerdem hat sie mir immer noch nicht ins Gewissen geredet und verlangt, daß ich Vernunft annehmen und ins Internat zurückgehen soll. Statt dessen bringt sie mir Tee und erzählt von ihren Zukunftsträumen. Am besten, ich kehre morgen früh von mir aus freien Stücken zurück, damit sie keine Scherereien wegen mir hat. Jedenfalls hat Juljanka erreicht, was sie wahrscheinlich mit ihrem Besuch bei mir erreichen wollte, ohne ein einziges Wort darüber zu verlieren.


## ASKOS ABSCHIED UND AUFBRUCH

Asko schritt leise durch die Wohnhallen, um die Schläfer nicht zu wecken. Er kannte alle Schlafplätze. Zuweilen aber änderte jemand seine Gewohnheiten. Deshalb tastete er sich vorsichtig durch die Schatten.

Vor ein paar Wochen war Professor Sirju gekommen, um ihn zu besuchen. Er hatte davon gehört, daß Asko nicht mehr schlafen konnte, seitdem er in Kili-N-Airobi die Erlaubnis erhalten hatte, die Archive aus der GRUM-Zeit durchzusehen. Sie hatten unter vier Augen gesprochen. „Diese Last war nicht für dich bestimmt", hatte Professor Sirju gesagt. „Ich bin zu dir gekommen, um diese Sorge mit dir zu teilen und um dir zu sagen: Bald werden wir nicht mehr wehrlos gegen die Gefahr aus der GRUM-Zeit sein. Die Chrononautin hat einen Zeugen für das Ursprungsereignis gefunden.

Noch hat das Zeitlabor Schwierigkeiten, sie aus der GRUM-Zeit zurückzuholen, aber Si Jhul wird bestimmt Einzelheiten von diesem Zeugen über das Ursprungsereignis erfahren und uns übermitteln."

Und weil Professor Sirju es sich denken konnte, daß Asko nicht nur von Medikamenten gesund werden konnte, hatte er Si Taut von dem Fall des Schlaflosen erzählt und ihn gebeten, Bildübertragungen von den Zeitspiegeln über Jochen Märzbach und die Chrononautin für Asko zu genehmigen. Seitdem beobachtete Asko täglich einige Stunden lang die Erlebnisse der Chrononautin.

Von da an fühlte sich Asko nicht mehr allein mit seiner schweren Sorge und faßte Mut. Noch verbrachte er die Nächte ohne Schlaf, aber es drängte ihn immer mehr, auch etwas gegen die Gefahr aus der GRUM-Zeit zu tun, jedenfalls mehr als nur am Moho-Pult zu stehen und die Seismogramme zu beobachten. Deshalb hatte er sich entschlossen, ein paar Tage fortzugehen, allein zu sein und darüber nachzudenken. Er bewunderte die Chrononautin, wie sie mutig die GRUM-Zeit auskundschaftete. Und außerdem hatte er eine Zuneigung zu Jochen Märzbach gefaßt, für die er keine Gründe anzugeben vermochte. All dies waren Symptome für eine Besserung seines Zustandes.

Asko durchschritt weiter die Wohnhallen. Die großen Räume waren fensterlos und dunkel. Es genügte jedoch, leise ein Schaltwort zu sagen, um einen schwachen Schimmer durch die Räume fließen zu lassen. Er glich dem milchigen Schein der Monde draußen.

Im vierten Saal wußte er Gru Kilmag. Gru schlief dort oft nur auf dem geschweiften Ruhelager, dem Soriwan, das neben der schlanken weißen Säule stand. Sie strebte nadelspitz auf, endete kurz vor der Decke und erzeugte so architektonisch die Illusion großer Höhe. Asko beneidete Gru Kilmag um seinen langen ruhigen Schlaf.

Asko ging auf die weiße Säule zu. Noch ehe er sich über den Soriwan beugte, sah er, daß der Ruheplatz Gru Kilmags leer war. Wo mochte Gru zu finden sein? Asko stand einige Augenblicke lang unbeweglich. Traurig lächelte er: Bevor er ein Schlafloser geworden war, hatte er Rededa Dess als Partnerin zu gewinnen versucht. Nun war das unwichtig geworden, denn nun wollte er sowieso die Gruppe verlassen, um ihr nicht zur Last zu fallen. Unvermittelt war Tri Quang in sein Leben getreten. Das hatte es ihm leicht gemacht, Rededa aufzugeben. Doch nun hatte es wiederum Rededa bekümmert, was ihm widerfahren war. Sie hatte sich ihm deshalb enger angeschlossen, als er das je zu hoffen gewagt hatte. Es war alles sehr verwickelt.

Asko wandte sich vom leeren Soriwan und von der Säule ab. Er hatte Gru Kilmag finden und ihm zuflüstern wollen: Achte unten in der Meßbasis auf die dritte Nebenskale des Mohorovicic-Komplexes! Ich vermute bald eine besonders starke Erschütterung der Erdrinde. Die Anzeichen dafür werden auf der dritten Nebenskale zuerst sichtbar sein. Sobald die Kurven steiler pulsieren, löse das Signal für meinen Armbandempfänger aus. Ich werde den Ruf beachten und komme, so schnell mir das möglich ist.

Asko wandte sich ab, um erneut die Säle zu durchqueren und das Haus endgültig zu verlassen. Die Botschaft an Gru Kilmag trug er einem Techno auf. Es trieb ihn ruhelos hinaus. Er wußte noch nicht, ob er einige der großen Städte besuchen sollte, um sich abzulenken, oder ob er einfach nur eine große Fußwanderung ähnlich Metruins Märschen entlang der Küste unternehmen sollte.

Dann machte er aber doch hastig kehrt und lief auf die breite Treppe zu, die in die oberen Säle führte. Es verlangte ihn danach, wenigstens Tri Quang noch einmal zu sehen. Die ersten Stufen der Treppe tapste er schwer und langsam hinauf. Er wollte sie nicht wecken. Sie würde ihn nicht gehen lassen. Mit jedem neuen Gedanken an sie wurde sein Schritt jedoch schneller.

Vor ein paar Tagen hatte die Gruppe sie einstimmig zur Leiterin des Makrogens gewählt. Für dieses Amt, für die Führung der Wohngemeinschaft und für den Ausgleich von Spannungen war sie trotz ihrer Jugend sehr begabt. Sie war für die Psychologie wie geboren. Das faszinierte ihn an ihr. Man sah sie gern und befolgte ihren Rat, ohne daß er sie hätte eine Weisung aussprechen hören.

Asko stieg die letzten beiden Stufen hinauf und ging weiter. Er überlegte, ob er Tri Quang eigentlich liebte oder ob er einfach nur Dankbarkeit und Hochachtung für sie empfand, weil sie seit Kib-E-Ombo fast immer an seiner Seite gewesen war.

Die breite Tür zu ihrem Nachtzimmer war weit geöffnet. Trotzdem wagte es Asko nicht, die Schwelle zu überschreiten. Tri Quang lag auf ihrem Platz. Sie schlief tief und fest und atmete regelmäßig. Dieser Raum hatte ein Fenster. Ein schmaler Streifen Mondlicht fiel auf ihre Stirn und wanderte langsam über das Gesicht.

Asko wartete regungslos und schaute sie an.

War Liebe ohne Achtung und Dankbarkeit überhaupt denkbar?

Der Mondstrahl glitt weiter und erreichte ihren Hals.

Warum fühlte er sich jetzt bei ihrem Anblick und bei seinem Abschied von ihr so stark zu ihr hingezogen?

Der Mondstrahl erfaßte die Schulter und eine Hand. Asko stand unbeweglich. Sie atmete gleichmäßig ruhig.

Auf einmal bangte er darum, daß sie plötzlich die Augen aufschlagen könnte, weil er so lange zu ihr hinsah und so stark an sie dachte. Er wollte aber ihren Schlaf nicht stören, denn niemand wußte es so gut wie er, daß Schlaf wertvoll und köstlich war. Rasch beugte er sich herab und legte den Fingerring mit dem Schlüsselkode für das Moho-Pult auf ihre Schwelle. Sie würde dieses Zeichen verstehen und wissen, daß sie ihn dort vertreten sollte, bis er wiederkam.

Dann eilte er die Treppen hinab und trat in die Nacht hinaus. Er ging über die alte Landstraße mit ihren Rissen und den Gräsern, die aus den Spalten wuchsen, vorbei am Hügel mit dem Baobab. Der Baum – inzwischen hing kein riesenhafter Gong mehr an den Ästen – hatte die Unwetter des letzten Jahrhunderts, als die Klimaschwankungen der Strahlungsfront die Erdatmosphäre beunruhigten, überstanden. Doch die Straße war davon so gut wie ausgelöscht worden. Im Abstand von zehn Schritten pilgerte eine schwer beladene Figur hinter Asko einher. Es war einer der Technos, der seinem Gebieter dienstbereit folgte. So wanderten zwei einsame Gestalten durch die afrikanische Tropennacht.

# DIE STIMME AUS KIB-E-OMBO

Juljanka war in den letzten Tagen von einer unbegreiflichen
Unruhe erfüllt gewesen. Diese Unrast versuchte sie zu erstik-
ken, indem sie auf der Farm mehr tat, als von ihr verlangt
wurde. Deshalb hatte sie Jochen auch angeboten, mit ihm
im Scooter auf ein entferntes Tangfeld zu fahren und dort
Messungen vorzunehmen. Sie saß bereits in einem kleinen
Tauchboot, das noch in der Schleuse lag, als Jochen an-
kam.
Im Zeitinstitut gab Si Taut in diesem Augenblick Befehl zu
Kontaktmaßnahmen an die Techniker der Sektion drei.
Kaum hatte Jochen ein Bein in den Scooter gesetzt, als ein
Matrose erschien und ihn zurückrief. „Anordnung vom
Kommandanten. Sie möchten sofort zu einer Besprechung
in die Kartenmesse kommen", sagte er.
Juljanka schürzte bedauernd die Lippen.
„Fahre allein hinaus!" rief er ihr und bediente noch die
Schleuse, damit sie ordnungsgemäß mit dem Scooter in die
offene See hinausfahren konnte. Dann eilte er durch die
Gänge der Tiefdecks und fuhr mit einem Lift zur Karten-
messe des Kommandoturms hinauf. Dort hatten sich schon
alle Offiziere und Bereichsleiter eingefunden. Eine große
Karte der mittleren Ostsee war an die Wand gehängt worden.
Der Kommandant begann gerade, einen Auftrag zu erläu-
tern.
„Die schwedische Marine hat uns eine ausgedehnte Algenbank gemeldet, die auf den west-östlichen Schiffahrtsweg zu-
treibt", begann er die Dienstbesprechung. „Sie hat sich beim
letzten Sturm von den Klippen der schwedischen Südküste
losgerissen. Es ist angefragt worden, ob wir die Anker lichten
und Kurs auf See nehmen können, um diese Algenbank fort-
zuräumen. Trotz der Schwerfälligkeit unseres Farmpontons
wäre eine solche Fahrt möglich. In erster Linie müssen die
Meeresagronomen zu diesem Auftrag ihre Meinung sagen ..."
Der Scooter mit Juljanka steuerte die erste Meßstelle an. Das
Boot fuhr in zwölf Meter Tiefe. Das Tageslicht drang nur
schwach bis dort hinunter. Der Blick reichte lediglich wenige
Meter weit, und die Scheinwerfer mußten eingeschaltet wer-

den. Unter dem gleichförmigen Summen der Geräte wirkte die Stille unter Wasser bedrückend. Die Unrast, die Juljanka in den letzten Tagen gespürt hatte, wurde hier nur noch deutlicher.

Plötzlich wurde sie sich einer leisen Stimme bewußt, die schon seit längerer Zeit geflüstert hatte. Sie lauschte auf die Worte, und bald hörte sie die Stimme sagen: „Zeitlabor an Kundschafterin! Hier spricht Kib-E-Ombo, Immunitronszentrum. Zeitlabor an Chrononautin. Achtung! Ihre Rückkehr ist fällig. Zeitspiegel drei an Kundschafterin! Labor an Chrononautin! Verspiegelung muß aufgehoben werden! Zeitlabor an Kundschafterin. Hier spricht Kib-E-Ombo, Immunitronszentrum. Suchen Sie Ihr Fahrzeug auf! Demnächst dringende Weisung. Si Taut an Chrononautin. Rückkehr aus dem GRUM unbedingt erforderlich."

Juljanka runzelte über die unverständlichen Sätze die Stirn. Litt sie an Einbildungen? Mißtrauisch kontrollierte sie das Funkgerät. Aber von dort kam die Flüsterstimme nicht. Sie schien in ihrem eigenen Kopf zu sitzen. Juljanka lauschte weiter auf die Sätze. Vage hatte sie die Vorstellung von Männern an Schaltpulten vor großen Bildschirmen. Von diesem Augenblick an empfand Juljanka deutlich, daß die Aufforderungen ihr galten. Sie dachte angestrengt über die Bedeutung der Worte nach. Die Weisung, ihr Fahrzeug aufzusuchen, gab ihr einen ersten Anhaltspunkt. Seit sie auf der Farm wohnte, stand der Wagen mit dem Trampi-Campi in Port Ustka in einer Garage. Juljanka beschloß, morgen an Land zu gehen und einige persönliche Dinge aus dem Wohnanhänger zu holen. Vielleicht ergab sich dann ein Zusammenhang mit den Sätzen, die die Stimme flüsterte.

Sie schaltete das Hydrophon ein. Die Stimme wurde von starken Geräuschen überdeckt. Aus einem Lautsprecher ertönten Fischrufe. Nach ihnen richtete sie sich, um ihr Ziel, eines der Tangfelder, zu finden.

Seitdem das Hydrophon arbeitete, schien das Meer ringsum von Geisterscharen bevölkert zu sein. Nahe trommelte es laut, und etwas ferner pochte, knarrte, schmatzte und ächzte es. Aus diesem Schwall von Tönen löste sich allmählich das feine, hohe Klingen eines Geigenchores heraus. Andererseits beschwor dieses Klingen eine Erinnerung an einen Traum herauf, in dem sie innerhalb eines hellen Tunnels durch die Zeiten geschwebt war, denn dabei war ein ähnlich helles Summen zu hören gewesen. Aus einer anderen Richtung ertönten flötenähnliche Geräusche. Das waren die Stellen im Meer, an denen große Pulks von Kleinfischen in den Tangfeldern schwärmten. Mitten in diese Laute hinein erklang das Schnarren eines aufgeregten Fisches, das unvermittelt in der Nähe des Scooters abbrach.

„Das war ein Angstlaut. Da ist wieder einmal einer verspeist worden, als Jagdbeute", murmelte sie schaudernd.

Der Strahl des Scheinwerfers stieß bald danach in einen glitzernden Schwarm von Fischleibern. Er stob auseinander. Und da schwebten auch schon die Algenbüschel. Die erste Meßstelle war erreicht. Juljanka begann mit ihrer Arbeit. Sie sollte feststellen, welche Lichtverhältnisse und welche Temperaturen in den verschiedenen Tiefen des Wassers herrschten. Solche Registrierungen gehörten zur täglichen Routine in der Forschungsarbeit des Farmpersonals. Juljanka wußte, daß das sogenannte Lichtklima fotochemische Prozesse in den Algen auslöste und damit ihr Wachstum beeinflußte. Dieses Lichtklima wirkte bei Wasserpflanzen stärker als bei Landpflanzen. Die Wasserschichten funktionierten dabei wie ein Farbfilter, der zuletzt nur noch rotes Licht für die Rotalgen durchließ.

Als sie nach einer Stunde das nächste Tangfeld ansteuerte, sank von oben ein faustgroßer Brocken am Kanzelglas vorbei in die Tiefe. „Hoppla, wer wirft denn da mit Steinen?" sagte Juljanka im Selbstgespräch. Sie wartete ab, ob sich dieser Vorgang wiederholte. Als das nicht geschah, ließ sie den Scooter höher steigen. Bei acht Meter unter der Wasseroberfläche sichtete sie große treibende Algenbüschel, die an ihrer Unterseite ballonförmige Gebilde trugen. Aus einem solchen Ballonbeutel lugte wie aus einer Gondel ein Stein heraus. Das Algenbüschel stieß gegen das Kanzeldach, der Beutel riß auf, und der Stein rutschte heraus. Er versank in der Tiefe. Von seiner Last befreit, stieg das Algenbüschel zur Wasseroberfläche auf. Interessiert beobachtete Juljanka diesen Vorgang. Der Stein, der vorhin auf das Kanzeldach geglitten war, hatte damit seine Erklärung gefunden.

Ringsum bemerkte sie noch mehr solche Steine tragenden

Algenbüschel.

Juljanka wußte, daß der Kelb, ein Mammuttang des Sargassomeeres im Atlantik, sogar Felsblöcke umklammerte und sie mit seinen Hunderte Meter langen ineinander verfilzten Strängen von der nordamerikanischen Küste bis weit in den Ozean hinaustrug. Es wunderte sie daher nicht, wenn es so etwas in verkleinerter Form auch in der Ostsee gab.

Der Scooter erreichte eine andere Meßstelle. Langsam schwebte er über dem neuen Meßpunkt hin und her. Juljanka notierte mehrere Zahlen. Plötzlich erinnerte sie sich wieder der Algenbüschel von vorhin. Hatte Jochen nicht schon oft über Ballonalgen wie von einem Wunschtraum gesprochen? Hoffte er nicht auf einen Erfolg der Züchter im Labor der Farm? War er nicht geradezu auf Algen versessen, die mit übergroßen Haftschalen und Saugfüßen anstelle von Wurzeln ganze Sandballen zu umschließen vermochten, um auch dort am Meeresgrund Halt zu finden, wo er nicht felsig war, wie das an der polnischen Ostseeküste, ihrem Farmbereich, der Fall war? Wenn nun die Natur hier zufällig eine einmalige Form, eben eine solche Ballonalge, ausgebildet hatte?

„Daß mir das nicht gleich aufgefallen ist", murmelte sie und schlug sich mit der flachen Hand gegen die Stirn. „Ich muß mindestens eines von diesen Algenbüscheln einfangen, die Steine mit sich herumtragen", beschloß sie.

Sofort änderte sie den Kurs. Der U-Scooter durchfurchte das Wasser. Aber es war wie verhext. Sie begegnete keinem solchen Algenbündel mehr.

Die für diese Meßfahrt vorgesehene Zeit war bald abgelaufen und überschritten. Schon zweimal hatte die Farm das Tauchboot gerufen. Erneut fragte die Funkleitstelle an: „Farm an Scooter! Labor an Scooter! Warum melden Sie sich nicht? Kehren Sie umgehend zurück. Die Zeit ist abgelaufen. Tauchen Sie auf!"

Da erstarrte Juljanka unter einer blitzartigen Erkenntnis. Die Ähnlichkeit dieser Aufforderung von der Farm mit den Aufforderungen der flüsternden geheimnisvollen Stimme von vorhin, vielleicht auch die Worte „Labor", „Zurückkehren" und „Zeit ist abgelaufen" rissen in ihren Erinnerungen einen Schleier zur Seite. „Ich bin Si Jhul", murmelte sie. „Ich werde zurückbeordert. Die Stimme vorhin, sie war ein Ruf des Labors von Kib-E-Ombo".

Juljanka zwang sich zur Konzentration auf ihre Kundschafterrolle. Niemand darf bemerken, daß ich eine Chrononautin aus der Zukunft bin, ermahnte sie sich. Außerdem mußte sie verhindern, daß die Farm zur schwedischen Algenbank auslief, denn anderenfalls würde sie vorläufig nicht an Land gehen können und damit auch nicht zu den Spezialgeräten in den Einbauschränken ihres Wohnwagens gelangen, die für einen Kontakt nach Kib-E-Ombo unerläßlich waren. Es gab nur ein Mittel, das Auslaufen der Farm zu verhindern: eine dieser großen Ballonalgen zu finden und als Beweisstück an Bord zu bringen. Dann nämlich würde man höchstwahrscheinlich zuerst einmal Jagd auf solche Algen machen und systematisch alle umliegenden Bereiche nach ihnen absuchen.

Die Farm benötigte mehrere hundert Exemplare davon, um eine solche Algensorte in großer Stückzahl zu züchten und möglichst bald auszusetzen. Rasch überlegte sie: Wenn ich mich auf die Anrufe der Farm melde, muß ich umkehren. Wenn ich aber ruhig bleibe, könnte ich noch eine Weile nach den Ballonalgen suchen. Ich will wenigstens eine davon finden.

Insgeheim hoffte sie aber auch, Zeit zu gewinnen, um abermals die flüsternde Stimme und die Weisungen aus Kib-E-Ombo zu hören.

Wieder meldete sich die Farm. Ich muß meine Position angeben, sonst löst man einen Bergungsalarm aus, überlegte sie. Um nicht als überfällig oder verunglückt angesehen zu werden, bog sie kurz entschlossen das Mikrophon heran, übertrug mit listigem Lächeln das Trommeln, Pochen, Quarren, Schmatzen, Knarren und Ächzen der Fische aus dem Hydrophon, hüstelte und flüsterte mit gemacht heiserer Stimme wie aus weiter Ferne: "Scooter an Farm! Ich empfange sie schlecht, Grundströmungen haben mich abgetrieben. Trete jetzt Rückfahrt an. Standort ..." Und sie nannte ein Planquadrat, das einige Seemeilen weiter von der Farm entfernt war als ihr jetziger tatsächlicher Standort. Dadurch blieb ihr noch Zeit zur Suche nach den Ballonalgen.

Das kleine Fahrzeug setzte seinen langsamen Suchkurs fort.

Der Lichtbalken des Scheinwerfers spießte in die Dämmerung der Wasserschichten. Mehrmals narrte Juljanka ein Schatten. Endlich erspähte sie eines der gesuchten Objekte. Das Tauchboot manövrierte an das Büschel heran. Deutlich waren an den Stengeln die armlangen, schmalen und braunen Blätter zu sehen, die an ihrer Unterseite pflaumengroße Schwimmblasen ausgebildet hatten. Die Stengelfüße vereinigten ihre Haftschalen zu einem übergroßen Saugfuß, der wie ein Beutel einen Stein umklammerte. Vorsichtig dirigierte sie den Greifer des Tauchbootes an das Büschel, umschloß es und ließ es im Rumpf verschwinden.

„Uff, geschafft!" sagte sie erleichtert. Symbolisch wischte sie den nicht vorhandenen Schweiß von der Stirn. Sie war froh, daß ihre Suche nun doch noch Erfolg gehabt hatte. Erleichtert griff sie in die Steuerung und ließ den Scooter Fahrt aufnehmen.

Unterwegs hörte Juljanka wieder die flüsternde Stimme aus Kib-E-Ombo. Es waren noch immer die gleichen Worte, mit denen man versuchte, Verbindung zu ihr zu bekommen. Als sie auftauchte, verstummte die Stimme aus ihrer Heimatzeit. Weit voraus lag der schwere Farmponton auf dem Wasser.

Kaum war der Scooter eingeschleust und das Wasser aus der Kammer gepumpt, entriegelte Juljanka auch schon die Ausstiegsluke und kletterte auf die Fangstreben. Sie entnahm das Algenbündel dem Greifer und legte sich den Fußsack mit dem Stein auf die Schulter. Die Stengel und Blätter des Algenbusches hingen lang an ihr herab. Sie tropften und hinterließen eine feuchte Spur in den Gängen und Treppen zum Labor.

„Ich bringe euch eine Ballonalge", rief sie, dort angekommen, und legte den Algenbusch vorsichtig nieder. Man starrte sie ungläubig an. Die ihr am nächsten stehende Laborantin zog zweifelnd die Stirn kraus. Juljanka schüttelte die Wassertropfen von ihrer Kombination. „Ach so, ihr denkt, ich behaupte Unsinn?" Sie lachte. „Nein, nein. Ich treibe keine Scherze. Kommt her und seht euch an, was ich ein paar Meilen von hier gefunden habe. Es müßte, soviel ich davon verstehe, eine ideale Alge für Meeresfarmen an nicht felsigen Küsten wie der unsrigen sein."

Sie schob die glitschigen olivfarbenen Blätter vorsichtig zur

Seite und legte den Ballonfuß frei. Langsam entstand ein Kreis von Neugierigen. Manche Gesichter spiegelten noch immer Skepsis wider. Diese Leute vom Forschungspersonal hatten mit jahrelangen Züchtungsversuchen gerechnet, um zu einem solchen Ergebnis zu kommen. Und da spazierte eine Außenseiterin zur Tür herein, eine Technikerin, und präsentierte ihnen einfach eine fertige große Ballonalge aus dem Labor der Natur. Schon schlug man vor, eine Suchaktion nach weiteren Algen dieser Art zu unternehmen. Das deutete darauf hin, daß Juljanka vielleicht schon in einer der nächsten Stunden an Land gehen konnte, um vom Trampi-Campi aus Verbindung in ihre Heimatzeit aufzunehmen.

Die Chrononautin eilte zu ihrer Kabine. Dort hatte sie Zeit und Ruhe, über die plötzliche Entdeckung ihrer Herkunft nachzudenken und sich des Auftrages zu erinnern, der der Grund für ihren Aufenthalt in der GRUM-Zeit war. Es fiel ihr schwer, die Weisungen in ihrer Erinnerung wachzurufen. Endlich fand sie ein Stichwort. Es lautete: Mega-Phänomen im Atlantik!

Juljanka erschrak. Das Ursprungsereignis für das Phänomen war schon längst vorbei. Bereits vor Monaten, als sie mit dem Trampi-Campi beim Schulschiff eintraf, hatte sie von Jochen erfahren, daß er aus Mossamedes zurückgekommen und dort Zeuge der Entdeckung eines maritimen nuklearen Phänomens gewesen war. Gleich damals hätte sie ihre Rückkehr einleiten müssen, um diese Information und weitere Einzelheiten darüber dem Zeitlabor zu übergeben. Warum war der Einfluß ihrer Umwelt so stark, daß sie ihr wirkliches Leben in der Zukunft vergessen hatte? Ob das Immunitron nicht richtig arbeitete?

Juljanka erinnerte sich auch daran, daß sie einige Geräte bei ihrer Ankunft in der GRUM-Zeit verständnislos angesehen hatte, die an versteckten Stellen in ihrem Trampi-Campi montiert waren. Jetzt wußte sie, wozu sie dienten. Sie waren dazu da, ihre Rückkehr in die Heimatzeit einzuleiten.

# DIE GEHEIMNISVOLLE ARMBANDUHR

Später, am Abend, stand Juljanka lange an der Reling und versuchte, all das in ihrem Gedächtnis zu ordnen, was sie inzwischen über das Ursprungsereignis unbewußt gesammelt hatte. Der Seewind durchkühlte sie stark. Sie nahm darauf wenig Rücksicht, denn sie wußte nun, daß sie nur der biofrequente Abdruck ihrer selbst war. Sie war gewissermaßen unverletzlich und konnte auch nicht krank werden.

Von nun an nahm sie ihre Umwelt von einem ganz anderen Standpunkt wahr, wie bei einem Film, bei dem man zwar die Ereignisse mit dem Wunsch verfolgt, daß sie in der einen oder anderen Weise ausgehen mögen, aber bei dem man eben nur ein Zuschauer bleibt, den die Handlung letzten Endes nicht betrifft.

Das Leben eines fremden Jahrhunderts lief um sie herum ab. Bisher waren Jochen, Stanislaw, Honzek, Anja und mancher andere hier an Bord der Meeresfarm gute Kameraden für sie gewesen. Nun jedoch sah sie in ihnen unvermeidlich Menschen aus der verworrenen GRUM-Zeit, die nichts von dem harmonischen Dasein des Makrogens, nichts von den Eridanern auf der Gaststation, nichts von dem hundertjährigen Strahlungssturm oder von Sols Ring und auch wenig über die Raumfahrthelden von Metruin bis zu Michael Paar, dem Entdecker des Siedlungsplaneten Groß-Indigo weit draußen im Universum, wußten. Für sie lag vieles noch im Dunkel der Zukunft, was für eine Zeitreisende bereits wieder im Dunkel der Vergangenheit ruhte. Das war jetzt hier das Jahrhundert, in dem es zwei Weltkriege gegeben hatte und in dem gefährliche Waffen in großer Menge vorhanden waren. In Asien und Afrika herrschten noch Elend unter den Menschen oder die Nachwirkungen eines solchen eben erst überwundenen Elends. Es gab immer noch große Gebiete, in denen die Menschen zu Hunderttausenden eine primitive Existenz führten. Die Zeit brutaler Machtkämpfe um Weltmärkte oder, was den kleinen Mann auf der Straße betraf, einfach der Kampf ums bloße Dasein ging gerade erst allmählich zu Ende. Noch reiften die gesellschaftlichen Erkenntnisse unter der Menschheit heran und hatten noch nicht überall die Höhe erreicht, wie sie für einen sicheren

Weg in die Zukunft notwendig war; noch gab es genug Symptome dafür, daß die Vorzüge von Wissenschaft und Technik entweder nicht angewandt, zur Spielerei oder gleich zu tödlichem Ernst wurden. Es gab schon viele Hunderttausende Menschen, die die gemeinsame Idee verband, eine Welt des friedlichen, harmonischen, reichhaltigen Lebens zu schaffen, wie die Leute hier auf der Farm. Im größten Staat der Erde dauerte diese Entwicklung fast schon ein ganzes Jahrhundert an. Ihm hatten sich andere Länder und Nationen angeschlossen.

Als sie mit ihren Überlegungen so weit gekommen war, erschien Jochen. „Hallo! Julka! Glückskind! Du hast eine hervorragende Alge entdeckt, geradezu ideal für Meeresfarmen hier in der Ostsee. Du wirst es erleben: Der Kommandant der Farm und die Farmleitung werden dir ein ganz dickes Lob dafür aussprechen! Unsere Biologen sind fassungslos über den Fund. Ich glaube, man sucht dich schon. Und du stehst hier im kalten Wind. Los, komm ins Bordkasino! Ich spendiere dir erst einmal einen kräftigen Punsch oder einen Glühwein zum Aufwärmen!"

Juljanka ließ sich von ihm fortführen. Sie dachte daran, daß vielleicht das Zeitlabor hierbei mit im Spiel war, als sie den Algenbusch fand. Sie erkannte darin eine Maßnahme zur Beeinflussung der Ereignisse, um wieder Kontakt zu ihr zu bekommen und sie zurückzurufen. Der Algenbusch besaß eine erstaunliche Ähnlichkeit mit einer Algensorte, wie sie von den Meeresfarmen in ihrer Heimatzeit verwendet wurden.

Das Kasino war nur schwach besetzt. Sie wählten einen Tisch an der Fensterfront, an der aber schon die schweren Vorhänge vorgezogen worden waren. Bei ihrem Eintreten wandten sich ihr sofort die Blicke der Leute zu, Matrosen, Techniker und Farmarbeiter. Der Fund des Algenbüschels war auch schon hier unter dem schichtfreien Personal zum Gesprächsthema geworden.

Jochen kam mit dem Glühwein vom Ausschank zurück und stellte die Gläser mit ihrem dampfenden und duftenden, rötlich schimmernden Inhalt vor ihr ab.

„Man muß dich um diese Entdeckung beneiden", sagte er. „Ich frage mich, ob ein solcher Algenbusch auch an Bord gekommen wäre, wenn ich, so wie das eigentlich vorgesehen war, mit dir auf Kontrollfahrt zu den Tangfeldern unterwegs gewesen wäre. Unten im Labor streitet man schon um einen Namen für diese Alge. Die Bezeichnung Ballonalge erscheint den meisten zu unpassend. Sie meinen, es sei eher eine Sackfußalge, ein Sandmantelschirmchen, ein Kolonietang oder ein Gondeltreiberling. Und was unsere Herren Wissenschaftler bei der Klassifizierung noch für lateinische Bezeichnungen vorschlagen werden, das wage ich mir erst gar nicht vorzustellen."

Jochen plauderte munter drauflos. Er hob sein Glas, prostete ihr zu und nahm prüfend einen kleinen Schluck des heißen Getränkes.

„Anja", fuhr er fort, „taufte den Algenbusch aus Spaß auf: Julkas Großmogul! Noch mehr als der künftige Name der Alge interessieren mich ihre Eigenschaften und Verwendungsmöglichkeiten. Aber um das herauszufinden, muß man sie erst vermehren. Außerdem ist zu ermitteln, unter welchen maritimen Umweltbedingungen sie am besten gedeiht."

„Vielleicht entwickelt sie sich im Atlantik vor der afrikanischen Küste besonders gut", sagte Juljanka in voller Absicht. Jetzt, wo sie sich ihrer Aufgabe als Kundschafterin aus dem Makrogen bewußt war, arbeitete sie auf ihr Ziel zu.

Jochen verzog sein Gesicht wie bei Zahnschmerzen. „Du bist boshaft", stellte er fest. „Du weißt genau, daß dort alles verseucht ist, weil wahrscheinlich Mega-Bowlings auf dem Meeresgrund liegen, mit denen die Menschheit ins Unglück gestürzt werden sollte. Sie sind auch schuld daran, daß wir mit unserer Farm hier in der Ostsee festsitzen, deren Erträge beträchtlich unter denen der Atlantik- oder Pazifikfarmen liegen."

Juljanka dachte an ihren Auftrag, den sie bisher unabsichtlich vernachlässigt hatte. Es war höchste Zeit, mehr von Jochen darüber in Erfahrung zu bringen, denn nun war ihr auch bewußt geworden, daß er diejenige Person war, deretwegen sie in die GRUM-Zeit impliziert worden war. Es blieb ihr jetzt unbegreiflich, warum sie in den vielen Wochen, die sie ihn nun schon kannte, immer nur oberflächlich und gelegentlich auf dieses Thema zurückgekommen war.

Sie nahm sich vor, ihn sobald als möglich gründlich auszuhorchen, vielleicht sogar noch heute. Sollte sie tags darauf Landgang bekommen und eine Verbindung mit der flüsternden Stimme in Kib-E-Ombo herstellen, wollte sie mit einigen handfesten Fakten aufwarten können.

„Ich glaube nicht an diese Mega-Bowlings im Atlantik", sagte Juljanka daher absichtlich zweifelnd. „Das sind nur Sensationsmeldungen in der Presse einiger Länder. Professor Lisbog Makokou soll ein paar Wochen nach seiner großen Pressekonferenz ausdrücklich erklärt haben, bei dieser Erscheinung im Atlantik habe es die Menschheit vermutlich nur mit einem einmaligen Naturphänomen zu tun gehabt!" fügte sie hinzu. „Die versenkte Flotte von Atom-U-Booten steht nach Meinung des Professors nicht damit im Zusammenhang. So jedenfalls habe ich es inzwischen noch einmal in einigen Zeitungen nachlesen können."

„Hältst du mich auch für sensationslüstern, bloß weil ich glaube, daß die ganze Wahrheit über diese Sache im Atlantik noch nicht an die Öffentlichkeit gedrungen ist?" fragte er ärgerlich.

„Nein, eigentlich nicht", gab sie zu. „Du warst schon sehr besorgt, als wir uns zum erstenmal trafen und zum Kap fuhren. Damals erzähltest du mir verschiedene Dinge von deiner Reise nach Mossamedes und von dem Maritimen Nuklearen Phänomen."

„Richtig, das war doch an dem Tag, als du beim Schwärmen über die Zukunft eine Legierung erfunden hast, die es noch gar nicht gibt; dieses Kontradur meine ich", sagte Jochen. „Ich habe kürzlich einen merkwürdigen Traum gehabt", fügte er hinzu und erzählte ihr davon. „Ich muß seitdem häufig an diese Begegnung mit Si Taut denken, die ich im Traum hatte."

Jochen schwieg eine Weile und meinte dann: „Seit dieser Nacht habe ich ein paar Nachforschungen zusätzlich angestellt, um etwas über die Hintergründe der radioaktiven Verseuchung herauszubekommen. Wir von der Kommission haben untereinander viele Schreiben gewechselt. Unsere Überlegungen gehen schon weit über die offiziellen Verlautbarungen hinaus. Bei uns in der Kommission hat sich der schreckliche Verdacht verstärkt, daß dort auf dem Grund des

Atlantiks eine Waffe unter Hintergehung des Abrüstungsab-
kommens montiert worden ist. Ich denke dabei vor allem an
die Teile des Zyklotrons, die wir gefunden haben. Was hat
eine solche kostspielige Einrichtung auf dem Meeresboden
für eine Funktion? Vielleicht sollte das Zyklotron als Zünder
dienen, und gar nicht zur Forschung. Bei der Magmakugel,
die für kurze Zeit am Meeresboden entstand, hat es sich vermutlich um eine nukleare Reaktionsmasse mit autonomer
Gravitation gehandelt. Für Makokou war das ein Grund zu
der Annahme, man habe es mit einem Naturphänomen zu
tun, da ja die Natur der Gravitronen noch nicht enträtselt
und sie selbst auch noch nicht entdeckt werden konnten.
Einstein soll noch kurz vor seinem Tode eine Entdeckung
gemacht haben, über die er absichtlich keine Aufzeichnungen hinterlassen hat, weil ihr noch größere Bedeutung als
seiner berühmten Formel aus der Relativitätstheorie zu-
kommt. Nach der Anwendung der Atombombe und der Herstellung der Wasserstoffbombe, für die seine Formel eine
Grundlage war, hatte er kein Vertrauen mehr in die Menschheit. Nun scheinen andere diese Entdeckung gemacht zu haben. Sein Schweigen über seine letzten Erkenntnisse hat nur
einen Aufschub von wenigen Jahrzehnten gebracht. Damit
befindet sich eine gewaltige Macht in den Händen einer kleinen unbekannten Gruppe von Menschen. Die Energie, über
die sie damit verfügen, ist sicherlich größer als die der Atom-
physik. In dem Fall wäre die Magmakugel, die vermutlich
auf dem Grunde des Atlantiks entstanden war, mit ihrer au-
tonomen Gravitation keine Anomalie der Natur, sondern ein
bewußt erzeugtes Gebilde. Es bleibt jetzt nur noch zu fragen,
in welcher Absicht dieses Gebilde dort deponiert worden
war? Die Heimlichkeit des Vorgangs und seine Placierung an
der dünnsten Stelle der Erdkruste deuten auf gewalttätige
Absichten hin. Offensichtlich sind diese Leute bei ihrer Ma-
chenschaft umgekommen. Wir von der Kommission haben
jedenfalls etwas in der Hand, was ein sicherer Beweis für der-
artige Absichten ist. Mit diesem Beweis wird es möglich
sein, die Regierungen aller Länder dazu zu bewegen, die
enormen Mittel für die weiteren Nachforschungen und für
die Beseitigung der Gefahr aufzuwenden, falls es überhaupt
in der Macht der heutigen Menschheit liegt, dieser Gefahr

Herr zu werden."

„Was ist das für ein Beweis?" fragte Juljanka.

„Als der Greifer meines Bathyskaphs in einem der Wracks herumstocherte, gelangte noch vor diesem Gebilde mit den Sturzleitflossen, der Kernsynthesewaffe, auch eine Bojenkapsel zu uns an Bord. Bei ihrer genaueren Untersuchung fanden wir den Namen eines bekannten Physikers, der grob mit Ölfarbe auf die Innenseite des Deckels geschrieben worden war. Dieser Physiker war schon relativ jung gestorben. Der Untergang der Kriegs-U-Boote aber erfolgte zu einem späteren Zeitpunkt, zehn Jahre nach dem angeblichen Tode dieses Mannes. Es könnte sein, daß er in Wirklichkeit noch an einem geheimen Ort gelebt, an der Schaffung dieser Magmakugel mitgewirkt und sie in Funktion gesetzt hat, ehe ein Unglück eintrat und er mit einer der U-Boot-Besatzungen umkam.

Aber das ist noch nicht der eigentliche Beweis, den ich mir erhoffe", berichtete Jochen weiter. „Als diese Bojenkapsel aufsprang, purzelten mir glasklare Würfel vor die Füße. Darin eingeschlossen waren Armbanduhren. Man sah es ihnen an, daß sie von Leuten stammten, die sie schon lange getragen hatten. Noch etwas war diesen Fundstücken gemeinsam: Es waren alles Armbanduhren mit Datumsanzeigen! Und diese Datumsanzeigen wiesen bei allen Uhren auf denselben Tag hin. Das kann nur Absicht sein. Ich sehe darin eine Botschaft dieses Wissenschaftlers und seiner Mitarbeiter an die Welt. Man muß herausbekommen, was für eine Botschaft das ist. Einen dieser Würfel mit Uhr besitze ich", sagte Jochen leise. „Er ist sehr leicht und fest. Man kann ihn auch mit einem kräftigen Hammerschlag nicht beschädigen. Vielleicht stellen all diese Würfel eine Art Flaschenpost dar. Sicherlich sollte die Boje aufsteigen und sich an der Meeresoberfläche öffnen, damit die Würfel auf den Wellen in alle Richtungen auseinandertreiben und irgendwo angeschwemmt werden konnten. Das ist zwar ein sehr primitives Mittel zur Nachrichtenübermittlung. Wenn aber diesen Leuten in der Tiefsee kaum noch andere Möglichkeiten zur Verfügung standen, ist eine solche Lösung mit den Würfeln und der Boje verständlich."

Juljanka hatte sich zurückgelegt und betrachtete ihre Hände.

Sie wagte nicht aufzusehen, um mit ihrem Blick nicht zu verraten, wie sehr sie über diesen Würfel in Aufregung geraten war: Das Datum und die Zeigerstellung auf einer solchen Uhr konnten für Si Taut, He Rare und auch für O'Rell ungeheuer wichtig sein. Sie mußte die Uhr im Glaswürfel sehen und sich alles einprägen, was auf ihr zu erkennen war. „Dieser Mann, dieser große Wissenschaftler, egal, wie er heißt, ob er es wohl bereut hat, an diesem Geheimprojekt in der Tiefsee mitgearbeitet zu haben?" fragte sie.

Jochen dachte nach. „Die Flaschenpost, nun ja, die könnte als eine Art von Wiedergutmachung in letzter Stunde, sozusagen als ein Verrat oder als eine Warnung vor dem Zeitpunkt der Katastrophe gedeutet werden. Das wird sich erst erweisen, wenn die Nachricht entschlüsselt ist, die mit dem Datum und der Zeigerstellung verbunden ist", sagte er. Dann legte er ihr die Hand auf die Schulter und schlug vor: „Komm mit! Ich zeige dir den Würfel."

Sie verließen das Bordkasino. Mit einem Lift erreichten sie das Wohndeck und gingen den langen Gang entlang bis an die Tür zu ihrer Kajütengruppe. Weder Anja noch Honzek oder Stanislaw waren da. Beide gingen sie in Jochens Privatraum. Er kramte einige Augenblicke tief in seinem Wäschefach und brachte dann einen glänzenden Gegenstand hervor, den Würfel. Schweigend legte er ihn auf den Tisch. Juljanka betrachtete ihn. Seine Kanten und Flächen waren nicht scharf und glatt geschliffen, sondern wirkten mit ihren Unebenheiten wie ein Rohguß. Aber die Armbanduhr darin war deutlich zu erkennen. Die Kantenlänge des Würfels schätzte sie auf zwölf Zentimeter. Die Zeiger standen auf zehn Minuten vor zwölf oder zehn Minuten vor vierundzwanzig Uhr. Im Datumsfenster war ebenfalls die Ziffer zehn zu sehen.

Jochen räusperte sich. „Die Zeigerstellung könnte nur symbolische Bedeutung haben", sagte er. „Du kennst doch die Redensart: Es ist fünf vor zwölf! Das bedeutet soviel wie eine Mahnung: Vorsicht! Es ist gleich zu spät, um den Gang eines Ereignisses noch aufhalten zu können. Es kann nur gestoppt werden, wenn sofort gehandelt wird", erklärte er. „Das ist nur eine Vermutung von mir. Die Einstellung der Uhren kann aber auch von viel wichtigerer Bedeutung sein. Es will mir allerdings nicht einleuchten, daß eine solche wichtige Botschaft, zumal wenn sie von dem besagten Wissenschaftler stammen sollte, auf einem so unsicheren Übermittlungsweg abgesandt wird."

Juljanka kannte die Redensart, die von dieser Zeigerstellung abgeleitet wurde, nicht. Sie war deshalb froh, daß er sie erklärte. In ihrer Heimatzeit gab es eine andere Redensart, die fast dieselbe Bedeutung hatte und die aus den Anfängen der Raumfahrt überliefert worden war. Sie lautete: Der count down läuft! Das bedeutete soviel wie: Jetzt ist kaum noch etwas zu ändern.

„Aber bleiben wir doch einmal bei dieser Vermutung, daß die Flaschenpost nicht als Zeichen der Reue, sondern mit einer Botschaft zur Meeresoberfläche aufgelassen werden sollte", setzte Jochen die Erörterung fort. „Vielleicht enthält sie die Nachricht: Der Zeitzünder läuft; er kann zur gewünschten Zeit ausgelöst werden. Mir erscheint allein schon die Position des Mega-Bowlings von bemerkenswert strategischer und erpresserischer Bedeutung zu sein. Als ich meine ersten Schuljahre gerade hinter mir hatte, war in der Politik reaktionärer Staaten noch immer von strategischen Positionen die Rede. Und genau um einen solchen Fall handelt es sich hier: Der Mega-Zündstoff ist weit genug von denjenigen entfernt, die das Ding einsetzen beziehungsweise vor allem mit ihm drohen wollten; und er ist dennoch nahe genug bei den jungen Nationalstaaten Afrikas und den Ländern Südamerikas, um sie ultimativ damit zu bedrohen oder gar zu bestrafen."

Juljanka vermochte diesem Gedankengang von der Strategie ultimativer Drohung nicht zu folgen. Das waren für sie unbekannte Begriffe. Ihre Überlegungen gingen andere Wege. „Und wenn die Uhren in den Würfeln nichts weiter als eine hilflose Geste von Menschen sind, die ihr Ende unumstößlich nahen sehen?" fragte sie. „Dann hätten die Uhren gar keine geheimnisvolle Bedeutung, sondern wären ein stummer Verzweiflungsschrei Todgeweihter: Vergeßt uns nicht! Hier sind unsere Uhren. So wie sie ticken, ticken auch unsere Herzen. Und wenn sie damit aufhören, erlischt auch unser Leben. In diesem Fall hätten die Uhren nur die Bedeutung eines letzten Lebenszeichens und eines letzten Grußes an die Angehörigen. Allerdings ist damit nicht die eigenartige Übereinstimmung ihrer Zeit- und Datumsanzeige erklärt, es sei denn, daß die Katastrophe schlagartig eintrat und diese Uhren alle ebenso schlagartig stehenblieben", sagte sie dann.

Jochen warf ihr einen seltsamen Blick zu. Juljanka sah es ihm an, daß ihm diese Deutung als letzter Gruß an Angehörige nicht gefiel. Sie verharmloste ihm das Problem wohl zu sehr und machte die Sache mit den Uhren zu einer theatralischen Geste. Er argwöhnte eine gefährlichere Bedeutung dieser Fundstücke. Juljanka wußte nur zu gut, daß er damit wahrscheinlich recht hatte, denn sonst gäbe es keinen Grund für ihr Unternehmen, als Kundschafterin durch die Zeit zu reisen.


## SCHATTEN ÜBER DEN TRÄUMEN

Schweigend und nachdenklich verließen sie wieder Jochens Kajüte. Sie setzten sich in die Klubecke des Wohnraumes.

„Wenn nun dieses Maritime Nukleare Phänomen wieder in Erscheinung treten würde, was wäre dann deiner Meinung nach zu befürchten?" fragte Juljanka.

„Darüber können auch die besten Wissenschaftler nur Vermutungen anstellen", sagte Jochen. „Man kann nur hoffen, daß es nicht geschieht oder keine verheerende Wirkung hervorgerufen wird. Anderenfalls wird die Menschheit nichts dagegen unternehmen können, selbst wenn die Botschaft der Uhren entschlüsselt werden sollte."

Jochen sah so niedergeschlagen aus, daß Juljanka seinen Arm drückte, um ihm wieder Mut zu machen. Sie spürte den Wunsch, ihre Frage rückgängig zu machen. Jetzt verstand sie erst, daß er in der letzten Zeit nicht immer nur wegen Arbeitsüberhäufung auf der Farm so reizbar gewesen war, sondern wahrscheinlich aus geheimer Sorge wegen dieser rätselhaften Anlagen in der Tiefsee. Neben seiner Arbeit als Meeresagronom war er häufig für zwei, drei Tage verreist gewesen. Wie sie nun wußte, hingen diese Reisen mit den Aufgaben als Mitglied der Beobachterkommission zusammen. Er hatte diese Aufgaben nur einmal, bei ihrem ersten Aus-

flug, erwähnt. Es tat ihr leid, es die ganze Zeit über ignoriert zu haben. Jetzt nun versuchte sie, ihn durch erfreuliche Zukunftsbilder aufzumuntern.

„Erschrick nicht", sagte sie, „aber manchmal sehe ich die Welt von morgen mit nur halb soviel Städten als heute. Das hat nichts damit zu tun, daß eine Hälfte der Städte gewaltsam vernichtet worden wäre", erklärte sie. „Auch ist die Menschheit in der Zukunft nicht zum Aussterben verurteilt. Doch das Gewimmel flacher Steinzellen weicht einzelnen hohen und geräumigen Bauten, die in die Landschaft eingepaßt werden und die innen sehr schön und zweckmäßig sind. Außerdem ist die Konzentration von Menschen in Städten eine Folge der Konzentration der Industrie und der dazu erforderlichen Ballung von Arbeitskräften. Je mehr die Industrie automatisiert und kybernetisiert wird, um so mehr entfällt die Notwendigkeit, Arbeitskräfte zu konzentrieren. Das Städtebild wird sich auflockern. Ein Teil der Bevölkerung könnte in Seestädten vor der Küste sehr gesund leben oder in hängenden Häusern über den Talsohlen von Gebirgsgegenden, für die es sonst sowieso keine andere Nutzung gibt. Nur die Schnittpunkte der Kultur werden noch zur Städtebildung führen. Straßen zwischen den Städten verlieren ihre Bedeutung, weil andere Verkehrslösungen gefunden werden.

Die schönsten Vorstellungen von der Zukunft habe ich immer dann, wenn ich die herrlichen großen Schiffe der Luft, mit unexplosivem Helium gefüllt, am Himmel dahinschweben sehe. Alle Hast und Raserei fällt vom Menschen ab. Er ist König der Welt, des Wassers und der Luft, König auch der Zeit kraft seiner Langlebigkeit, Beherrscher von Anmut und Schönheit in allen Dingen seines Tuns; er ist Schöpfer und dringt zu unerhörten Erkenntnissen vor, er ist verliebt in die Natur, die sich wieder überall dort ausbreitet, wo vorher die riesigen Betonwüsten der Städte gewesen waren. Und immer wieder schweben Luftschiffe unter den Wolken dahin, manchmal schneller als die Wolken, manchmal gemächlicher. Ich weiß nicht, was ich schöner finden soll: die über den Talmitten hängenden Städte des Himalaja, die Seestädte über den Schelfs und zwischen den Archipeln oder die fliegenden Wohngemeinschaften der Großfamilien in den Luftschiffen."

„Du sprichst fast so, als sei es eine Gewißheit, daß all deine Zukunftsbilder, die auf mich unerhört real wirken, durch das Phänomen im Atlantik nicht bedroht werden", sagte Jochen. Er hatte ihr gern zugehört und liebte es, von ihr in die Zukunft geführt zu werden. Seine bedrückte Miene hatte sich aufgehellt, und er lächelte ihr zu. „Aber das wird mich das Phänomen im Atlantik nicht vergessen lassen. Ich möchte unbedingt Gewißheit darüber, ob eine Gefahr und welche Gefahr im Atlantik wartet, denn ich will, daß es deine hängenden Häuser, die Seestädte und die Luftschiffe eines Tages ohne eine solche Bedrohung wirklich gibt. Ebenso möchte ich, daß Metruin bei seiner Rückkehr einen heilen Erdball vorfindet, der nicht an seiner dünnsten Stelle von einem Mega-Feuer aufgerissen ist."

Juljanka lebte auf. „Oh, Metruin, ja, da fällt mir ein: Nach seinem vierten Flug wird er ein Sonderling. Zumindest halten ihn einige Leute dafür. Er verbringt seitdem jeden Erdurlaub voll und ganz mit Wanderungen entlang von Küsten. Er umwandert das Mittelmeer und den afrikanischen Kontinent Stück für Stück. Tausende Kilometer legt er so zurück. Seine Sehnsucht zur Erde wird von Flug zu Flug größer. Er küßt den Boden der Erde, sobald er ihn betritt. Dann reist er dorthin, wo seine letzte Wanderung aufgehört hatte. Diese Stelle ist nicht gekennzeichnet, aber er findet sie genau wieder. Bald tun es ihm andere Raumfahrer gleich. Daher wandert er schließlich nicht mehr allein. Es sind immer ganze Camps von heimgekehrten Raumfahrern, die wie ein Treck in losen Gruppen um Afrika oder um das Mittelmeer herumziehen. Eine Zeitlang machen die Leute von der Raumflotte fast schon einen Kult daraus, verbunden mit einer außerordentlichen Verehrung für Metruin. Er selbst tritt dagegen auf. Ganz verschwindet dieser Hang der Raumfahrer nie. Die Mediziner fördern diese Erscheinung immer wieder, weil das Marschieren ein nützliches Training für Leute ist, die wie die Raumfahrer eine lange Zeit nur wenig Bewegung hatten und nicht der Schwerkraft der Erde ausgesetzt waren. Auch die Psychologen der Raumflotte fördern diesen seltsamen Wandertrieb, weil Menschen, die monatelang oder jahrelang nur die Enge der Raumschiffe, die Schwärze des Alls und die Bodenlosigkeit ohne die tausendfältigen natürlichen Sinneseindrücke einer lebendigen Welt voller Farben, Geräusche, Gerüche und Bewegungen um sich herum haben, unbedingt eine solche Bewegung in der Freiheit unseres Planeten brauchen. Das stärkt sie, und das ist ein grundlegendes Bedürfnis wie Essen und Schlafen."

Jochens Gesicht nahm auch etwas Träumerisches an. Er wußte inzwischen, daß Juljanka das Zeitalter ihrer Phantasie mit einem bestimmten Namen belegte. „Diese Wanderzüge der heimgekehrten Raumfahrer haben eine merkwürdige Wirkung auf mich", sagte er. „Die Vorstellung daran verzaubert mich. Ich möchte am liebsten selbst so etwas unternehmen. Es ist schön, daß es dein Zeitalter des Makrogens gibt, zumindest in deiner Vorstellung. Je öfter du davon erzählst, um so mehr wünsche ich mir, selbst einmal das alles erleben und sehen zu können."

„Man kann nie wissen, ob nicht selbst das möglich ist", murmelte Juljanka. „Immerhin habe ich dich wohl schon so weit beeinflußt, daß du davon träumst", sagte sie und spielte damit auf die Episode mit Si Taut und dem Kleinraumschiff an, das er eines Nachts im Traum vor der Terrasse eines schönen und großen Hauses gesehen hatte.

Sofort verschwand das Lächeln aus seinem Gesicht. „Diese Sonne, die aus dem Meer stieg, ist wie ein Alptraum gewesen. Oft wache ich seitdem mit einem Gefühl auf, als habe ich noch etwas Wichtiges zu erledigen. Und dann hetze ich mich den ganzen Tag selbst herum und mache mich bei den Leuten der Farm unbeliebt, zum Beispiel bei Stanislaw und vielleicht sogar bei dir. – Ach was. Wir haben deinen großen Fund inzwischen ganz vergessen!" rief er. „Heute ist ein großer Tag für unsere Farm! Komm! Laß uns nachsehen, was Anja und alle anderen mit deinem Algen-Großmogul inzwischen angestellt haben!"

# TEIL III

# Die Botschaft der Zeiger ·
# Die Magmakugel

*Für die Fragen, die von kommenden Generationen gestellt werden könnten, muß schon heute nach einer Antwort gesucht werden. Vergangenes hängt nicht mehr von uns ab, doch die Zukunft, die können wir mitbestimmen.*

## WANDERER UNTER VIELEN MONDEN

Asko saß in der nächtlichen Steppe Afrikas und lauschte dem Zirpen der Zikaden. Er wanderte, ähnlich wie das Metruin getan hatte. In den vergangenen Stunden hatte er einen weiten Bogen ins Innere des Landes geschlagen. Nur der Techno begleitete ihn und trug den Schlafsack und die Nahrungsmittel für den Fall, daß er mehrere Wochen marschieren würde. Allmählich führte ihn der Weg wieder zur Küste zurück.

„Dieser lange Fußmarsch tut mir gut", sagte er zu dem Roboter. „Aber nun ruhe ich mich erst einmal aus." Zufrieden fühlte er unter seinem ausgestreckten Körper den vom Tage her noch warmen afrikanischen Boden. Ich bin vor einer Schwierigkeit davongelaufen, dachte er. Ich mußte es tun. Mit meiner Schlaflosigkeit und bei der schonenden Behandlung durch die anderen in der Gruppe bin ich mir selbst schon unerträglich geworden.

Asko verschränkte die Hände unter dem Nacken und hob den Blick von der Silhouette einer nahen Baumgruppe zum Himmel auf. „Die Sterne locken mich nicht", sagte Asko im Selbstgespräch. „Sie verschönern mir diese Nacht nur und verstärken die Sehnsucht zum Leben auf dieser Erde."

„Mich locken sie auch nicht", erklärte der Roboter. „Ihr Lebenden habt diese kleinen Nachtlampen zu hoch angebracht. Sie leuchten viel zu schwach. Das ist Energieverschwendung. Man sollte sie abschalten."

Asko achtete nicht auf das Gerede des Roboters. Er beobachtete, wie einer der kleinen Ballonmonde am Halbmond vorbeizog. Diese Ballonmonde wirkten ein Zehntel so groß wie der wirkliche Mond. Es sah aus, als umkreise die Erde in einer noch größeren Entfernung ein zweiter Mond. Aber tatsächlich waren die Ballonmonde kaum tausend Kilometer hoch. Sie leuchteten voll aus sich heraus und umflogen den Erdball verschieden schnell auf unterschiedlichen und auch auf gegenläufigen Bahnen im Bereich des Van-Allen-Gürtels, wo es sowieso keine Raumstationen gab und wo sie niemand störten. Raumfahrer, die von Expeditionen zum Saturn und Jupiter heimgekehrt waren, hatten sie schon vor dem hundertjährigen Strahlungssturm zur Erinnerung an die Mondgirlanden dieser Planeten geschaffen und an den Himmel gesetzt. Sie trugen die Namen berühmter Raumfahrtpioniere: Gagarin, Armstrong, Gorgow, Metruin, Tschu Pen, Malmström, el Nur, Torsen, Brandenstein, Bradamonte, Ain-Sefra und Michael Paar. Der Mond, den er jetzt sah, das mußte Bradamonte sein. Um ihn von der Erde aus besser identifizieren zu können, leuchtete er in einer schwachen grünen Einfärbung.

„Du hättest dein Bett mitnehmen sollen", sagte der Roboter und blickte auf Asko, wie er da so auf der Erde lag. „Drei aus meiner Serie hätten es geschafft, das Bett und weiteres Gepäck zu tragen."

„Der Erdboden ist das älteste und schönste Bett", sagte Asko, änderte seine Lage ein wenig und machte es sich noch bequemer.

„Ich könnte mir das nicht leisten, mich in den Staub zu legen. Das schadet meinen Gelenken."

„Tja, da sind wir Lebenden euch gegenüber im Vorteil."

„Richtig. Aber ihr Lebenden habt auch einen Konstruktionsfehler."

„So? Welchen?" wollte Asko wissen.

„Die Augendeckel!"

„Die Augendeckel?"

„Stimmt. Richtig gehört. Die Augendeckel."

„Wieso? Erkläre es mir!"

„Sie klappen zu oft herunter."

„Das ist kein Fehler."

„Doch. Sie scheinen mit einem Schalter versehen zu sein. Wenn sie herunterklappen, ist der Strom weg."

„Ach so." Asko lächelte schwach. „Ich bin dabei eine Ausnahme. Seit ein paar Monaten ist der Strom nicht weg, wenn ich die Augendeckel herunterklappe."

„Hervorragend", sagte der Roboter und schaltete Askos Bedeutung um ein paar Punkte höher. Dann stapfte er zur Seite und schleuderte Askos Schlafsack im hohen Bogen in ein Gebüsch.

„Was machst du verrückter Kerl?" rief Asko und rappelte sich auf.

„Ich habe dein Ersatzbett weggeworfen. Wenn dein Strom beim Augenklappen nicht unterbrochen wird, brauchst du auch kein Bett mehr."

„Ferri, das verstehst du nicht. Ich muß trotzdem ein Bett oder eine Decke haben", sagte Asko und holte seinen Schlafsack aus dem Gebüsch zurück. Sorgfältig breitete er ihn auf einer grasbewachsenen Stelle aus und legte sich wieder hin. „Ich muß mich einfach ab und zu einmal ausstrecken, auch wenn bei mir der Strom nicht weg ist, sobald ich die Augen schließe. Nicht immer ist die Nacht warm genug, um ohne Schlafsack liegen zu können."

„Warum mußt du dich ab und zu ausstrecken?"

„Um mich von innen zu begucken", sagte Asko ärgerlich.

„Hervorragend", äußerte der Roboter abermals. Er klappte auch seine Staubkappen über die Optik. Nach einer Weile glitten sie wieder nach oben. „Ich schaffe es nicht, mich von innen zu begucken", erklärte er.

„Du mußt dir Mühe geben und vielleicht sogar eine halbe Stunde warten, ehe du etwas siehst", riet ihm Asko.

„Wozu müßt ihr Lebenden euch von innen begucken?"

„Um festzustellen, ob alles in Ordnung ist."

„Hervorragend. Hervorragend. Hervorragend", schnarrte der Roboter. „Und wenn etwas nicht in Ordnung ist, was geschieht dann?"

„Dann geben wir Lebenden unseren Organen und dem Blut den Befehl, es zu reparieren. Wir schlafen dabei, und es sieht aus, als ob der Strom weg ist."

„Genial", sagte der Roboter diesmal nur und schwieg dann

verdächtig lange. Das Kontrolldiagramm auf seiner Stirn begann lebhaft zu flackern. Die Linien auf ihm verschoben sich ein paarmal in die eine Richtung und dann wieder in die andere. Schließlich zog sich der Roboter etliche Schritte zurück und werkte emsig in einer Mulde herum. Er schien Reisig, Laub und trocknes Gras zusammenzutragen. Zum Schluß legte er sich in die Mulde.

Asko schmunzelte. Jetzt hatte er eine Weile Ruhe. Der Roboter probierte wahrscheinlich aus, ob er sich auch von innen betrachten und seinem Ölkreislauf den Befehl geben konnte, Abnutzungen zu regenerieren. Nun, ganz so ideal lagen die Dinge für Asko nicht, wie er das dem Roboter erklärt hatte. Er konnte nicht mehr schlafen, und so würde seine Abnutzung schneller als bei anderen Menschen voranschreiten.

Um von den trüben Gedanken abzukommen, richtete Asko erneut seinen Blick auf die Ballonmonde. Zwei- oder dreimal im Jahr geschah es, daß sich mehrere dieser Monde an einem Punkt des Himmels in der Nähe des echten Erdbegleiters trafen. Natürlich war das nur eine optische Täuschung. Auch jetzt hatte Asko den Eindruck, als kreise einer dieser kleinen Lunaballons um den großen Mond. Am schönsten sah eine solche Erscheinung bei Tagmond unter dem blaßblauen nördlichen Himmel Alaskas, seiner Heimat, aus, empfand Asko. Er hatte so etwas einige Male als Knabe gesehen und vermochte sich noch heute genau daran zu erinnern. Dieses Bild war früher, als er noch schlafen konnte, häufig in seinen Träumen wiedergekehrt und hatte ihn danach immer mit einem glücklichen Gefühl aufwachen lassen. Er pries die alten Raumfahrer, die diese Ballonmonde auf Umlaufbahnen gebracht und damit dem Himmel einen märchenhaften Reiz verliehen hatten.

Bald kehrten Askos Gedanken wieder zu seinem Problem zurück, zu seinem Fortgehen von der Gruppe. Sie waren elf junge Leute, fünf Frauen und sechs Männer. Vor drei Jahren hatten sie sich zusammengefunden, ihr eigenes kleines Makrogen gebildet und dieses Haus, das damals leer stand, bezogen. Neben verschiedenen anderen Wissensgebieten hatten sie alle etwas mit Meerestechnik zu tun. Die einen überwachten den Mohorovicic-Komplex, und die anderen betreuten die unterseeischen Anlagen auf dem Grunde des Mendele-Tiefs. Dort liefen unter dem Druck der sechstausend Meter hohen Wasserdecke Prozesse ab, die der Gewinnung von Rohstoffen aus dem Meer dienten. Über diese beiden Aufgaben, die ihnen als einer Seminargruppe der Universität von Mos-A-Dreles während ihres Forschungsstudiums gestellt worden waren, empfanden sie großen Stolz. Besonders die Kontrolle des atlantischen Epizentrums an der dünnsten Stelle der Erdkruste galt als Auszeichnung, die nur einer sehr guten Studentengruppe übertragen wurde, sobald sie das Grundstudium beendet hatte und das selbständige Studium als makrogene Gruppe begann.

In der Gemeinschaft des Makrogens hatten sie viele Jahre lang Zeit, sich kennenzulernen, Partnerschaften einzugehen, sich für ein Zusammenleben zu prüfen und auf spätere große Aufgaben vorzubereiten. Manche Gemeinschaften dieser Art bestanden fünfzig oder sechzig Jahre. So lange dauerte das Studium von Spezialfächern, besonders aber die Vorbereitung auf Fernraumflüge und die Beherrschung der symbiotischen Inspiriose für den direkten geistigen Computerkontakt. Ein Makrogen erzog auch seine Kinder selbst und vermittelte ihnen das Elementarwissen. Waren die Aufgaben, die solchen Gruppen gestellt worden waren, erfüllt, dann waren auch die Kinder längst erwachsen, und man konnte sie auf der Erde zurücklassen, wenn man zu fernen Welten auszog. Jeder hatte dann noch zweihundert Lebensjahre vor sich. Das Ziel der meisten dieser Gruppen war Groß-Indigo, der von Michael Paar entdeckte Siedlungsplanet. Das alles würde er aufgeben müssen, weil er ein Schlafloser war und kaum die Kraft aufbringen würde, alle Aufgaben zu erfüllen, die nun einmal vor einer makrogenen Gruppe lagen.

Asko löste seinen Blick von den kreisenden Monden, erhob sich, rief Ferri, lud dem Roboter den Schlafsack auf und ging weiter. Seine Füße störten im storren Gras der Steppe Schwärme von Moskitos auf. Mit einem Griff zum Gürtel schaltete er die kleinen Ultratonpatronen ein, die den Jagdruf der Fledermaus nachahmten und die Moskitos damit vertrieben.

Sie waren bedauerlicherweise nicht so stark wie die Fliegen

vom hundertjährigen Strahlungssturm dezimiert worden.

Wie hart und wie dicht war eigentlich die Kruste des oberen Erdmantels über dem glutflüssigen Magma des Planeten? Würde er stark genug sein, das Leben auf dieser Welt zu schützen, oder würde die dünne Stelle im Atlantik schon bei einer mittelmäßigen Erschütterung aufbrechen und den ganzen Erdball in eine Katastrophe stürzen?

„Es ist nicht zu schaffen, weder im Stehen noch im Liegen. Ich kann mich nicht von innen begucken. Ich bin eben nur ein Roboter", sagte Ferri plötzlich.

Das läßt ihm also keine Ruhe, dachte Asko und belächelte den Roboter.

## DAS HAUS DER FISCHER

Mittlerweile hatte Asko bei seinem Marsch durch die afrikanische Tropennacht die Savannenlandschaft verlassen. Er war wieder am Meer angelangt, blieb in den Dünen stehen und horchte auf das Rauschen der Wellen, wenn sie auf den Strand schlugen. Von seinem Platz aus konnte er den Strand und das Meer gut sehen. Zwar war der große Mond in dieser Nacht im Nordwesten schon hinter den Horizont getaucht, aber vier voll leuchtende Ballonmonde überquerten den Himmel. Welcher Mensch hatte je das Meer im tropischen Licht von vier spiralenden Monden gesehen? Er glaubte, der erste zu sein, so schön breiteten sich die Küste zu beiden Seiten und das Meer davor im Nachtschimmer aus. Er konnte sich lange nicht von diesem Anblick lösen.

Das große Segel einer Hochseejacht zog dicht an der Brandung vorüber. Das konnte nur das Boot der beiden Kaiks aus einem Nachbarseminar sein. Die Kaiks gehörten zum Makrogen der Fischer. Das Haus der Fischer war auch das vorläufige Ziel seiner Wanderung.

Die historische Bedeutung des Begriffes „Fischer" spielte in der Arbeit des Makrogens von Kaik Hans heute keine Rolle mehr. Fische fingen sie nicht mehr. Sie betreuten vielmehr einige Meeresfarmen zur Algengewinnung und Nahrungsmittelproduktion sowie eine Station, über die die Universitäten Kontakt zu den Delphs hielten. Die Delphs lebten im Meer.

Früher, sogar schon zur GRUM-Zeit, wurden allerlei Legenden über die Delphs erzählt, zum Beispiel daß sie Kontakt mit Überlebenden einer vor langer Zeit auf der Erde zerschellten Expedition Außerirdischer gehabt hätten. Doch das mochte die Vermutung von phantasiereichen Köpfen sein, für die es keine Bestätigung gab.

Hinter dem nächsten Landvorsprung der Küste lag die Bucht mit dem Haus der Fischer. Der Schlaflose ging darauf zu. Das erste Licht des dämmernden Morgens war aufgekommen und gab der Fassade jenes fahle Leuchten, wie es die einsamen Stationsbauten der Gründerzeit auf dem Mars ausstrahlten, als sie noch in einer trostlos eintönigen Landschaft standen. Sie waren nichts weiter als Schutzanlagen für die Expeditionen aus dem ersten Sternenzeitalter. Sogar heute noch gab es einige solcher unberührten Gegenden auf dem Mars, die mit ihrem verwitterten Krater- und Wüstenpanorama einen deprimierenden Eindruck auf Menschen ausübten, einen deprimierenderen jedenfalls als die Kraterlandschaften auf dem Mond, denn auf ihnen lag immerhin noch der Abglanz der Erde.

Als Asko beim Haus der Kaiks angekommen war, verflog dieser Eindruck schon nach wenigen Minuten. Das morgendliche Licht wurde rasch stärker und gab der Landschaft Farbe. Am Steg der Fischer lag die Segeljacht der Kaiks bereits vertäut. Einer der beiden Brüder kam ihm über die Terrasse des Hauses entgegen.

Asko machte das Zeichen des Gastes.

Kaik Hans erwiderte das Zeichen.

„Langes Leben", sagte er zu Asko und wies auf einen Poller. „Mache es dir bei uns bequem, solange du magst. Sei nicht nur Gast, sondern auch Bewohner unseres Hauses."

„Ich bin auf Wanderschaft", murmelte Asko unsicher, weil er nicht wußte, ob er die Einladung annehmen sollte.

Eine Brise strich über die Terrasse und bewegte die Haare der beiden Männer. Der Fischer nickte. „Wir haben von deiner Krankheit gehört. War das nötig, daß du nach Kili-N-Airobi reisen mußtest, um ein Geheimnis zu erfahren? Wozu läßt du dich durch die Vergangenheit bekümmern? Sie ist durchstanden."

„Nein, das ist sie nicht!" widersprach Asko heftig und sprang auf. „Die GRUM-Zeit hat uns etwas hinterlassen, was furchtbar für uns werden kann."

Kaik Hans sah ihn beunruhigt an und runzelte die Brauen. „Sie ist durchstanden", wiederholte er.

„Das muß sich erst noch erweisen", murmelte Asko, nun schon wieder beherrscht. „Es liegt an uns, mit ihr fertig zu werden, wenn im Atlantik etwas passiert."

„Na, siehst du. Was sollte denn dort draußen im Atlantik schon Schlimmes geschehen?" Kaik Hans setzte seinen Fuß auf das Segelboot und dippte es ein wenig mit kräftigem Beindruck. „Bleibe bei uns. Wir würden gern deine Freunde sein. Oder zieh auch weiter. Du wirst überall ein offenes Haus finden. Die ganze Welt ist dein Makrogen. Versuche doch einfach, die Reise nach Kili-N-Airobi und was du dort erfahren hast zu vergessen", riet ihm Kaik Hans.

„Dann würde ich auch die Verantwortung vergessen müssen, die mit meinem Wissen über eine bestimmte Gefahr im Atlantik verbunden ist", sagte Asko.

„Übertreibe nicht. Du bist nicht verantwortlich für etwas, das du nicht verschuldet hast und was vor Jahrhunderten geschah. Allmählich werde ich neugierig, was das wohl für eine geheimnisvolle Angelegenheit ist, die dich so unruhig und schlaflos macht."

„Das sage ich dir nicht. Allgemein ausgedrückt, haben GRUM-Leute eine Gefahr für uns heraufbeschworen. Man muß sie abwenden. Ich allein kann es aber nicht tun."

„Bist du etwa der Ansicht, daß nur du allein von einer solchen Gefahr weißt und nichts dagegen unternommen wird? Sei doch nicht so töricht. Und außerdem glaube ich nicht an eine solche Macht der GRUM-Zeit, die bis in unsere Epoche reicht und die bis heute ihre Auswirkungen hat", sagte Kaik Hans.

„Das ist der Unterschied zwischen dir und mir in dieser Sache: Ich glaube es nicht, ich weiß, daß es so ist mit dieser Gefahr", entgegnete Asko.

Sie sahen schweigend auf den rasch heller werdenden Horizont über den Hügeln und Baumkronen. Nach ein paar Augenblicken glühte dort das Morgenrot in kräftigen Farben auf. In den Tropen wechselt die Nacht mit dem Tag innerhalb kürzester Frist. Schon sprangen die Strahlen der Sonne am Horizont hervor. Sie selbst war noch hinter einer fernen Wolkendecke verborgen.

„Wir haben uns mit dem Arzt verständigt", bemerkte Kaik Hans. „Wir Fischer werden uns abwechseln und deinen Schlaf durch symbiotische Inspiriose ersetzen."

Kaik Hans nahm einen Kiesel vom Boden auf, zielte sorgfältig und warf ihn. Es freute ihn, als das Steinchen vom harten Stamm eines Baumes abprallte und im richtigen Winkel zurückgesurrt kam. Der Kiesel fiel, wie beabsichtigt, vor die Füße Askos.

Ein Stück der tiefroten Sonnenscheibe schob sich aus der Wolkenbank. Asko und den Fischer fröstelte in der Morgenkühle. In Asko erwachte der Wunsch, das pulsierende Leben großer Städte um sich zu spüren. Er würde vielleicht doch noch nach Kanhong, Philyork oder Mos-A-Dreles fahren, um in diesen oder anderen Großstädten jede Art von Zerstreuung zu genießen. Ehe dieser Wunsch übermächtig wurde, unterdrückte er ihn. Es war besser, bei den Fischern zu bleiben. Hier war er nur wenige Kilometer von seiner eigenen Gruppe entfernt und konnte notfalls sofort seinen Platz am Moho-Pult einnehmen, falls Gefahr aus dem Atlantik heraufzog. Sehnsüchtig blickte er der langen eleganten Spindel eines Luftschiffes nach, die eben die Küste in mittlerer Höhe überquerte und hinaus in den unendlichen Luftraum über der See zog.

# IN DER KRATERSTADT DER ERIDANER

Die Eridaner hatten Si Taut zu einem Besuch eingeladen. Ihr Wohnsitz war der viertausend Meter hohe erloschene Vulkan Mauna Kela mitten im Stillen Ozean auf der Insel Hilo Ha Waia. Hier war auf sechstausend bis achttausend Kilometer im Umkreis nichts als Wasser anzutreffen, der kostbarste Schatz des Planeten Erde. Am Fuße des Vulkankegels lag eine von Menschen bewohnte Stadt mit hohen Bauwerken für wissenschaftliche oder kulturelle Einrichtun-

gen. Von der Höhe des Gipfels wirkten sie jedoch winzig.
Die meisten Tage des Jahres waren Stadt, Insel und Vulkan
von Sonne überflutet.
Die Eridaner waren genügsam und wohnten auf dem Gipfel
des Vulkans. Sie fühlten sich gerade in dieser Höhenluft am
wohlsten. Ihre Gebäude waren Schutzbauten, denn die irdische Umwelt entsprach nicht in jeder Hinsicht den Bedin-
gungen ihrer Heimatwelten. Die Architektur hatte daher einen technizistisch wirkenden Charakter. Auf irdische
Betrachter wirkte sie massiv, wuchtig, festungsähnlich. Wo
an den Außenhängen die Lavamassen vor Hunderten Jahren
zu Terrassen, Simsen oder kleinen Sockelplateaus erstarrt
waren, führten Pfade oder Kolonnaden hin. Dort hatten die
Eridaner mit viel Mühe ein paar harte lederlappige Pflanzen
angesiedelt. Sie stammten von einem ihrer beiden Heimat-
planeten, von Oasis-Sandra, der älteren ihrer beiden Wohnwelten.
Si Taut hatte noch nicht oft Gelegenheit gehabt, die Eridaner zu besuchen. Er musterte daher noch ein wenig die Umgebung. Der Kraterkessel hatte im Gegensatz zu den Außen-
seiten seinen Zustand völlig verändert. Antennen, Spiegel,
Streben, Stege, Ausleger, Seile und ihre Verankerungen, bal-
konartige Anbauten, Podeste, tangierende Viadukte und die
vergitterten Öffnungen großer Ansaugschächte ließen fast
keinen Quadratmeter des Gesteins mehr frei. Der Krater-
grund war mit einer hohen Kuppel völlig abgedeckt. Darun-
ter hatten die Gäste aus dem All ein kleines Stückchen Park-
landschaft unter eridanischen Umweltbedingungen angelegt,
in dem sie sich Erholung und Bewegung verschafften, wenn
ihnen die Gaststation auf Erdumlauf zu eng wurde. Hier waren vorwiegend orangefarbene Pflanzen angesiedelt worden,
die von der anderen der beiden Wohnwelten stammten,
nämlich von Oasis-Vitra. Ihre Farbschattierungen bildeten
unter der Kuppel allerlei bunte Flecken. Ein greller Zentral-
strahler hing im Kraterkessel und sandte Licht in der Zusam-
mensetzung des eridanischen Heimatgestirns durch die Kuppel. Ungefähr dreihundert Eridaner wohnten hier und hatten
sich Unterkünfte in die Felsen gesprengt. Zur Zeit waren die
meisten von ihnen mit Raumschiffen unterwegs. Deshalb
war es sehr still in der Kraterstadt der Eridaner. Der Mauna

Kela sah verlassen aus.

In der Ferne zogen drei Luftschiffe über den Ozean dahin.

Si Taut durchschritt den Torbogen zum Haus des Grußes, dem Empfangsgebäude der Eridaner. Im Foyer ließen sie Tag und Nacht in einer großen Schale aus einem geheimnisvollen Material, dessen Oberfläche wie ziseliertes Perlmutt aussah, die ewige Flamme des Lebens und der Freundschaft brennen. Sobald Si Taut die Flamme passiert hatte, konnte er die kleine Kappe abnehmen, die Kinn, Mund und Nase bedeckt und ihn vor Druckabfall und Sauerstoffmangel in dieser Höhe geschützt hatte. Im Haus des Grußes hatten die Eridaner die irdischen Verhältnisse, bezogen auf die Höhe des Meeresspiegels, hergestellt. Sie selbst trugen einen breiten Gürtel, der eine armstarke Hülle eridanischer Atmosphäre um sie herum erzeugte.

Als Si Taut den nächsten Raum, eine kleine Halle, betrat, waren außer drei Eridanern noch zwei Erdenbewohner anwesend, nämlich Jandar O'Rell, der Weltpräsident, und Ludark. Er hatte ihre Ringflügler schon auf dem Landeplateau gesehen und bereits damit gerechnet, ihnen hier zu begegnen.

O'Rell hatte gerade zu den Eridanern gesagt: „Ich bin es nicht allein, der Entschlüsse von weittragender Bedeutung zu fassen hat. Auch hier bei uns auf der Erde sind wir viele, die das Geschick der Menschheit lenken."

Nachdem Si Taut den Weltpräsidenten und Ludark begrüßt hatte, wandte er sich den Eridanern zu. Er sagte in ihrer Sprache so etwas wie einen zeremoniellen Satz, der nur schwer in irdische Worte zu übertragen war. Ihr Sinn war ungefähr folgender: „Als die Menschheit in den Kosmos hinaustrat, wußte sie nicht, was sie zu befürchten hatte."

Einer der Eridaner antwortete darauf: „Nichts hatte sie zu befürchten, denn das hochbegabte Leben im Kosmos wird von Freundschaft bestimmt und nicht von Feindschaft." Die Eridaner hatten überfeinerte Gliedmaßen und einen höheren Wuchs als die Menschen. Sie wirkten daher mager und schlaksig. Alle ihre Worte waren von einem lebhaften Mienenspiel begleitet.

Aus dem Hintergrund des Saales, wo ein Bildwürfel stand, kam ein vierter Eridaner und reichte O'Rell ein Diagramm,

das der Bildwürfel eben übermittelt hatte. Dazu sagte er:
„Ihr werdet den Ursprung des Phänomens im Atlantik nicht
ergründen können, es sei denn, daß ihr einen Vorfahren als
Zeugen dieses Ereignisses in diese Zeit holt. Alle Anzeichen
deuten darauf hin, daß an der dünnsten Stelle der Erdkruste
unter dem Wasser des Atlantiks eine ruhende Kraft aktiviert
wird, die aus früheren Zeiten stammt und die zwei Kontinente vernichten soll. Ihr seid bedroht. Sagt uns, was ihr
über diese Kraft wißt. Vielleicht können wir euch helfen, sie
abzubauen."
„Wir wissen nicht viel. Während des hundertjährigen Strahlungssturmes sind fast alle Angaben dazu verlorengegangen",
sagte Jandar O'Rell. „Eine Chrononautin ist deshalb unterwegs, aber nicht exakt angekommen. Wir holen sie zurück.
Es stimmt: Wir werden keine Zeit mehr haben, sie noch einmal zur Erkundung in die Vergangenheit zu schicken. Ihr
Eridaner habt eben bestätigt, was auch wir errechnet haben.
Noch in diesem Jahr, spätestens im nächsten, wird das
Mega-Phänomen in Aktion treten. Was ist da nun zu tun?"
Diese Frage hatte O'Rell hauptsächlich an Si Taut gerichtet.
Der Weltpräsident liebte es nicht, wenn ihm hastig und unüberlegt geantwortet wurde. Deshalb dachte Si Taut erst einmal nach. Von seinem Platz aus konnte er die Flamme im
Foyer gut sehen. Sie schickte ab und zu knisternd einen weißen würzigen Rauchgeist zur Decke. Die Eridaner tauschten
ein paar leise Worte mit O'Rell aus. Im Hintergrund des
Raumes arbeitete der Bildwürfel und präsentierte neue Informationen aus irgendeinem Teil der Kraterstadt.
Schon in der Zeit vor dem hundertjährigen Strahlungssturm
war das Mega-Phänomen im Atlantik bewacht worden. Es
war nie zum Ausbruch gekommen, wenn es auch ab und zu
in der Tiefe der Erdkruste tüchtig gerumpelt hatte. Zu gern
hätte sich Si Taut darin bestärkt gefühlt, daß es auch jetzt
noch nicht emporbrechen würde. Aber die Beratung hier auf
dem Mauna Kela fand nicht statt, um Beschwichtigungen zu
suchen. Plötzlich stutzte Si Taut. Hatte ein Eridaner nicht
schon im ersten Satz geäußert, man müsse einen GRUM-
Menschen in dieses Jahr holen? Das war doch unmöglich! Es
gab nur die Verspiegelung der Gegenwart in die Vergangen-

heit oder die Bespiegelung der Vergangenheit von der Gegenwart her.

„Wir können niemanden aus der Vergangenheit in diese Zeit holen", sagte Si Taut deshalb.

Die Eridaner und O'Rell wechselten Blicke.

„Wir können es, vielleicht", sagte O'Rell. „Die Gäste wollen uns helfen, so gut sie es vermögen."

Si Taut neigte sich überrascht vor und sah zu den Eridanern. Es mußten die neuesten Forschungsergebnisse auf diesem Gebiet sein, die ihnen ihre zehn Lichtjahre entfernten Heimatwelten Oasis-Vitra und Oasis-Sandra übermittelt hatten, um den Menschen behilflich sein zu können.

„Wenn wir keine Zeit mehr zur Verfügung haben, einen besseren Zeugen für das Ursprungsereignis zu suchen, dann müssen wir den Meeresagronomen Jochen Märzbach in unsere Zeit holen. Er ist eigentlich auch die einzige Person, über die wir genügend Transferdaten besitzen", sagte er. Auch er befürchtete bald einen Ausbruch des Mega-Feuers in der Tiefsee. Er hätte es gern gesehen, wenn Si Jhul noch vor einem solchen Ereignis aus dem Immunitron herausgeholt werden konnte. Vorher aber würde sie dann noch bei der Versetzung von Jochen Märzbach aus der GRUM-Zeit in das Makrogen assistieren müssen. Wie, das wußte Si Taut noch nicht. Er würde das bald von den Eridanern erfahren. Jetzt, da Si Jhul sich endlich gemeldet hatte und wichtiges Material besaß, konnte man hoffen, der drohenden Katastrophe im Atlantik nicht tatenlos gegenüberstehen zu müssen. Vielleicht war es gar nicht nötig, Jochen Märzbach zu versetzen. Dann mußten ihre Angaben, die sie inzwischen gesammelt hatte, dafür ausreichen.

„Werden wir das schaffen, einen GRUM-Menschen zu transferieren?" fragte Jandar O'Rell.

Es reizte Si Taut zu erfahren, wie die Eridaner den Transfer zu bewerkstelligen gedachten. Die Neugier des Wissenschaftlers gewann in ihm die Oberhand über die Skepsis des Wissenschaftlers. Ludark, der bisher geschwiegen hatte, schien ähnlich zu empfinden.

„Wir rüsten Großraumschiffe aus, um nach Groß-Indigo zu fliegen", sagte Ludark. „Niemand wird uns glauben, wenn wir erklären, daß wir zwar lichtjahrweit fliegen wollen, aber nicht das Mega-Feuer im Atlantik bändigen können. Was ich sagen will, ist eigentlich dieses: Wir haben die Fähigkeit gehabt, den hundertjährigen Strahlungssturm zu überstehen. Unsere Kraft wird deshalb auch ausreichen, die Zeitverspiegelung rasch weiterzuentwickeln, die erforderlichen Angaben aus der GRUM-Zeit über das Ursprungsphänomen zu bekommen, einen echten Transfer mit Jochen Märzbach zu bewerkstelligen und das Magma zu bezwingen, wenn es hervorbrechen sollte. Und außerdem wird uns auch nichts daran hindern, nach Groß-Indigo zu fliegen und den Männern von Admiral Paar Ausrüstungen und Nachschub zu bringen. Das ist uns alles möglich, weil wir uns in einem wichtigen Punkt von der GRUM-Zeit unterscheiden: Wir können das Wissen und die Fähigkeiten der ganzen Menschheit ungeteilt zugunsten solcher lohnenden Aufgaben einsetzen und müssen sie des einen oder anderen Weltteiles wegen nicht zersplittern."

„Bravo", sagte Si Taut. „Aber gesprochen ist noch nicht getan. Ich bin Praktiker. Und ich stehe mit meinen Arbeitsgruppen von Frauen und Männern mitten in einem umfassenden Unternehmen. Was kann man zum Beispiel gegen die immer wieder auftretenden verfrühten Minkowskischen Nachhalleffekte tun?" fragte er. „Sie sind für uns in Kib-E-Ombo das Hauptproblem. Es ist manchmal nahezu unmöglich, Verbindung bis in die GRUM-Zeit herzustellen."

„Darüber haben wir auch nachgedacht", sagte einer der Eridaner. „Uns will scheinen, daß die Strahlungsfront des Krebsnebels, die, als sie euer irdisches Sonnensystem erreichte, den hundertjährigen Strahlungssturm brachte, zugleich auch eine ausgedehnte Barriere im Raum-Zeit-Kontinuum aufgebaut hat. Je weiter sich diese Gegenwart davon entfernt, um so rapider wird ihre Undurchdringlichkeit für Chrononautenunternehmen, ganz gleich, ob für Transfers oder ob nur für Verspiegelungen. In spätestens zehn Jahren wird der Sperreffekt total sein. Der Zugang zur GRUM-Zeit ist dann auf ewig blockiert. Ihr Menschen könnt von Glück sagen, daß das Problem des Mega-Feuers im Atlantik nicht erst dann akut wird. Später hättet ihr dieses Problem ohne Informationen aus der GRUM-Zeit lösen müssen."

Sie setzten ihre Beratung mit den Eridanern über den drohenden Ausbruch eines Mega-Feuers an der dünnsten Stelle der Erdkruste im Atlantik fort. Zwei Stunden später verabschiedeten sich Ludark und Jandar O'Rell von den Eridanern auf dem Mauna Kela in Hilo Ha Waia. Nur Si Taut blieb noch.

„Wir dürfen keine Zeit mehr verlieren", sagte O'Rell zu Si Taut. „Die Eridaner werden dir erklären, Taut, was zu tun ist, um eine Person mit einem ausreichenden Wissen an Fakten über das Mega-Feuer aus der GRUM-Zeit zu uns zu holen. Möge es euch gelingen! Und ich wünsche dir, daß du Si Jhul in wenigen Tagen aus ihrer Verspiegelung erlösen und sie aus dem Immunitron wohlbehalten in die Arme schließen kannst. Richte ihr dann meine Grüße aus!"

„Sie wird viel von den Menschen aus dem GRUM zu berichten haben. Kurz vor ihrem Start in die Vergangenheit sagte sie, wir sollten die Vorlebenden wegen ihrer Mitschuld an der Mega-Gefahr nicht zu hart beurteilen. Sie glaube, daß die meisten von ihnen damit nichts zu tun hatten und sie so liebenswert sind, als lebe man zu heutiger Zeit mit ihnen in einer makrogenen Gemeinschaft zusammen", sagte Si Taut.

„Damit hat sie nur zum Teil recht", widersprach ihm O'Rell. „Wer auch immer auf diesem Planeten einhergeht, lebt in Gemeinschaft und in Verantwortung nicht nur mit seiner Zeit, sondern auch in Verantwortung mit der Vergangenheit und der Zukunft dieser Welt. Auch unsere Vorfahren aus der GRUM-Zeit hatten schon die Pflicht, über solche Fragen nachzudenken, die folgende Generationen vor große Probleme stellt. Dazu gehörten auch die Folgen der Aufrüstung und die Aufgabe, die Abrüstung zu bewältigen und die Erhaltung des Friedens zu garantieren. Wir können keinen von ihnen aus purer Gutmütigkeit von ihrer Mitverantwortung an diesem Mega-Feuer freisprechen. Vergangenes hängt nun mal nicht mehr von uns ab. Seine Gegenwart aber kann jeder mitbestimmen, und damit auch ein wenig die Zukunft."

# EIN AUFTRAG FÜR DIE CHRONONAUTIN

Gleich nach ihrer Ankunft in Port Ustka begab sich Juljanka auf kürzestem Weg zu ihrem Sportwagen. Sie fuhr ihn aus der Garage, verließ die Stadt und bog auch bald von der Straße ab; um auf einem halbverwachsenen Fahrweg im Wald zu halten. Mit Herzklopfen stieg sie aus, schloß den Wohnanhänger auf und betrat ihn. Die vom Labor eingebauten Apparaturen waren schnell freigelegt. Eine kurze Überprüfung ergab, daß sie mit etwas Geduld und Überlegung leicht in Betriebsbereitschaft zu versetzen waren.

Juljanka klappte die Pritsche herab, befestigte die gitterförmige Antipode eines Rasters über sich und schaltete die Haupttaste der Apparatur ein. Zunächst hörte sie wieder die Flüsterstimme: „Zeitlabor an Kundschafterin! Die Implizierung ist abgelaufen! Sind Sie schon im Fahrzeug? Wir haben eine dringende Weisung für Sie. Zeitlabor an Kundschafterin …!"

Die Chrononautin bewegte eine Abstimmung und ging auf Sendung über: „Kundschafterin an Labor! Si Jhul ruft Zentrale in Kib-E-Ombo!"

Als die Flüsterstimme gleich danach verstummte, wußte Juljanka, daß ihr Ruf empfangen worden war. Sie meldete deshalb: „Ich unterlag wahrscheinlich einer Störung im Zeitfeld und war mir der Implizierung eine Zeitlang nicht bewußt. Das Ursprungsereignis ist bereits vorüber. Aber ich habe ein wichtiges Fundstück vom Ort des Ursprungsereignisses. Soll ich meinen Rückruf einleiten? Was ist inzwischen passiert, und wie lautet eure dringende Weisung?"

„Zentrale hört Kundschafterin! Unsere Weisung lautet: Mega-Ausbruch rückt näher! Kundschafterin soll dennoch für wenige Tage in der Vergangenheit bleiben. Mit Hilfe der Eridaner soll Jochen Märzbach von der Zeitkoordinate 199322101135 zur Zeitkoordinate 228715081135 nach Weltnormalzeit und Nullmeridian in Übereinstimmung mit den geographischen Koordinaten der Position der Farm transferiert werden. Veranlassen Sie Jochen Märzbach zu diesem Zeitpunkt, von Bord zu gehen, und achten Sie auf einen Kugelblitz. Nach dem Verschwinden von Jochen Märzbach ist auch Ihre Rückkehr einzuleiten. Ende."

„Kundschafterin ruft Kib-E-Ombo. Habe ich die Weisung richtig verstanden? Jochen Märzbach soll in die Zukunft umgesetzt werden? Das ist doch nicht möglich. Und wenn es möglich geworden sein sollte, so etwas zu bewerkstelligen, dann kann ich das nicht unterstützen, weil Jochen Märzbach ahnungslos ist. Vorschlag: Ich weihe ihn ein und versuche, seine Einwilligung zu bekommen."

„Labor an Kundschafterin! Darauf können wir keine Rücksicht nehmen, ob er in einen Transfer einwilligt oder nicht. Die Weisung ist strikt auszuführen, ohne Jochen Märzbach einzuweihen."

„Kundschafterin an Labor: Das akzeptiere ich nicht. Ich verlange erst eine kompetente Beglaubigung eines solchen Vorhabens."

„Labor an Kundschafterin: Jochen Märzbach hat Ihnen doch selbst seinen Traum von der Begegnung mit Si Taut erzählt. Indirekt ist er also sowieso bereit, uns zu helfen!"

„Sie sollten mir aber dann wenigstens bestätigen, daß es tatsächlich geplant und möglich ist, Jochen Märzbach ohne Schädigung für ihn in unsere Zeit zu bringen."

„Labor an Kundschafterin! Warten Sie etwas. Sie erhalten gleich die gewünschte kompetente Beglaubigung dieses Projektes."

Während der kleinen Pause, die entstand, kam es Juljanka erst richtig zu Bewußtsein, was für ein unglaubliches Experiment stattfinden sollte: Ein Mensch aus der GRUM-Zeit würde über fast dreihundert Jahre in die Zukunft versetzt werden! Die Anzeichen für den Ausbruch des Mega-Feuers im Atlantik mußten schon sehr deutlich sein, wenn man derart große Anstrengungen machte.

Endlich begann ihr Gerät wieder zu arbeiten: „Labor an Kundschafterin! Hier Si Taut! Jhulka! Ein echter Transfer von Jochen Märzbach ist möglich, sogar komplikationslos für ihn. Die Eridaner helfen uns. Sie haben für den Transfer sozusagen das Ei des Kolumbus gefunden. Jhulka! Versprich mir, daß du bleibst, bis Jochen Märzbach bei uns ist. Aber dann will ich dich wiederhaben, dann hast du es geschafft und deine Pflicht getan! Viel Glück! Auf bald!"

Die Verbindung fiel plötzlich zusammen. Eine erneute Störung im Zeitfeld unterbrach den Kontakt. Juljanka seufzte, schob die Antipode zur Seite, blieb aber selbst noch einige Zeit regungslos auf der Pritsche ihres Trampi-Campi sitzen. Sie hatte Si Tauts Stimme deutlich erkannt und glaubte nun, daß Jochen Märzbachs Transfer zu bewerkstelligen war. Und dann würde auch sie heimkehren. Sie freute sich darauf.


## IM STRANDLAGER DER KOSMONAUTEN

Die Arbeitsgeräusche einer Hydra wurden vom Seewind herübergeweht. Sie plätscherte und planschte wie eine Riesenfontäne. Eine gesteuerte Windhose sog Sandmassen aus dem flachen Seegrund, nur einige hundert Meter von der Uferlinie entfernt, und warf sie in hohem Bogen in die Dünen. Die Stürme der Klimakataklysmen hatten vor siebzig, fünfzig und dreißig Jahren diesen Teil des Strandes, so wie an vielen anderen Küsten auch, stark zerstört. Nach und nach gelang es, diese Schäden zu beseitigen und die üblichen Küstenschutzmaßnahmen durchzuführen. Das Aufschütten neuer Dünen wie hier in diesem Strandabschnitt gehörte mit zu solchen Maßnahmen.

„Es hat psychologische und medizinische Gründe, wenn wir hier im Strandcamp körperliche Arbeit verrichten", sagte der Raumfahrer, der mit Asko auf dem Holm eines Schmelzers saß. Er war einer der älteren Männer, die noch dabeigewesen waren, als die Raumflotte mit viel Aufwand zwischen Erde und Sonne den schattenwerfenden Staubschild gelegt hatte, um die Energieausbrüche der Sonne zu mildern. „Wir brauchen einfach auch mal Sand und Erde zwischen unseren Fingern, damit wir uns daran erinnern, wenn wir erst wieder draußen sind und uns fragen, ob es überhaupt eine Erde gibt. Finger erinnern sich manchmal noch besser als der Kopf an dieses Gefühl; und das gibt uns Halt, falls die Raumangst an uns zu nagen beginnt."

Er und die anderen Frauen und Männer, die hier nach ihrem Erdurlaub in diesem Camp zusammengefaßt waren, absolvierten damit die erste Stufe ihres Vorbereitungstrainings für den nächsten Start ins All. Asko warf einen Blick auf die anderen, die eine Arbeitspause eingelegt hatten. Der jüngste von ihnen, ein Triebwerksingenieur, lehnte an einem großen Stein, hatte die Mütze über die Augen gezogen und bot den Oberkörper dem Spiel von Wind und Sonne dar. Andere standen mit hochgekrempelten Hosenbeinen im seichten Wasser und überließen ihre Füße den Wellenzungen, die auf den Strand spülten.

„Warum melden sich immer wieder so viele Raumfahrer zur Arbeit bei der Küstenbefestigung?" fragte Asko.

Der junge Raumfahrer stand auf, legte seine Mütze auf den Stein und machte ein paar gymnastische Übungen, die mit einem Handstand und mit einem Sprung einschließlich Salto rückwärts endeten. Dann setzte er sich wieder an seinen Stein und nahm die alte Haltung zur Sonne ein.

„Das will ich dir sagen, mein Junge", gab ihm eine der Kosmonautinnen Auskunft, die fünf Schritt entfernt an einem Schweber lehnte, an dem schon überall die Farbe abblätterte und an dem es kaum noch einen Quadratzentimeter gab, der nicht eine Kerbe oder eine Beule trug. „Wir kommen vom Meer nicht los, weil es von allen Dingen in der Natur hier auf der Erde durch seine Weite die meiste Ähnlichkeit mit dem All hat."

„Und weil es der größte, der wichtigste Naturreichtum ist, den wir Menschen haben", ergänzte jemand aus der Reihe derjenigen, die mit den Füßen im Wasser standen. „Das Meer hat dabei noch den Vorteil, daß es lebt und sich bewegt, während das All tot und starr ist. Man sieht es an unseren Tramps aus der Raumflotte, wie das Meer auf sie wirkt. Sie kommen in ihrem Urlaub nicht vom Meer los. Es ist einfach herrlich, an einer Küste entlangzuwandern, Tag für Tag dem Meer nahe zu sein."

Der Mann auf dem Holm bemerkte Askos Blick zu dem verbeulten Schweber und murmelte: „Ausrangiertes Material. Den haben die Kadetten so zugerichtet. Er stammt aus den Übungslagern auf Feuerland. Für uns im Baueinsatz ist das gerade das richtige. Ich persönlich habe schon immer eine Abneigung gegen funkelnagelneue Ausrüstungen gehabt. Mir ist so ein verbeulter Pott lieber."

Einer der Männer hatte im Schweber nach etwas Eßbarem gesucht. Als er nichts fand, runzelte er die Stirn, stieg aus und stellte das Rhönrad auf, das jemand vor einer Weile achtlos hatte liegenlassen. Er stemmte Arme und Beine in die Schlaufen und in die Speichen. Sie waren alle vom Leben an Bord ihrer Raumschiffe her gewohnt, in gleichbleibenden Abständen Übungen aller Art zu machen, auch wenn sie dieses Leichttraining während ihres mehrmonatigen Erdurlaubs manchmal vernachlässigt hatten.

Der junge Triebwerkstechniker schob die Mütze für einen Moment zurück und sah Asko an: „Mir soll es egal sein, ob das irgendein Märchen ist, das du uns über das Mega-Phänomen erzählt hast, oder nicht. Ich jedenfalls habe mich für die Auswanderung im Fernraumschiff nach Groß-Indigo gemeldet. Wer weiß, wieviel von diesen Mega-Eiern aus der GRUM-Zeit noch im Meer oder in den Gebirgen versteckt sind. Wenn ich bis jetzt noch gezweifelt habe, ob es richtig war, mich für immer nach Groß-Indigo zu melden, dann bin ich diesen Zweifel jetzt los. Was ist denn das für ein Höllenball, dieser Planet? Zuerst die Sklaverei, dann das Mittelalter mit seinen Scheiterhaufen, schließlich die GRUM-Zeit mit den Weltkriegen und nach kurzer Ruhepause der hundertjährige Strahlungssturm aus dem All. Und nun auch noch eine Magmafontäne bis in die Stratosphäre. Leute, haut doch alle ab von hier und laßt den ganzen Mist aus der Vergangenheit in die Luft gehen."

Die Frauen und Männer seufzten oder sahen sogar peinlich berührt zur Seite. Der Raumfahrer im Rhönrad stoppte seine Übungen. Seine Lungen arbeiteten kräftig. Trotzdem stieß er hervor: „Bist du nicht richtig bei Verstand?" Er stieg erzürnt aus den Bindungen und stand vor dem Triebwerksingenieur: „Und sag das nicht noch einmal, daß unsere Erde mit Mist bedeckt ist!" Er ging wütend weg und murmelte: „Die Erde ein Stück Mist, also nein, daß es unter uns Raumfahrern solche grünen Burschen gibt."

Der junge Kosmonaut sah ihm erstaunt nach. Man konnte beobachten, wie ihm langsam die Röte der Verlegenheit vom Nacken ins Gesicht hochstieg. „So habe ich das doch auch gar nicht gemeint", stotterte er und sah hilfesuchend nach den anderen.

„Nun, dann überlege dir nächstens besser, was du sagst", verlangte die Kosmonautin, die am Schweber lehnte. Der Seewind ließ ihr langes Haar flattern, so daß der schöne Nacken mit den schlanken Linien des Halses gut sichtbar wurde.

„Nehmt es ihm nicht übel. Er ist nicht weiter als bis zum Mond auf seinen ersten Fahrten gekommen. Deshalb weiß er nicht, was er da gesagt hat", verteidigte ihn jemand aus der Reihe der Männer, die ein Fußbad nahmen.

Der ältere Raumfahrer auf dem Maschinenholm neben Asko, ein Funker aus der Gürtelflotte, legte seine Hand auf Askos Schulter. „Schlafloser", sagte er, „unsere Pause ist längst vorbei, aber die Sache, von der du uns erzählt hast, ist ernst. Es ist wichtig, daß wir zusammen darüber nachdenken. Du siehst also, daß wir das nicht leichtnehmen. Aber meine Meinung ist so: Ich kann es mir nicht denken, daß die verantwortlichen Männer und Frauen in den Forschungsräten und in den Exekutiven der Weltregierung nichts davon wissen oder es nicht zur Kenntnis nehmen wollen. Sie haben ganz bestimmt ihre Vorbereitungen dagegen getroffen. Wenn dir davon nichts bekannt ist, bedeutet das nicht, daß nichts geschieht. Die Zeitreise wird nicht die einzige Maßnahme sein, die man gegen das Mega-Feuer getroffen hat."

„Da sollte man nicht so sicher sein", sagte ein Lastraketenpilot. „Du weißt selbst nur zu gut von unseren Flügen zum Gürtel, wie oft die erfahrenen Herren aus dem Stab der Raumflotte einfach einen Faktor übersehen haben und wir dann in der Patsche saßen. Niemand konnte uns helfen, nur wir selbst. Die im Stab oder in der Regierung sind keine Hellseher, sie sind nicht allwissend. Wenn er", und dabei deutete er auf Asko, „gewisse Befürchtungen hat oder selbst einen bestimmten Weg sieht, dem Problem entgegenzutreten, dann sollte er das tun und auch unseren Rat, unsere Unterstützung und alles, was sonst noch nötig ist, erhalten."

Ein Schwertransporter kam den Strand laut summend entlanggeschwebt. Er unterquerte den Schwemmsandbogen der Hydra und hielt zwanzig Schritt von ihnen entfernt an. Die Ladung bestand aus Sprühmitteln zur Befestigung der Dünen und aus Netzen voll Strandgrasbüschel zum Verpflanzen durch die Setzmaschine. Zuunterst schienen Armierungen zu liegen. Der Fahrer klopfte an eine Kanne und hielt sie hoch. Er rief: „Zäsynienlitronade! Wer hat Durst?"

„Schick mal deinen Blechmann hin", sagte der Gürtelkosmonaut zu Asko. „Er soll die Kanne holen. Und dann laß ihn hinter die Dünen verschwinden. Ich kann keine Roboter mehr sehen, ich halte sie mir immer drei Schritt vom Leibe."

Asko gab seinem Roboter einen Befehl. Ferri schleppte die Kanne herbei und blieb drei Schritt vom Gürtelkosmonaut entfernt stehen.

„Na los, komm schon, Blechmann! Gieß jedem ein, der dir seinen Becher hinhält", sagte er und hob selbst sein Trinkgefäß.

Auch Ferri streckte seinen Arm aus und neigte die Kanne gießbereit etwas nach vorn. Aber er trat dabei keinen Zentimeter näher.

„Doch nicht in den Sand schütten, du Hohlkopf. Hier hinein, in den Becher."

„Herr, ich kann nicht, ich muß dir drei Schritt vom Leib bleiben."

Der Gürtelkosmonaut seufzte und blickte in komischer Verzweiflung zum Himmel. „Da sieht man mal wieder, was für Scherereien wir Menschen mit diesen blöden öligen Kerlen haben."

Asko nahm Ferri die Kanne ab, schickte ihn in die Dünen außer Sichtweite und machte selbst die Runde mit dem Getränk.

Der Fahrer des Schwertransporters, eigentlich ein Satellitentechniker aus einer Raumstation auf Erdumlauf, setzte sich in den Schatten des Fahrzeuges und richtete seinen Blick auf den südlichen Himmel.

„Setz dich zu uns! Oder willst du nichts mit uns zu tun haben?" fragte die Kosmonautin mit dem langen Haar.

„Ich muß immer die Sonne im Rücken haben, damit ich den blauesten Teil des Himmels besser sehen kann", sagte der Mann. „Herrjeh, dieses satte Blau ist hinreißend. Wie wunderbar wäre es doch, wenn der Kosmos nicht schwarz, sondern so schön blau aussähe", schwärmte er.

„Dann würdest du dich bei deinem Erdurlaub tagsüber verstecken und nur nachts spazierengehen, damit du dich endlich mal wieder an einem schönen satten Schwarz begeistern kannst", sagte jemand. Alle lachten bei dieser Vorstellung.

Asko nahm wieder auf dem Maschinenholm des Schmelzers

Platz. Der Schmelzer brannte Sand zu Dornen zusammen und stieß sie in den Strand. Das gab dem Sand gegen Wind und Wellenschlag mehr Festigkeit. Er sah auf die See hinaus, wo die Männer an einer strudelbildenden Stelle eine künstliche Klippe mit nahezu phantastischer Silhouette hingebaut hatten. Das war nicht einfach eine Klippe aus Beton und Granit, sondern ein Kunstwerk, bizarr wie ein Asteroid.

Eine zweite Kosmonautin, die auf einem Drahtballen saß, schwieg und ließ fortwährend einen dünnen Faden Sand aus ihrer geschlossenen Hand rieseln. Auf einer Seite lag ein Bündel Strandgraspflanzen, auf der anderen Seite der Drahtrolle die Jacke ihrer Raumfahreruniform. Auf dem Ärmel war ein Emblem mit der Aufschrift befestigt: „Aus Raumnot errettet". Sie warf die letzte Handvoll Sand weg, ergriff das Bündel Strandgras und stand auf, um ihre Arbeit fortzusetzen und zur Pflanzmaschine zu gehen. Dabei sagte sie:

„Ein Stückchen weiter landeinwärts, ungefähr hundertfünfzig Kilometer von hier entfernt, baut man einen Energiewerfer von großer Leistung, der mit Stützstrahlen ähnlich wie die Hydra arbeitet. Und drüben in Südamerika im Amazonasgebiet und am Rio Araguala soll es ebensolche Projekte geben, habe ich gehört. Sie sind fast fertiggestellt. Bestimmt haben sie etwas mit den Maßnahmen zu tun, die für den eventuellen Ausbruch dieses GRUM-Feuers vorbereitet worden sind."

So nach und nach hatte sich die Reihe der Barfüßler am Wassersaum aufgelöst. „Na also", sagte einer von ihnen. „Worüber reden wir eigentlich noch. Es ist alles im richtigen Gleis."

Ein anderer blickte der Raumfahrerin, die das Emblem auf dem Ärmel hatte, nach und sagte leise: „Für sie ist die psychologische Seite der Arbeit hier im Camp besonders wichtig. Sie kann von Glück sagen, daß man sie noch aus der Venusatmosphäre herausholen konnte, ehe das Leck in der Driftblase ihrer Schwebestation noch größer wurde. Wer tiefer sinkt oder gar den Venusboden erreicht, dem nützt bei dem Druck und der Hitze dort auch keine Sauerstoffflasche mehr. Ich glaube nicht, daß sie jemals wieder raumtauglich werden wird. Habt ihr gesehen, wie sie andauernd den Sand durch die Finger rieseln läßt?"

Wahrscheinlich hatte der Wind die leisen Worte zu der Kosmonautin getragen, oder sie besaß ein besonders gutes Gehör. Jedenfalls blieb sie stehen und drehte sich um. Nachsichtig blickte sie den Mann an, hob stumm die Schulter, als lohne es nicht, ihm zu antworten, sagte dann aber doch: „Selbstverständlich werde ich wieder ein Raumschiff besteigen. Meine nächste Aufgabe steht sogar schon fest. Ich habe mich wieder für die Besatzung einer Driftblase in der Venusatmosphäre gemeldet. Meine Erfahrung wird gebraucht. Wir müssen mit der Aufgabe, die Venusatmosphäre erträglich zu machen, schneller vorankommen." Dann ging sie weiter.

Sie sahen ihr alle staunend nach, bis ihre Gestalt nur noch ganz klein allein am Strand auf die ferne Pflanzmaschine zuwanderte. Der Schwertransporter ruckte summend an, stieg zur Schwebelage in Kniehöhe auf und schwenkte herum, um ihr nachzufahren und ihr die Ballen Pflanzgut zu bringen, die sie für die Pflanzmaschine brauchte.

„So ein unerschütterliches Vertrauen in die eigene Kraft wie sie hätte ich auch gern", sagte Asko schließlich. Er war sowieso schon davon beeindruckt, daß die Raumfahrer um ihn herum so stark und überlegen seinen Bericht von der Gefahr im Atlantik, über die er zum erstenmal offen gesprochen hatte, angehört hatten und nicht ähnlich ihm zu Schlaflosen geworden waren.

„Es rührt von ihren Erfahrungen her", stellte die Kosmonautin mit dem langen Haar fest. „Sie hat ein paar kritische Stunden gut überstanden. Sie ist nicht im Stich gelassen worden, und sie ist sogar wieder auf der Erde. Sie hat keinen Grund, irgend etwas zu fürchten, noch nicht einmal ein Mega-Feuer aus der GRUM-Zeit, Schlafloser. Sie hat einfach die Stärke der Menschheit selbst gut kennengelernt."

„Also, paß mal auf!" sagte der Gürtelkosmonaut. „Wir können dir bei deinem Projekt mit dem großen Maulwurf, mit dieser geologischen Rakete, nicht viel helfen. In vier oder fünf Monaten sind wir wieder draußen im Kosmos. Aber du solltest dich an einige Altraumfahrer wenden, die nicht mehr im Dienst sind. Sie wissen noch vom Hundertjährigen her, wie man um die Erde kämpfen muß. Auf sie kann man sich verlassen. Wenn du überhaupt Unterstützung für deinen

Plan bekommst, dann von ihnen." Er nannte ein paar Namen und Anschriften solcher Raumfahrer. Asko prägte sie sich ein und dankte. Die Kosmonauten standen auf und gingen wieder an ihre Arbeit. Nur der junge Triebwerksingenieur blieb sitzen, an seinen Stein gelehnt. Sobald alle anderen außer Hörweite waren, stand auch er auf und trat zu Asko.

„Ich habe noch zwei Jahre Zeit, ehe mein Fernraumer auf die Fahrt nach Groß-Indigo geht", sagte er. „Falls du tatsächlich im nächsten Jahr schon ein solches Unternehmen mit einem Maulwurf zur dünnsten Stelle der Erdkruste machen solltest, würde ich gern mit dabeisein." Wahrscheinlich wollte er mit diesem Angebot seinen Standpunkt von vorhin revidieren. „Mir graut zwar, wenn ich daran denke, daß man in so einer Tiefenrakete ungeheure Felsmassen über seinem Schädel hat und es dort unten in der Erdrinde hundertmal dunkler als im Kosmos sein wird, aber ich möchte nicht in Groß-Indigo ankommen und sagen müssen: Leute! Unser Heimatplanet Erde ist nur noch eine Legende. Wir haben gesehen, wie er aufplatzte und zersprang, als wir gerade die Marsbahn überquerten. Ein Mega-Feuer aus der GRUM-Zeit hat ihn zerrissen."

Asko nickte ihm zu. „In Ordnung", sagte er. „In drei oder vier Wochen rufe ich alle die zu einer Beratung zusammen, die ich für ein solches Unternehmen gefunden habe. Du erhältst rechtzeitig von mir Bescheid."


## TRANSFER IM KUGELBLITZ

Der Herbst schien Einzug gehalten zu haben. Das war an dem Nebel zu erkennen, der von einem Tag auf den anderen vor der Küste entstand, und an den ersten welken Blättern, die aus den Wäldern des Festlandes vom Wind herbeigetragen worden waren, um nun noch wie Goldflecken eine Weile auf dem Wasser zu treiben, bis sie braun und unansehlich wurden.

Das Konstruktionsbüro einer Werft hatte inzwischen ein Funktionsmuster der Seespinne mit den Messerköpfen fer-

215

tiggestellt. Es kam mit einer Schute an und wurde sofort ausgeladen. Honzek setzte es zusammen und begann mit den Probeläufen.

Ein paar Tage später gingen Honzek und Jochen in eines der Tiefdecks hinab. Dort, im größten Bassin, das sonst der Algenzucht diente, stand der neue Mäher. Hier sollte die stationäre Erprobung stattfinden.

„Das ist mein neues Aggregat", sagte Honzek stolz.

Jochen trat an den Beckenrand. Er sah im Wasser eine Art Hydrokopter. Die acht Spinnenbeine kreisten im Leerlauf. Die Spinne mit den Messerköpfen lag gewissermaßen auf dem Rücken. Die Maschine sah wie ein Fabelwesen aus. Honzek erhöhte die Stromzufuhr etwas. Die Beine mit den Messerköpfen arbeiteten schneller. Das Wasser im Becken wallte und schäumte. Ein Strudel entstand.

„Der Auftrieb durch das Seil des ziehenden Motorbootes muß im Gleichgewicht mit dem Abtrieb sein, den die Messersegmente bei ihrer Arbeit erzeugen", erklärte Honzek in seiner Ingenieursprache. „Die Zugspannung im Schleppseil beeinflußt eine Automatik im Hals des Aggregates, die Auf- und Abtrieb ausbalanciert. Je schneller das Motorboot fährt, desto schneller rotieren die Mähflügel."

„Kann die Maschine bald eingesetzt werden?" fragte Jochen.

„Eigentlich nicht. Das Aggregat neigt noch dazu, vornüberzukippen und sich in den Grund zu bohren. Aber ich werde in den nächsten Tagen diesen Fehler beheben und mit der praktischen Erprobung draußen im Meer anfangen können."

Jochen war mit dieser Antwort nicht zufrieden. Er ging in die Dispatcherzentrale und traf Stanislaw, der stirnrunzelnd an seinem Kontrollpult für die Fernbedienung von Algenmähern hantierte. Die eine Seite seiner gekoppelten Mäherkette stieg höher und höher, so daß der ganze Verband schließlich schräg im Wasser lag. Stanislaw gab Fernimpulse an die Trimmgeräte. Langsam nahm die Kette wieder ihre normale Lage ein und arbeitete sich waagerecht über den Meeresboden durch das Algenfeld.

Stanislaw schaltete die Fernsteuerung auf Automatik, verließ das Steuerpult und trat an das breite Fenster zu Jochen. Der

dunkle Strich der Küste und die beiden Höcker der Kamelberge waren deutlich auf dem grauen Hintergrund des wol-
kenverhangenen Himmels zu erkennen. Motorboote schoberten treibende Algen über der Stelle zusammen, an der die
Mäher arbeiteten. Jochen sprach mit Stanislaw über die erste
Probeaussetzung und die Vermehrung der Algen mit dem
großen Fußsack, die Juljanka kürzlich entdeckt hatte.
Ein Läutezeichen unterbrach die Erörterung. Schon wieder
war die Kette der Mäher aus ihrer waagerechten Lage geraten. Es hatte keinen Zweck weiterzuarbeiten. Die Trimmgeräte schienen defekt zu sein. Kein Wunder, denn die Mäher
waren schon mehrere Monate im Einsatz. Es wäre an der
Zeit, sie in der Werkstatt durchsehen zu lassen. Stanislaw löste daher den Steuerimpuls zum Auftauchen aus. Motorboote erhielten Anweisung, die Mäher zur Farm zurückzu-
schleppen und einzuschleusen.
„Was ist denn nun schon wieder kaputt?" fragte Jochen ärgerlich.
„Die Trimmung hat Störungen. Hast du das nicht auch eben
auf der Ortung des Pultes ablesen können?"
Sie gerieten beide in eine gereizte Stimmung.
„Nur die Trimmung? Weiter nichts?"
„Ich handele sozusagen prophylaktisch, wenn wir die Mäher
in die Werkstatt nehmen", begründete Stanislaw seine Maßnahme.
„Prophylaktisch, prophylaktisch!" äffte Jochen ihn nach. „Es
wäre für uns prophylaktisch, wenn wir ohne Pause ernten
könnten, bevor die Herbststürme kommen."
„Rege dich nicht auf! Die Maschinen müssen durchgesehen
werden. Die Trimmung ..."
„Ach, Trimmung. Quatsch! Rede doch nicht soviel", unterbrach Jochen Stanislaws Erklärung. „Du hast nur noch immer kein Geschick für die Fernsteuerung einer gekoppelten
Mäherkette. Nimm dir Juljanka zum Vorbild. Sie hat dafür
mehr Fingerspitzengefühl als du. Wenn eine Maschine mal
etwas schwankt, denkt sie nicht gleich an einen Defekt, der
repariert werden muß. Immer diese Ausfälle wegen irgend-
welcher Kleinigkeiten. Das habe ich jetzt satt, das können
wir uns nicht mehr leisten."
Jochen wandte sich an Juljanka, die an einem Nachbarpult

hantierte. „Was meinst du dazu?" fragte er sie.

„Stanislaw hat recht. Du kannst nicht so beurteilen wie wir, wann unsere Maschinen geprüft werden müssen", sagte sie. „Die Maschinen haben deiner Ansicht nach ununterbrochen das äußerste zu leisten. Das ist aber nicht richtig. Maschinen müssen auch gepflegt werden. Fahr jetzt mal selbst hinaus auf See und überzeuge dich, wie schlecht die Mäher auf die Fernsteuerung ihrer Trimmung reagieren", schlug sie vor. „Die müssen tatsächlich wieder einmal für die Koppelsteuerung justiert werden."

„Wenn Maschinen zuwenig leisten, ist es immer Schuld des Menschen, der sie bedient und nicht richtig einzusetzen versteht", sagte Jochen. „Na ja, wie es auch sei, ich werde rausfahren. Am besten, ich nehme Honzek mit, damit der seinen neuen Mäher gleich mal praktisch ausprobieren kann. Wenn das neue Aggregat soviel leistet, wie er das angekündigt hat, dann könnt ihr mir mit der Koppelsteuerung den Buckel runterrutschen", sagte Jochen erbost.

Kaum hatte Jochen den Raum verlassen, als Juljanka heimlich noch einmal die Zeitkoordinaten für den Transfer verglich. Sie lauteten: Von 199322101135 nach 228715081135. Das hieß: Wechsel der Zeitebene von neunzehnhundertdreiundneunzig, zweiundzwanzigster Oktober, elf Uhr fünfunddreißig nach zweitausendzweihundertsiebenundachtzig, fünfzehnter August, elf Uhr fünfunddreißig. Juljanka nickte zufrieden. In einer Stunde war es soweit. Bis dahin mußte Jochen auf See sein, denn dann erschien, wie die Zentrale in Kib-E-Ombo angekündigt hatte, ein Kugelblitz. Die Trimmung der Mäher war eigentlich in Ordnung. Juljanka hatte den Defekt nur vorgetäuscht. Wie vorausgesehen, reagierte Jochen zornig und setzte seine Hoffnungen auf Honzeks neues Aggregat.

Seitdem Juljanka Jochens Traum kannte, wußte sie, daß das auch eine Botschaft He Rares an sie gewesen sein könnte. Welche technische Funktion der Kugelblitz im Prozeß des Transfers auszuüben hatte, das vermochte sie nicht zu sagen. Vermutlich war das nur die äußere Erscheinungsform der Zeitkapsel, die die Eridaner zur Tarnung gewählt hatten und die innen mit der erforderlichen Technik ausgerüstet war. Honzek war von dem Vorschlag, sofort eine Testfahrt mit der

Seespinne zu machen, nicht begeistert, aber als er Jochen kommen sah, ahnte er schon so etwas. Er hielt es für zweckmäßig, erst noch ein paar Probeläufe im Becken zu machen.

„Warum erst noch Probeläufe? Wenn du so überzeugt bist von der Qualität deiner Konstruktion, dann bringe den neuen Mäher gleich zum Einsatz. Jetzt fehlen mir die Maschinen zur Algenernte, jetzt hätte es einen Sinn, das Ding in die Lücke zu stellen, die Stanislaw durch den Abzug von Mähern verursacht hat", argumentierte Jochen laut.

Honzek drehte eine Weile seine Pfeife unschlüssig in den Händen hin und her. Das wollte gut überlegt sein. Warte, du Rauhbein, dachte er schließlich und warf Jochen einen prüfenden Seitenblick zu. Dir werde ich es beweisen, was eine gut konstruierte Maschine auf Anhieb wert ist.

„Also gut, ich bin einverstanden", stimmte Honzek zu. „Ich laß das Aggregat mit der Laufkatze zur Schleuse bringen, und du kommst mit mir mit und siehst dir die Arbeit der Seespinne in der Praxis an. Du wirst dich wundern, wie schnell deine paar Tangfelder abrasiert sein werden."

Besondere Vorbereitungen waren nicht zu treffen. Für den Schleppversuch stand ein zugkräftiges Motorboot zur Verfügung. Das Ungetüm von Mäher wurde mit eingeklappten Armen zur Schleuse transportiert und zum Erprobungsfeld gebracht. Dann setzte man ihn auf Grund und hängte ihn an das Zugseil. Honzek stieg in einen U-Scooter um und tauchte, um das Aggregat genau beobachten zu können. Jochen übernahm allein die Steuerung des Motorbootes.

Sie hatten sich für den Versuch eine Flachwasserstelle ausgesucht. Hier drang genug Tageslicht bis zum Grund in vier Meter Tiefe herab, um genaue Beobachtungen anstellen zu können. Honzek gab Anweisung, langsam Fahrt aufzunehmen. Das schäumende Kielwasser des Zugbootes strömte über den Scooter hinweg. Honzek sah, wie die langen Beine der Seespinne ihre Arbeit aufnahmen beziehungsweise wie sich die Schnittruten elastisch unter dem Widerstand des Wassers bogen. Eine Zeitlang fuhr das Aggregat über unbewachsenen Grund. Honzek wagte es nicht, sofort ein Tangfeld ansteuern zu lassen und auf volle Schnittbelastung zu gehen. Immer wieder gab Honzek korrigierende Anweisungen an Jochen durch und registrierte sorgfältig jede Reaktion des neuen Mähers auf die Steuermanöver des Zugbootes. Das Aggregat blieb lagestabil, was im Gegensatz zu den Schwimmähern einfach durch seinen ständigen Bodenkontakt bewirkt wurde. Schon nach wenigen Wendungen wagte es Honzek, Kurs auf ein Tangfeld nehmen zu lassen.

Zuerst zog nur spärlicher Algenbewuchs vorüber. Dann wurde der Bestand der Pflanzen dichter. Gespannt beobachtete Honzek das Verhalten der Maschine unter der anwachsenden Schnittbelastung. Sie bewältigte sie spielend. Plötzlich verringerte der Mäher rapide seine Fahrt und stoppte abrupt. Das Schleppseil sank in Schleifen zu Boden, und die Spinne stellte ihr Arbeit ein. Das Schleppseil war gerissen. Gleichzeitig war auch die Sprechverbindung zu Jochen unterbrochen. Honzeks Anfragen an ihn blieben unbeantwortet.

Honzek ließ den Scooter auftauchen. Ein fernes unaufhörliches Brummen drang an sein Ohr. Die Baßsirene der Farm blies Alarm. Jochens Zugboot trieb ein Stück entfernt auf den Wellen und brannte. Jedenfalls verriet der dicke Qualm, der aus der Kajüte quoll, daß etwas Schreckliches passiert sein mußte. Das Motorboot sah aus, als sei es schon ein ausgeglühtes Wrack. So rußgeschwärzt bot es sich den Blicken Honzeks dar. Er starrte ungläubig auf dieses Bild. Für einen Brand hatte es bis zuletzt keine Anzeichen gegeben, denn Jochen hatte vor nur einer halben Minute noch mit ruhiger Stimme Anweisungen wiederholt. Lediglich eine Explosion konnte bei diesem Unglück im Spiel gewesen sein, doch auch die wäre nicht erklärbar.

Von der Farm her schwärmten drei Hubschrauber im Tiefflug herbei. Löschbomben zerplatzten und verstreuten Wolken von Kohlensäureschnee. Der Qualm erstickte. Mit hoher Fahrt preschte ein kleiner Rettungskreuzer unter den Gischtschleiern seiner Bugwelle heran und legte bei dem Wrack an. Matrosen sprangen über.

Auch in Honzek kam Bewegung. Er brachte den Scooter auf Rufweite. Die Matrosen kamen hustend wieder aus der Kajüte des Zugbootes zum Vorschein, nahmen die Rauchmasken ab und hoben resigniert die Arme: „Nichts mehr zu machen. Innen ist alles zerstört. Und von ihm ist keine Spur

mehr zu finden!" riefen sie. „Er muß über Bord gegangen sein. Wir müssen tauchen."

Vom Rettungskreuzer und auch von anderen Motorbooten, die inzwischen am Unfallort eingetroffen waren, sprangen Froschmänner ins Wasser. Honzek kletterte zum Rettungskreuzer empor. Die Knie gaben ihm nach, und er setzte sich auf eine Bank. „Wie ist denn das alles so plötzlich passiert?" murmelte er fassungslos.

Ein Maat hob ungewiß die Schultern. „Das muß ein Naturphänomen gewesen sein. Wir haben nur eine feurige Kugel rasch über die See herangleiten und auf das Zugboot prallen sehen. Das muß ein Kugelblitz gewesen sein. Bei diesem Wetter ist ein Kugelblitz eigentlich eine Unmöglichkeit, würde ich sagen. Weit und breit kein Gewitter und kein Regen. Aber ich habe den Kugelblitz mit eigenen Augen gesehen und ahnte, daß was passieren würde. Noch ehe er sich über das Zugboot stülpte, warf ich den Motor an. Wir sind auf unserem Rettungskreuzer natürlich immer einsatzbereit. Als ich uns von der Bordwand der Farm abgebracht hatte – ein paar Augenblicke hatte ich deshalb nicht auf See hinaussehen können –, war alles schon vorbei. Der Kugelblitz stieg wie eine Rakete senkrecht in die Höhe, und eine Qualmwolke pufftte hoch. Ob dann der Kugelblitz zerplatzt oder als Lichtpunkt zwischen den Wolken verschwunden ist, das kann ich nicht mehr so genau beschwören."


## AUF DEM FLOSS DER DELPHS

Der helle Steg aus Tropoplast reichte hundert Meter in die See hinaus. Asko hockte auf dessen äußerster Spitze unter einem Sonnenschirm. Von dort aus sah er zu, wie die Fischer an Geräten und an ihren Elektrobooten hantierten. Von der Hitze flimmerte trotz der frühen Vormittagsstunde bereits die Luft über dem Strand. Asko setzte sich die Sonnenbrille auf. Er betrachtete die Bakengruppen und Bojenketten, deren Bedeutung ihm noch fremd war. Sie erstreckten sich über die ganze Bucht. Zwischen ihnen zogen einzelne Schwärme der Delphs hin und her.

„Was uns die Delphs voraus haben, das ist die heitere Gelassenheit, mit der sie ihr Dasein ausfüllen", hatte ihm Kaik Hans vorhin in einer Unterhaltung erklärt. „Sie sind uns Menschen mit ihrer spielerischen Art immer noch ein Rätsel, obwohl man auf ihren Hirnquotienten bereits in der GRUM-Zeit aufmerksam geworden war."

„Wie verschieden doch die Geheimnisse sind, die das Meer für uns bereithält", sagte Asko laut. Er hatte das Rätsel um die Herkunft der Delphs mit dem Rätsel des atlantischen Epizentrums verglichen.

Kaik Hans beachtete den Einwurf nicht. „Die Delphs zeigen bis auf den Nahrungsbedarf keinerlei Ansprüche in der Art, wie sie der Mensch entwickelt hat", setzte er seine Betrachtung fort. „Wichtig ist ihnen die Zusammengehörigkeit, das Umherschweifen und das Spielen. Was sie brauchen, das gibt ihnen das Meer. Sie durchwandern es kreuz und quer, ohne in seine Tiefen einzudringen. Wenn man es von unserem Standpunkt aus betrachtet, dann leben sie in makrogenen Wandergemeinschaften. Seit langem streiten wir Menschen uns, ob wir in ihnen vernunftbegabte intelligente Wesen erblicken sollen oder ob sie nur gelehrige Meeresbewohner sind. Was ihnen trotz ihres erstaunlichen Gehirnvolumens nach unseren menschlichen Maßstäben fehlt, ist das, was wir Kultur und Schöpferdrang nennen.

Immerhin haben sie eine Sprache, genauer: mehrere Signalsysteme. Wir kennen nur zwei von ihnen. Einen dritten Signalbereich verschließen sie uns ganz deutlich. Damit bleibt uns auch ein wichtiger Teil ihrer Hirntätigkeit verschlossen oder zumindest unverständlich.

Wenigstens arbeiten wir in mehreren Bereichen zusammen. Zum Beispiel haben sie an vielen Küsten die Haifischwachen für die badenden Menschen übernommen. Wie sie das scheinbar ohne Kommunikationsmittel und ohne Leitungsinstanzen organisieren, haben wir noch nicht erfahren. Dafür nehmen sie von uns dann und wann medizinische Betreuung in Anspruch. Sonst aber sind sie alle kerngesund. Sie meiden uns nicht, aber sie streben auch keine engeren Kontakte an. Sie akzeptieren uns wie freundliche Nachbarn. Aber zuweilen habe ich das Empfinden, daß sie uns oder unsere Probleme nicht übermäßig ernst nehmen.

Ab und zu richtet ein Mitglied des Forschungsrates Fragen an sie. Man kann ihre Reaktion darauf durchaus als Antwort bezeichnen. Meist sind die Wissenschaftler mit diesen Antworten auch zufrieden. Übrigens, in letzter Zeit häufen sich die Hinweise der Delphs auf eine sogenannte Zeit des heißen Lichts in der Tiefe, die angeblich bevorsteht. Bereits seit einigen Wochen meiden sie einen bestimmten Bezirk im Südatlantik, ungefähr beim Mendele-Tief." Kaik Hans stutzte und sah Asko scharf an. „Sollte vielleicht an deinem Geheimnis, das du erfahren hast, doch etwas von Bedeutung sein?" sagte er staunend,

Kaik Hans wurde gerufen und half erst einmal seinem Zwillingsbruder, auf einem Boot eine Arbeit zu verrichten. Asko dachte über das heiße Licht in der Tiefe nach. Diese Voraussage war verblüffend. Wenn man die Ortsangabe, also das Mendele-Tief, berücksichtigte, konnte das heiße Licht nur etwas mit dem Mega-Feuer aus der GRUM-Zeit zu tun haben.

Asko kletterte auf ein Floß, hakte es von der Seebrücke ab und ließ es treiben. Er saß am Rand und hielt die Füße ins Wasser. Beunruhigt dachte er über die Ankündigung der Delphs nach. Einige Delphs näherten sich, umspielten das Floß und tauchten unter ihm durch, beäugten Asko und planschten intensiv. Dann schnappten sie herabhängende Leinen und zogen das Floß aus der Bucht. Eine weitere Gruppe Delphs schloß sich dem Zug an. Ganze Serien von Pfiffen ertönten und auch schnatternde Laute. Asko blieb nichts anderes übrig, als ihrer Aufforderung nachzukommen, denn soviel verstand er schon von der Sprache der Delphs.

Das Floß war ein Spielfloß. An ihm und auf ihm waren verschiedene Vorrichtungen befestigt, die die Fischer erdacht hatten, um mit den Delphs zu spielen. Es gab am Strand und an der Seebrücke ungefähr zwanzig solcher Spielflöße. Jedes war anders ausgerüstet. Die Delphs unterschieden sie sehr gut und wußten mit allen Vorrichtungen umzugehen. Bei diesem Floß, das nur einfach und konventionell ausgerüstet war, sprangen sie über Stangenausleger, hechteten durch einen überstehenden Ring, schwangen sich sogar über das Floß im Gruppensprung hinweg und schnappten nach dem kurzen Stück Seil einer Glocke. Andere stupsten mit der

Nase auf Kontaktknöpfe an der Unterseite des Floßes, was Licht- und Tonsignale auslöste. An einer Leine schleppte das Floß eine Boje mit einem Korbballnetz nach. Einige Delphs forderten Asko einen Ball ab, um ihn immer wieder dort hineinzustoßen.

Plötzlich ließen sie alle wieder vom Floß ab und machten nur noch ein paar Gruppensprünge. Eigentlich waren sie es gewohnt, daß der Mensch auf dem Floß zu ihnen in das Wasser sprang und mit ihnen schwamm. Da Asko das nicht tat und nur vom trockenen Standort aus an den Geräten hantierte, ließ ihr Interesse schnell nach. Sie entfernten sich. Wenn sie ihn zum Steg zurückbringen sollten, mußte er ein bestimmtes Signal geben. Dann würden sie wiederkommen und die Schlaufen der Schleppleinen überstreifen, um ihn zu ziehen.

Asko war es willkommen, allein gelassen zu werden. Er konnte dann wenigstens in aller Ruhe über seine Pläne nachdenken. Seine Idee, mit einer geologischen Tiefenkapsel, einer Art Riesenmaulwurf, bis in die Nähe der GRUM-Waffe vorzudringen und sie vielleicht sogar unschädlich zu machen, hatte geteilte Meinungen hervorgerufen. Einige der Altraumfahrer, die er aufgesucht hatte nach seiner Beratung im Strandcamp der Kosmonauten, waren bereit, ihm zu helfen.

War noch genug Zeit, solche Pläne zu verwirklichen, wenn die Delphs schon für bald eine heiße Helle in der Tiefe ankündigten? Asko bezweifelte es fast schon.

Asko sah zum Land zurück. Nahe dem Strand ritten die Kinder der Fischer auf den Delphs. Die flimmernde heiße Luft hatte die Kinder Zuflucht im Wasser suchen lassen.

Auch über dem Floß flirrte die Luft. Unvermittelt entstand ein Bild. Asko kehrte diesem Bild den Rücken zu und bemerkte es nicht sofort. Erst als er die Empfindung hatte, gerufen worden zu sein, sah er sich um und erkannte auf dem gegenüberliegenden Floßende einen holographischen Teleport. In der Projektionssphäre erschien die Gestalt von Tri Quang. Asko erschrak. Selten benutzten die Mitglieder seiner Gruppe holographische Teleports, wenn sie über Entfernungen mit jemandem sprechen wollten. Sie zogen unmittelbare persönliche Begegnungen vor, auch wenn sie dafür ein oder zwei Stunden, ein oder zwei Tage Reisezeit in Kauf nehmen mußten.

„Du kommst, mich zu fragen, warum ich die Gruppe verlassen habe und ob ich nicht bald wiederkomme?" sagte Asko zu ihr und versuchte, sein Unbehagen zu unterdrücken. Ihm schien, als bewege sie unmerklich und traurig den Kopf.

„Nein, ach nein, Asko. Den Grund für dein Weggehen kenne ich ja. Es ist die Ruhelosigkeit angesichts dessen, was du in Kili-N-Airobi erfahren hast und was du uns nicht sagen willst. Wir wissen alle, wie sehr es dich bedrückt. Es muß schrecklich sein, was du seitdem weißt, und ich verstehe, daß du eine Weile allein sein willst."

Ihr hatte wieder einmal jenes Bild vor Augen gestanden, als sie ihn gefunden hatte und noch Tau auf seinen Lidern lag. Sie mußte ihn deshalb einfach mal wieder sehen und sprechen, wenn auch nur als Teleport.

„Mich betrübt, daß du uns nichts von diesem Geheimnis aus der GRUM-Zeit sagen willst und daß du nicht wenigstens mit mir über den Grund deiner Furcht sprechen möchtest", sagte sie. „Zwei oder drei von uns werden deshalb bald nach Kili-N-Airobi fahren, um so wie du in den historischen Aufzeichnungen nach dem Grund für deine Schlaflosigkeit zu suchen."

Jäh sank sein Kopf nach vorn, und seine Arme hingen regungslos am Körper herab. Es bedrückte Asko, daß er Tri Quang enttäuscht hatte, und es erschreckte ihn, daß sie nun selbst dem Geheimnis aus der GRUM-Zeit auf den Grund gehen wollten. „Ihr dürft es nicht erfahren", sagte er entmutigt. „Glaube mir: Auch ihr würdet keinen Schlaf mehr finden. Ich wollte euch das ersparen."

Lange betrachtete sie ihn schweigend. Schließlich seufzte sie und sagte: „Komm bald zu uns zurück! Bleibe nicht so lange weg."

Asko lauschte in sich hinein, um festzustellen, wie groß sein Verlangen war, an der Küste immer weiter zu wandern, so wie das von Metruin überliefert war. Alles, was an Gefühlen in diesem Augenblick in ihm vorhanden war, blieb unüberschaubar. Er hatte einen festen Plan, den mit der Tiefenrakete. Schon deshalb konnte er nicht so bald zur Gruppe zurückkehren. Auch war ihm das ständige unausgesprochene

Bedauern durch die anderen unerträglich. Und wenn erst noch jemand aus Kili-N-Airobi zurückkam – vielleicht Sema Sommer oder Gru Kilmag – und ebenfalls von dem Geheimnis schlaflos geworden war, würde das Makrogen zerfallen. Das wollte er nicht erleben.

„Ich bleibe bei den Fischern, vorerst", sagte er. „Ich habe einen Plan. Bald werde ich wissen, ob er zu verwirklichen ist. Davon hängt ab, wann ich zur Gruppe zurückkomme oder ob ich mich ganz von ihr löse."

Zum erstenmal, seitdem sie in Askos Gruppe lebte, fühlte Tri Quang sich unfähig, die Stimmung auszugleichen und ein klärendes oder helfendes Wort zu finden. Sie war zwar schnell der Mittelpunkt der Gruppe geworden, und jeder wandte sich vertrauensvoll an sie, aber Asko hatte sie nicht genug beistehen können. Das machte sie traurig. Mit Askos Schlaflosigkeit war nicht nur er, sondern auch sie auf eine Bewährungsprobe gestellt worden. Die bedrückende Stimmung wirkte auf alle Mitglieder ihrer kleinen Gemeinschaft; alle waren in letzter Zeit in sich gekehrt.

„Ich habe deinen Ring mit dem Schlüsselkode für das Moho-Pult auf meiner Schwelle gefunden. Ich vertrete dich. Deine Arbeit ist nicht leicht für mich", sagte Tri Quang in der Projektionssphäre des holographischen Teleports. „Du solltest nicht zu lange fortbleiben." Als Asko darauf nichts erwiderte, aber immerhin doch ein mattes Lächeln zeigte, fügte Tri Quang hinzu: „Unsere Gruppe hat einen eiligen Auftrag für eine symbiotische Inspiriose erhalten. Du weißt, daß bisher noch nicht viel Gelegenheit bestand, das Wissen auf diesem Gebiet praktisch anzuwenden. Ein fehlender Mann in unserer Gruppe kann den Auftrag sehr erschweren. Könntest du, schon der Erfüllung dieses Auftrages wegen, zu uns zurückkommen, wenigstens für ein paar Tage?" bat sie.

Asko hob müde die Hände.

„Zwinge mich nicht dazu", sagte er unglücklich. „Ich kann mich unmöglich so stark konzentrieren, wie das für eine symbiotische Inspiriose notwendig ist. Durch mich würde jeder Versuch einer Inspiriose mißlingen. Außerdem habe ich wirklich andere Pläne", sagte er noch einmal. „Sie sind schwierig genug. Ich will nicht mehr untätig warten, bis eine

Magma-Fontäne an den Himmel spritzt."

Unwillkürlich ging ein Ruck durch ihn. Er erschrak. Jetzt hatte er versehentlich doch zu deutlich ausgedrückt, was nur wenigen Wissenschaftlern bekannt war und was vor der Öffentlichkeit geheimgehalten wurde. Glücklicherweise hielt sie seine Bemerkung über das Magma am Himmel wohl für eine überspitzte Umschreibung seiner Ängste. Sie registrierte nur, daß wieder neue Initiativen in ihm erwachten, und das allein schon machte sie froher.

Tri Quang wiegte den Kopf hin und her. „Ich verzichte bei der Inspiriose ungern auf dich. Aber ich sehe ein, daß dein Einwand berechtigt ist. Schade, ich wollte dir helfen, über eine solche Aufgabe wieder zu uns zurückzufinden. Doch wenn du vorerst bei den Fischern bleibst, bin ich schon zuversichtlich. Falls du aber noch weiterwanderst, solltest du erlauben, daß jemand aus unserer Gruppe dich begleitet."

Asko sah sie lange an. Er spürte, daß ihm das helfen könnte, wenn noch jemand aus der Gruppe bei ihm wäre und nicht nur Ferri, der Roboter. Er könnte dann vielleicht doch Herr über seine Schlaflosigkeit werden und eines Tages wieder ganz in seine makrogene Gruppe und zu Tri Quang zurückkehren.

„Würdest du mit mir kommen?" fragte er zögernd.

Tri Quang nickte. „Ich würde dich gern begleiten. Doch du wirst auch ohne mich kein Schlafloser bleiben. Verlasse die Fischer nicht", bat sie noch einmal. Dann verblaßte ihr Bild in der flimmernden Mittagshitze über dem Floß, Tri Quang hatte die Verbindung abgeschaltet.


## JOCHENS ANKUNFT IN DER ZUKUNFT

Eine Zeitlang empfand er nur ganz vage ein Schweben und sanfte Wärme. Vielleicht war auch so etwas wie eine Wolke von angenehm mäßigem Licht um ihn, in der er auf- und abtrieb. Es gab nichts als den Wunsch, weiter so dahinzutreiben.

Manchmal fiel ein Schatten auf dieses Schweben. Der Schatten unterbrach das Schweben, löschte es aus.

Bewußtlosigkeit.

Aber das Schweben, die Lichtwolke und die sanfte Wärme kamen wieder. Bald bemühte er sich, dieses gestaltlose Gleiten zu durchdringen, einfach deshalb, weil es hinter dieser lichten Schwebewolke ab und an ein paar ferne Klänge gab. Sie lockten. Der weiße Nebel schien unter solchen Klängen zu zerfallen. Es war fast so, als schimmerten Farben und Konturen, ja sogar Bewegung hindurch. Die lockenden Klänge kamen näher, verursachten Neugier und ermunterten ihn, aus der lichten Schwebewolke hervorzutreten. Dabei waren es nur simple Geräusche, ein Klappern, ein Rascheln, ein leises gläsernes Klirren und manchmal auch ein sanftes metallenes Anschlagen.

Plötzlich zerfetzte gleich einem Blitz etwas Begreifbares das weiße Brodeln um ihn. Es war ein Wort, nur ganz vorsichtig geflüstert, aber für ihn von betäubender Grellheit: „Jochen."

Der Schatten drohte nach diesem Blitz, alles wieder zu löschen. Jochen stemmte sich aber dagegen – und gewann. Wenn nur nicht erneut diese betäubende Grellheit die lichte Schwebewolke zerfetzen wollte. Der Blitz schien den Wunsch zu respektieren und funkelte nicht wieder durch Jochens mattes Bewußtsein.

Etwas fehlte an diesem schwebenden Dasein. Jochen strengte sich an, einem bestimmten Mangel auf die Spur zu kommen. Wo waren seine Hände, mit denen er etwas berühren konnte; und wo seine Beine, die ihn Schritt für Schritt aus den wallenden Schleiern heraustragen konnten, wenn die Neugier ihn dazu trieb? Natürlich, seine Körperlosigkeit war es, die er als Mangel empfand!

Er prüfte diese Entdeckung genauer. Sie schien nicht zuzutreffen, diese Körperlosigkeit. Denn da er sehen konnte, auch wenn es nur lichte Schwebewolken und verwischte Konturen waren, mußte er Augen haben. Und wo Augen waren, gab es auch einen Kopf. Das ließ vermuten, daß er ein Mensch war und noch mehr von diesem Menschen existieren mußte als nur Augen und Kopf.

Lag er lang ausgestreckt?

Hastig versuchte er sich aufzurichten. So stark dieser Wille auch war, er zerstob wirkungslos. Nichts geschah. Um dieses

Geheimnis zu ergründen, war er bemüht, den Kopf zu drehen. Aber selbst das blieb fruchtlos.

Doch halt. Die Augen vollzogen ganz langsam eine Bewegung zur Seite. Schon das war zuviel und strengte ihn unglaublich an, ganz davon abgesehen, daß die Dinge, die er erblickte, keinen Sinn ergaben.

Müde schloß er die Augen.

Irgend etwas Weiches und Behutsames erfaßte seinen Kopf und schob ihn wieder in die alte Lage. Also hatte er doch nicht nur die Augen, sondern den ganzen Kopf ein wenig wenden können.

Mit dem Behutsamen, Weichen streifte ihn ein Duft. Was enthielt er? Frische Luft? Blumengeruch? Seifenhauch? Arzneimittel? Er entschied sich für Seifenhauch. Aber auch Arzneimittelgerüche waren nicht zu leugnen. Sie kamen jedoch nicht von dieser Hand. Sie hingen in der Luft.

Das Denken setzte ein. Es schmerzte, aber es war nicht davonzujagen. Ein Geschehnis trat hervor: Ein Motorboot zog mit angestrengtem Summen über das Meer und zerstieß mit seinem Bug hartnäckig Welle um Welle. Eine Stimme im Kopfhörer gab Anweisungen. Plötzlich rollte eine große schillernde orangefarbene Seifenblase über das Meer auf ihn zu, unaufhaltsam und rasend schnell. Sie war schon ganz nahe, stülpte sich über das Boot und hob ihn in diese Wolke von warmem, angenehm mäßigem Licht, die auch jetzt noch sein Denken besänftigte.

Wieder übermannte ihn trotz seiner Gegenwehr ein Schatten.

Als er danach die Augen aufschlug, war ihm, als könne er einen Vorhang zur Seite schieben. Er erkannte eine Zimmerdecke, hörte ein Rauschen, gleichmäßig auf- und abschwellend, so wie Wellenschlag am Meer. Er atmete erleichtert auf, weil es ihm vertraut vorkam. Im Blickfeld waren Gerätearme mit Apparaturen, Skalen, Schläuche und Leitungen zu sehen. Auf einem Meßschirm hüpfte ein kleiner grünlich glimmender Punkt auf und ab, identisch mit dem pochenden Klopfen in seiner Brust, das, wie er erst jetzt bemerkte, schon gleich zu Anfang dagewesen war, als er sich noch körperlos fühlte, aber schon nach Armen und Beinen suchte.

Der Geruch nach Medikamenten wurde deutlicher spürbar.

Aus all diesen Beobachtungen schlußfolgerte Jochen, daß er in einem Krankenhaus lag und bewußtlos gewesen sein mußte. Aber Schmerz, warum fühlte er keinen Schmerz? Wenn er mit dem Zugboot verunglückt sein sollte – was ihm aber absolut nicht einleuchten wollte –, müßte er doch Schmerzen haben. Sie sägten nirgends, weder im Kopf noch im Körper, auch nicht, wenn er sie sich dort einbilden wollte, wo das Klopfen in der Brust war. Alles war so, als liege er auf einer sonnigen Wolke. Und dort gab es natürlich keine Schmerzen.

Nein, so körperlos war er nun doch nicht mehr. Das wußte er jetzt schon ganz genau. Die Finger ließen sich bewegen, und auch die Zehen gehorchten, wenn sie sich krümmen sollten. Die Spitze seines Zeigefingers erreichte eine Kante. Es war angenehm, in der weichen sonnigen Wolke etwas Festes zu finden. Jochen freute sich drüber.

Ein Möwenschrei ließ ihn im Tasten innehalten. Es mußte ein offenes Fenster in der Nähe sein. Er lauschte auf diesen Ton und auf andere Geräusche. Da war zum Beispiel das Summen eines Ventilators und das Tropfen eines Wasserhahns. Andere Dinge, die ihn interessieren konnten, mußte es auch noch geben. Vorsichtig schickte er seine Sinne spazieren. Die Erinnerung half ihm. Es gab da eine Stimme, die „Jochen" gesagt hatte. Wenn er sich auf den Klang dieser Stimme verlassen konnte, dann mußte Juljanka hiergewesen sein, dann mußte sie neben seinem Bett gestanden haben.

Tatsächlich war auch jetzt das Rascheln eines Kleides im Raum, als hätten seine Überlegungen es wie zur Bestätigung herbeigezaubert. Eine unbekannte Stimme flüsterte: „Si Jhul! Kommen Sie, kommen Sie! Der Fremde aus dem GRUM wird unruhig. Ich glaube, sein Bewußtsein kehrt zurück. Ja, es stimmt, das Hirnstrombild bekommt klare, geordnete Muster."

„Danken wir den Eridanern", sagte eine Männerstimme. An den Schritten war zu erkennen, daß mehrere Leute den Raum betreten hatten. „Sie haben es ermöglicht, daß er in unsere Zeit kommen konnte."

„Jochen!" rief vorsichtig abermals eine Stimme. Diesmal war es wirklich Juljankas Stimme. Fingerspitzen berührten angenehm seine Hand. „Jochen, du bist nicht mehr auf der Farm.

Aber dir ist eigentlich nichts Bedrohliches geschehen. Ich habe dieses Erwachen in ähnlicher Art wie du durchmachen müssen. Und ich bin schon wohlauf. Später erkläre ich dir, wenn du wieder etwas bei Kräften bist, was passiert ist. Du kannst mir vertrauen und brauchst über nichts beunruhigt zu sein, auch wenn dir Dinge ganz und gar fremd vorkommen werden."

Da sie es sagte, entspannte er sich auch schon erleichtert unter der erneuten sanften Berührung ihrer Fingerspitzen. Nach einigen tiefen Atemzügen wagte es Jochen, die Augen zu öffnen.

Er hatte sich nicht getäuscht. Was er klar und deutlich sah, das waren diesmal nicht Geräte, Zeiger und Apparaturen einer Klinik, sondern Juljankas Gesicht. Sie nahm die Hand, drückte sie und legte sie zurück auf das Bett. Dabei lachte Juljanka sogar ein wenig.

Dann trat sie zurück, und ein Mann, der hinter ihr gestanden hatte, wurde erkennbar. Jochen sah ihn lange, sehr lange an. Der Mann blieb ruhig stehen. Sein Gesicht war von einer ernsten Freundlichkeit überstrahlt. Es schien zu sagen: Wir kennen uns schon. Laß dir ruhig Zeit, dich zu erinnern.

„Si Taut?" flüsterte Jochen endlich erstaunt. Er vermißte den hellen steifen Anzug an ihm, der Ähnlichkeit mit einem Skaphander gehabt hatte, als er ihm schon einmal vor einiger Zeit irgendwo begegnet sein mußte. Seine Erinnerung signalisierte ihm, daß das in einem Traum gewesen war. Doch da Si Taut wirklich vor ihm stand, konnte die Begegnung kein Traum gewesen sein.

„Stimmt." Der Mann nickte und setzte sich auf die Bettkante. Er schien Jochens Gedanken erraten zu haben. „Wir sind uns tatsächlich schon einmal begegnet. Du hieltest es für einen Traum. Jetzt träumst du aber nicht von der Zukunft, jetzt bist du wirklich und leibhaftig in der Zukunft. Grüble nicht darüber nach. Ich bin heute einfach nur gekommen, um dich bei uns in der Zukunft zu begrüßen, mein Freund. Sei uns willkommen. Du bist zur richtigen Zeit eingetroffen. Wenn du erlaubst, dann möchte ich dein Bruder sein. Doch darüber brauchen wir jetzt nicht zu sprechen. Das werden wir später ohne Worte viel besser spüren. Jetzt ruhst du dich erst noch etwas aus. Und Si Jhul, ich meine Juljanka, wird dich in der nächsten Zeit betreuen und überallhin begleiten, denn du wirst schon in wenigen Tagen wieder ganz normal leben und umhergehen können. Ich laß dich jetzt wieder allein, um O'Rell zu berichten, daß dein Transfer aus dem GRUM gelungen ist und du aus der Bewußtlosigkeit erwacht bist."

## IM NETZ DES COMPUTERS

„Sofio Lenn hat, wie das seit der Existenz von selbständigen kybernetischen Systemen bei uns auf der Erde üblich ist, dem Hauptnanomaten des zentralen Steuerblocks unseres Tiefseewerkes mitgeteilt, daß wir hundert Tonnen des seltenen Metalles Rhenium benötigen. Er speiste die dazu erforderlichen Daten, Leitkodes und Richtwerte in den Zentralrechner ein. Normalerweise hätte das Werk vierzig Stunden später seine selbständige Umstellung auf diesen Auftrag beendet und uns heute morgen die ersten Barren reinen Rheniums, dem Meerwasser entzogen, liefern müssen. Das ist aber nicht geschehen", berichtete Tuo Ibso, der als NETZ-Techniker die Leitung einer bevorstehenden symbiotischen Inspiriose übernommen hatte.
Bis auf Sema Sommer, Ari Bomm und natürlich Asko waren alle Mitglieder des Makrogens zum Mendele-Tief geflogen, um dort mit einem Bathyskaph zum Tiefseewerk abzusteigen und die Ursache für das Versagen der Produktionsanlagen festzustellen. Jetzt befanden sie sich in drucksicheren Räumen etwa sechstausend Meter tief auf dem Grund des Ozeans und berieten, wie sie dem Versagen des Werkes durch ihr Eingreifen abhelfen konnten.
„Zwar hat der zentrale Positronenblock eine Technologie für die Rheniumgewinnung geschaltet, aber entstanden ist nach der Umstellung der Anlagen eine Legierung aus Iridium, Magnesium und Kupfer. Für den vorgesehenen Verwendungszweck ist eine solche Legierung absolut unbrauchbar", setzte Tuo Ibso seine Erläuterung fort. „Die Siliplastiker und die Metallurgen verlangen von uns Rhenium. Sie wollen daraus unter Beimischung von Silikaten und Zyklotronbeschuß

den Mehrfach-Schichtstoff Rhelium für eine thermische Resistenz von fünfundzwanzigtausend Grad herstellen. Das ist ein eiliger Sonderauftrag der zweiundzwanzigsten Raumschiffwerft auf dem Mond. Wie mir die Siliplastiker sagten, will man daraus drei neuartige protuberanzensichere Hybridraumer molekulartechnisch wachsen lassen. An ihrer Konstruktion wirken auch Eridaner mit. Vielleicht ist geplant, eine Expedition in die äußerste Fackelzone der Sonne zu unternehmen. Wie auch immer die drei Kleinraumschiffe verwendet werden sollen, wir müssen als Material für ihren Rumpf hundert Tonnen Rhenium liefern. Es hätte auch reines Platin sein können, aber Rhenium ist natürlich etwas besser als Hitzeschild und als Schmelzkühlung."

„Warum eine so lange Rede?" fragte Odetta Morro. „Sage uns lieber, warum die Nanomatik plötzlich ihre Fähigkeit eingebüßt hat, auf einen klaren und detaillierten Arbeitsbefehl ordnungsgemäß zu reagieren?"

Die bevorstehende Inspiriose erforderte, die NETZ-Technik genau durchzusprechen. Man trat dabei gedanklich als Kollektiv über Biofrequenzen in den direkten Kontakt mit dem Nanomaten und dem Tiefseewerk, um die Mängel der Optimierung und im Produktionsablauf auszuschalten. Einer nach dem anderen aus dem versammelten Kollektiv durchforschte bei dieser Besprechung sein Wissen, machte Vorschläge zur NETZ-Technik, korrigierte das Verfahren ihres geplanten Gruppenkontaktes, erhob Einspruch oder begründete seine Forderungen.

Inzwischen war Sofio Lenn aus den Tunneln des Werkes zurückgekommen. Er hatte sich still in eine Ecke des Beratungsraumes gesetzt. Er wußte nicht weiter. Zunächst hatte er geglaubt, die Nanomatik auch ohne die Inspiriose zur Herstellung des gewünschten Rheniums veranlassen und Fehlproduktionen mit ein paar Kniffen korrigieren zu können. Wie ihm jedoch bald klar wurde, hatte er dabei seine Fähigkeiten überschätzt. Ihm fehlte die Hilfe Askos. Sofio Lenn stützte sein Gesicht in die Hände und dachte noch einmal über die Störungen im Werk nach.

Odetta Morro bemerkte seine niedergeschlagene Stimmung. Sie empfand Mitleid für ihn. Wir sitzen hier und reden über das NETZ, dachte sie; aber daß dies zugleich für Sofio wie ein Unfähigkeitszeugnis klingen muß, bemerkt niemand. Dabei hatte Sofio Lenn sicherlich sein Bestes getan, um der Gruppe diese strapaziöse NETZ-Kontrolle zu ersparen. Sie waren nämlich alle erst in den Anfangsgründen der symbiotischen Technik ausgebildet und verfügten nur über unbedeutende Erfahrungen, ausgenommen Tuo Ibso und Tri Quang.

Ich setze mich zu ihm, entschloß sich Odetta Morro. Wenn er niedergeschlagen ist und, wie von uns ausgeschlossen, allein sitzt, wird er morgen nicht genug Kraft haben, seinen Anteil bei der Inspiriose zu leisten. Es wird ihn trösten, wenn jemand von uns neben ihm ist. Rasch stand sie auf und ging zu ihm.

Sofio ergriff dankbar ihre Hände und umschloß sie. „Lira und du, ihr seid doch Schwestern", sagte er.

Odetta nickte. „Natürlich. Du weißt es doch. Warum fragst du?"

„Wir, Lira und ich, waren zusammen auf Fehlersuche im Werk, natürlich nicht in den Freiwasseranlagen, sondern nur in den verbindenden Kontrolltunnels. Wir waren sechs Stunden ununterbrochen auf den Beinen. Unterwegs auf dem Rückweg ist Lira vor Müdigkeit im Tunnel auf der Draisine eingeschlafen. Ob sie überarbeitet ist? Gehe zu ihr hin, kümmere dich mal um sie", bat er. „Als ihre Schwester wirst du besser als jeder andere von uns beurteilen können, ob wir sie morgen zur Inspiriose mit ins NETZ nehmen können und ob sie dabei durchhalten wird."

Odetta stand auf. „Mach dir keine Sorgen. Wir sind schon lange keine Kinder mehr", sagte sie amüsiert. „Arbeit wirft uns nicht um. Wenn Lira müde ist und jetzt schläft, was ist daran besorgniserregend?" Aber Odetta ging doch, um nach ihrer Schwester zu sehen, hauptsächlich, um Sofio Lenn den Gefallen zu tun.

Schon nach ein paar Schritten kam sie zurück und beugte sich über seine Schultern zu ihm herab. Ihr langes Haar fiel dabei auf seine Hand und bedeckte sie ganz. Sanft sagte sie: „Warum läßt du es sie nicht selbst deutlicher spüren, daß du eine Partnerschaft mit ihr ersehnst? Wollt ihr eure Zuneigung weiter so wie bisher vor euch verheimlichen? Ich vermute, daß Lira deine Zuneigung erwidern wird. Mir kannst

236

du es glauben. Ich bin doch ihre Schwester." Dabei zwinkerte sie ihm verschmitzt zu.

Sofio Lenn sah ihr versonnen nach, als sie aus dem Raum ging. „Schwestern dürften einander nicht so ähnlich sein", murmelte er. Mit kleinen Schlucken trank er ein Glas Zäsyniensaft aus und ging dann an den großen Tisch zur Gruppe, um an der Beratung teilzunehmen.

„Wir könnten eigentlich jetzt gleich eine NETZ-Probe vornehmen", schlug Tri Quang gerade vor. „Alle Punkte sind in dieser Sache gründlich besprochen." Jeder aus der Gruppe stimmte zu. Sie standen auf, gingen in die Symbiosezentrale nach nebenan und richteten an ihren Sesseln die Ringantennen aus. Vor dem Platz Tri Quangs stand eine besonders große Ringantenne. Sie koordinierte die NETZ-Funktionen. Das Werk war stillgelegt und nur auf Arbeitsbereitschaft geschaltet worden. Tri Quang rückte ihren Sessel zurecht und sah einen nach dem anderen fragend an.

„Wir müssen es ohne Asko versuchen", sagte sie.

Tuo Ibso und Gru Kilmag nickten. Rededa Dess schürzte die Lippen und erwiderte den Blick recht skeptisch. Ge Nil hob mit ungewisser Gebärde die Schultern, und Sofio Lenn sah unsicher zu Boden.

„Zuerst nehme ich Ge Nil und Sofio Lenn in das NETZ", verkündete Tri Quang. „Dann sind Rededa und Gru dran. Dich, Tuo Ibso, bitte ich, zu helfen, wenn jemand von uns seine natürliche Abschirmung nicht ausschalten kann und deshalb den Anschluß an seine Symbiosekontakte verfehlt."

Tri Quang manipulierte am Tastenfeld ihres Schaltpultes und beugte sich zu ihrem großen Antennenring vor. Dann umspannten ihre langgliedrigen Finger den Konzentrationsverstärker, einen Dorn mit kristallartigem Wabenschliff, der aus ihrem Pult hervorstand. Es gelang ihr damit, rasch Kontakt zum Nanomaten zu finden. Schließlich zeigte sie, ohne von den Waben aufzusehen, auf Ge Nil und dann auf Sofio Lenn. Auch sie umspannten von da ab den Dorn an ihren Sitzen, um ihre Bioströme mit dem Nanomaten zu verbinden. Die Handbewegung Tri Quangs war jeweils das Startzeichen für einen von ihnen, entsprechend dem Plan, nach und nach ihre Verbindung im NETZ herzustellen. Ge Nil drang mit einem unbeholfenen Ruck in die Symbiosekontakte. Sofio Lenn schreckte dabei empfindlich zusammen und bedeckte sein Gesicht für einen Augenblick unter der Anspannung der Konzentration mit seinen nervös bebenden Händen. Dann spürte er, wie er aus seiner Umwelt in einen anderen Bereich entglitt. Die Stimmen Gru Kilmags und Tuo Ibsos, die noch leise miteinander flüsterten, wurden zu einem Hauch und zerflatterten in einer ungewissen Ferne. Er trieb an der Seitenfläche einer vibrierenden durchsichtig schimmernden Pyramide entlang und spähte nach ihrer Spitze, um sich zu orientieren. Irgendwo im Oberteil der Pyramide war sein Platz, waren seine NETZ-Kontakte, die er einzunehmen hatte.


## SYMBIOSE-TECHNIK

Als Sofio Lenn seine Kontakte erreicht hatte, wurde die Vibration der Pyramide stärker und verwandelte sich in ein flimmerndes Summen. Deutlich war im Computer-Fluidum das System der NETZ-Linien zu erkennen, das Tri Quang für die Verbindung zueinander aufgebaut hatte. Es funktionierte ähnlich überdimensionalen Nervensträngen, die neun menschliche Hirne mit dem nanomatischen Hauptcomputer des Tiefseewerkes zu einer symbiotischen NETZ-Inspiriose verbanden.

Je mehr Gefährten aus der Gruppe ihren Platz im NETZ einnahmen und ihren Willen in Kontakt zum Nanomatenrechner brachten, um so vorsichtiger mußten sie es tun. Jede dieser Kontaktnahmen verursachte eine Stoßwelle über die NETZ-Bahnen. Diesen Stoß mußte jeder für sich allein auffangen und ausgleichen. Wenn noch jemand so ungeschickt eingedrungen wäre wie anfangs Ge Nil, wäre der eine oder andere von ihnen bestimmt wieder aus dem NETZ gestoßen worden.

Sofio stutzte. An zwei NETZ-Linien schienen die schwachen Schatten eines Defektes zu liegen. Jedenfalls waren Rededa und Ge Nil manchmal nur auf Umwegverbindungen zu erreichen. Die direkte NETZ-Linie zu ihnen war unterbrochen, beziehungsweise sie flackerte, pulsierte.

Jetzt suchte Tuo Ibso vorsichtig seine Kontakte. Er hatte großes Geschick darin. Deshalb lag sein Platz auch im Zentrum der Pyramide. Tuo Ibso signalisierte ebenfalls NETZ-Unterbrechungen an zwei Stellen.

Die lumineszierenden Pünktchen der Nanomatik hatten aufgehört, durch sämtliche Regionen der Pyramide zu treiben. Dafür hatten sie hundertfach zugenommen. Sie gruppierten sich um die NETZ-Knoten oder bildeten lange Liniare. Die NETZ-Knoten, das waren die neun Kontaktstellen zwischen dem Computer und den Menschen.

„Ich schalte das Werk von Bereitschaft auf Leerlauf", informierte Tri Quang die Gruppe.

Für den Bruchteil einer Sekunde wirkten die Kontakte spitz und schneidend, so als stießen Nadeln durch die Schläfen. Es war das übliche Gefühl, das aber rasch nachließ. Es rührte daher, daß eine Unzahl von Signalen aus dem Werk auf das NETZ einstürmten. Sie mußten sondiert und definiert werden. Diese Einstimmung auf das Werk hatte sehr sorgfältig zu geschehen, weil dadurch der Defekt um so schneller zu finden sein würde. Doch da das Werk noch nicht arbeitete, genügte es, die justierenden Meßimpulse der Nanomatik zu überprüfen. Das Werk zeichnete sich dabei als Schaltschema in der Pyramide ab.

Die Bruchstelle im NETZ regenerierte sich nicht, wie das Tri Quang erhofft hatte. Sie zerbröckelte im Gegenteil sogar noch mehr. Dadurch wurde es klar, wo etwa die Ursache für die Fehlproduktion zu suchen war. Doch sie selbst war damit noch nicht ermittelt. Es galt, sie einzugrenzen. Tri Quang gab Weisungen und ordnete an, diese Einkreisung noch nicht zu beginnen. Zuerst sollte jeder in seinem Bereich Sicherheit erlangen. Dazu mußte man Testsignale an die einzelnen Aggregate und Maschinengruppen seines Bereiches senden. Auch Sofio prüfte, wie der Zentralcomputer in seinem Beobachtungsbereich auf imitierte Regel- und Steuerimpulse reagierte. Die Nanomatik vervielfachte seine Sinne, beschleunigte die Befehlsausgabe und vertausendfachte seine Überwachungsfähigkeiten. Dabei war es gleichgültig, daß die Gedankenimpulse eines jeden von ihnen im Verhältnis zur Rechengeschwindigkeit des Computers als träge angesehen werden mußten. Wichtig war nur, daß der reaktionsstarke Nanomat mit dem Wissen und Willen einer Menschengruppe verbunden und von ihr direkt kontrolliert werden konnte.

Ab und zu erreichten Sofio Lenn Fragen von den anderen Teilnehmern der Inspiriose. Auch die Nanomatik forderte Anweisungen. Schließlich mußte er noch einmal eine genaue Definition der chemischen und physikalischen Eigenschaften des Rheniums geben. Sofio schickte ganze Diagrammkomplexe in die Nanomatik, fügte Formeln und Strukturschematas hinzu und gab die Abmessungen sowie sogar das Gewicht des Endproduktes, der Rheniumbarren, exakt in Länge, Höhe und Breite an.

Bald bemerkte er, daß verschiedene Fragen des Nanomaten in der einen oder anderen Variante wiederholt wurden. Irgendwo stockte der Informationsdurchfluß. Sofio Lenn überlegte, ob das mit dem Fehlen Askos zusammenhängen konnte.

Tri Quang gab endlich Anweisung, nunmehr mit der Einkreisung der Defektstelle zu beginnen. Sofio war durch seine Arbeit an den Vortagen in den Tunneln des Werkes bei der Fehlersuche tiefer in das Zusammenspiel der Betriebsanlagen als jeder andere aus der Gruppe eingedrungen. Das versetzte ihn in die Lage, den Defekt, die Ursache der Fehlproduktion, schneller als sie zu erkennen.

Mit einem leichten dröhnenden Schlag, ähnlich einem Hieb auf einer Pauke, sprang Sofio Lenn aus dem NETZ und riß dabei unvermeidlich auch alle anderen aus der Pyramide. Seufzend lehnte er sich in seinen Sessel zurück. Er streckte die verkrampften Beine aus. Auf den anderen Plätzen regte und rappelte es sich auch. In benommenen Gesichtern blinzelten Augenpaare. Rededa und Lira rieben ihre schmerzenden Schläfen; Tri Quang hielt die Lider noch geschlossen, atmete aber schon gleichmäßig tief durch; und Ge Nil massierte seinen linken Arm. Von Tuo Ibso fing Sofio einen vorwurfsvollen Blick auf.

„Verzeihung", sagte Sofio Lenn.

Mehrere Hände flogen hoch und preßten sich auf die Ohren.

„Verwechselst du uns mit tauben Schildkröten, daß du so

laut schreist?" protestierte Odetta. „Nimm mehr Rücksicht auf uns. Zuerst reißt du uns gewaltsam aus dem NETZ, und nun versetzt du uns auch noch mit Wortgedröhn eine Ohrfeige."

„Verzeihung", sagte Sofio Lenn noch einmal, diesmal aber leise. „Ich habe nämlich den Fehler gefunden. Wäre ich nicht sofort herausgesprungen, dann hätte sich mein Eindruck vom Defekt gleich wieder verwischt. Das kommt davon, weil ich schon so lange im Werk unterwegs war, seit Tagen. Davon bin ich ziemlich müde. Deshalb mußte ich also ganz schnell rausspringen."

„Schon gut", unterbrach Tuo Ibso seine Erklärung. „Nun sage endlich, was du bei der Fehlersuche gefunden hast."

„Ja, also: Der erste Defekt liegt in der Leitung für die Datenübertragung von Nanoblock vierhundertsiebenundsiebzig zur Kybergruppe A siebzehn. Der zweite Fehler betrifft die Hauptschwingkreise in den Systemwürfeln, vermutlich in den Gruppen vier bis acht."

„Und die Begründung?" fragte Gru Kilmag.

„Moment. Ich bringe die Einzelheiten gleich wieder zusammen. Es ist ein wenig kompliziert."

„Ja, ja, natürlich, was denn sonst. Wir haben auch nichts anderes erwartet."

„Also das ist so: Die Isolierung der Leitung von Block vierhundertsiebenundsiebzig zur Gruppe A siebzehn hat an einer Stelle Berührung mit einem mechanisch arbeitenden Aggregat des Werkes, das zeitweilig im Gegentakt zur Phase der Schwingungen eines der Generatoren in der Nachbarabteilung steht ..."

„Das ist geradezu lachhaft, dieser Fehler", schimpfte Tuo Ibso, der schon ahnte, was Sofio Lenn zu berichten hatte. „Wir scheinen das Opfer einer ganz simplen Abnutzung geworden zu sein."

„... Richtig. Die Isolierung wurde an dieser Stelle nach und nach mürbe und bröckelte ab. Schließlich lag die Leitung etwa fingerbreit blank und bekam Berührung mit massiven Konstruktionsteilen. Damit war ganz primitiv Erdkontakt entstanden. Im Gegentakt zu den Schwingungen der Generatorvibration wurde diese Erdung immer wieder unterbrochen. Mit der Erdung traten pulsierende Abflüsse in der Datenleitung ein, auf die zwar die Sperre automatisch reagierte und nur noch Daten in den Zwischenpulszeiten übertrug, aber dadurch wurde der Informationsfluß zur Gruppe der Freiwasserkybernetiks um fünfzig Prozent verlangsamt. Natürlich wurde nun das Regulierungssystem im Flotationsfeld zur Überkompensierung gezwungen, wodurch Intervalle bei der Beschickung ..."

Tuo Ibso und Gru Kilmag hörten aufmerksam zu, aber Tri Quang und Rededa rangen die Hände. „Verschone uns mit diesem Fachvortrag", bat Rededa. Hastig erhoben sie und die anderen sich und verließen die Symbiosezentrale. Nur die drei Männer – Sofio, Gru und Tuo – blieben, um den Defekt zu erörtern.

Sofio war glücklich. Nun hatte er doch noch beweisen können, daß er nicht versagt hatte. Das Werk würde morgen einwandfrei funktionieren.


ZWISCHENFALL AUF SEE

Die Welle drückte ihn gegen den Bootsrumpf und zog ihn gleich wieder davon weg. Die Bordwand war zu hoch. Er hatte sie nicht erreichen können. Körper und Kopf tauchten im Wellental unter, ohne daß Asko ausreichend Luft geholt hatte. Er ruderte angestrengt mit Armen und Beinen, durchstieß endlich mit dem Gesicht die Wasseroberfläche und atmete schnell ein. Dabei schluckte er eine Portion Salzwasser. Asko hustete und unternahm gar nicht erst einen Versuch, mit der nächsten Welle doch noch auf das Boot zu gelangen.

Er rief und klopfte gegen den Schiffsrumpf, aber an Bord blieb es still. Niemand beugte sich herab und warf ihm ein Tau, eine Strickleiter oder einen Rettungskragen zu. Jetzt war Asko so matt, daß er, wenige Schwimmstöße von einem festen Halt entfernt, nur noch mühsam den Kopf über Wasser halten konnte. Die Atemnot stach in den Lungen, und das Blut dröhnte und brauste in den Ohren. Er hatte die Entfernung zum Boot unterschätzt.

Die nächste Welle hob ihn wieder an und drückte ihn aber-

mals gegen den Rumpf des treibenden Bootes. Da traf ihn
von unten aus dem Wasser ein weicher Stoß und hob ihn bis
zum Bauch empor. Erschrocken streckte Asko die Arme aus
und griff nach der Deckskante. Ein zweiter Stoß schob ihn
halb unter der Reling hindurch. Hinter seinem Rücken hörte
er das Planschen kräftiger Schwanzflossen und ein seltsames
Quarren, mit Pfeiftönen untermischt.

Erleichtert dachte Asko: Ein Delph hilft mir; er ist zur richtigen Zeit gekommen. Der Schwarm, der das Floß begleitet
hatte, war wohl noch immer in der Nähe. Dankbar für die
Rettung, zog er sich mit einem Ruck ganz auf das Deck des
Bootes. Dort blieb er eine Weile liegen, bis sich seine Muskeln erholt hatten und er aufstehen konnte. Er hatte sich von
den Delphs mit einem Spielfloß aus der Bucht in Richtung
des fernen Bootes ziehen lassen, das er gesichtet hatte. Es
sah wie ein automatisches Algenpflanzboot aus. Mit ihm
wollte er eine Meeresfarm erreichen und da sein Hauptquartier aufschlagen. Dort konnte er sich ungestört mit all jenen
beraten, die er in den letzten Wochen seit seinem Gespräch
im Strandcamp der Raumfahrer für ein Unternehmen gegen
die GRUM-Waffe gewonnen hatte. Beim Abschied von den
Fischern hatte er ihnen nur gesagt, daß er mit einigen Freunden ein paar Wochen auf einer Meeresfarm verbringen und
sich danach nach Mos-A-Dreles begeben wolle. Plötzlich war
eine vielleicht drei oder vier Meter hohe Flutwelle auf die
Küste zugerollt. Seitdem im Atlantik immer häufiger Beben
auftraten, bildeten sich öfter solche kleinen Flutwellen. Die
Welle stürzte das Floß um und spülte Asko ins Meer. Das geschah glücklicherweise in der Nähe des Pflanzbootes. Nun
hatte es Asko gerade noch so geschafft, mit Hilfe der Delphs
an Bord zu klettern. Er war durch die Schlaflosigkeit so
schwach, daß er nicht einmal kurze Strecken schwimmen
konnte.

Asko hoffte, noch einige Zeit zur Verfügung zu haben, um
einen geeigneten Kreis von Männern zu sammeln und mit
ihnen Vorbereitungen für die Ausrüstung einer geologischen
Rakete zu treffen. Auf der Meeresfarm wollte er damit anfangen. Vielleicht konnte man auch eine der alten geologischen Raketen benutzen, die zur Zeit des hundertjährigen
Strahlungssturmes dazu verwendet worden waren, unterirdi-

sche Schutzanlagen für die Bevölkerung zu bauen. Die Hitze in der Tiefe des Atlantiks, von der die Delphs gesprochen hatten, mußte nicht schon morgen zum Ausbruch des Magmas führen.

Wurde die dünnste Stelle der Erdkruste im Atlantik dennoch bald von der GRUM-Waffe zerrissen, würde das Auswirkungen bis in den letzten Winkel des Erdballs haben. Zu hoffen, daß sie sich auf den Meeresboden beschränken würden, war sinnlos.

Allein durch das Beobachten des Moho-Komplexes war kein Unheil abzuwenden. Die wenigen Personen, die etwas von der Gefahr wußten, wie zum Beispiel die Leute vom Labor für Zeitverspiegelung in Kib-E-Ombo, unternahmen seiner Meinung nach zuwenig gegen diese Gefahr aus der Vorzeit. Zu diesem Schluß war er in den letzten Tagen gekommen, als er noch einmal über die Szenen nachdachte, die auf den Bildern der Zeitspiegel zu sehen gewesen waren. Professor Sirju hatte es gut gemeint, als er für die Übertragung solcher Szenen an Askos Krankenlager gesorgt hatte. Aber Jochen Märzbach war wohl doch keine Schlüsselfigur, eben nur ein Zeuge der Untat. Außerdem hatte Asko gesehen, wie wenig die Chrononautin auszurichten vermochte. Für seine Begriffe war sie nicht zielstrebig genug vorgegangen. Auf dem Wege der Zeitverspiegelung würde man nicht in der Lage sein, schnell genug zu erfahren, was da eigentlich im Erdmantel auf die Menschheit lauerte. Eine geologische Rakete dagegen war eine handfeste, solide Sache und versprach seiner Ansicht nach mehr Erfolg als diese Hexerei mit der Zeitreise.

Asko spürte, wie die Decksplanken plötzlich leise vibrierten. Es rührte sicherlich vom Antrieb her. Mühsam stand er auf und musterte das Deck. Die rechtwinklige und nur an den Ecken etwas abgerundete Fläche erinnerte mehr an einen Ponton als an ein Boot. Wenige Meter entfernt waren ein kleiner Aufbau und ein Radarmast zu sehen. Das mußte die Kommando- und Steuerkajüte sein. In der tiefstehenden Abendsonne warf sie einen langen Schatten bis über den Rand des Bootes. Asko spähte in die Kajüte. Sie war verschlossen. Vor einem leeren Sitz glühten auf Schalttafeln Kontrollampen. Ab und zu erlosch eine oder leuchtete eine andere kurz auf. Seine Vermutung war richtig gewesen. Dies hier war das programm- und ferngesteuerte Boot einer Meeresfarm, das Algensetzlinge ausstreute.

Das Vibrieren des Antriebes hörte bald wieder auf. Das Boot schaukelte in der Dünung und verteilte erneut Setzlinge. Asko entdeckte, daß sein Armbandempfänger fehlte, wahrscheinlich war er abgesprungen und versunken.

Die nächste Handlung Askos war es deshalb, in die Kajüte einzudringen. Er fand die handgroße Mulde eines Temperaturschalters, der auf Körperwärme reagierte. Als die Luke aufklappte, zwängte er sich in die Steuerkajüte und glitt auf den Sessel vor dem Schaltpult. Warme Luft schlug ihm entgegen, und die Polsterung gab weich nach. Asko schloß die Augen. Er hörte die Wellen gegen die Bordwand schäumen und Schaltungen in dem Pult vor ihm surren oder knacken. Nach einer Weile bediente er das Funkgerät und sagte den Fischern Bescheid, daß er die Sturzwelle des kleinen Seebebens gut überstanden und sich auf das Pflanzboot gerettet habe. Aber sie wußten es schon von den Delphs.

Träge flossen seine Gedanken dahin. Warum waren die Delphs von der Hitze in der Tiefe nicht beunruhigt? überlegte er. Wenn sie diese Anzeichen schon registrierten wie die Quallen einen Sturm, der noch mehrere hundert Kilometer entfernt war, warum fürchteten sie dann diese Gefahr nicht? Sie hätten Grund, schon jetzt aus dem Atlantik zu verschwinden. Oder war es falsch, die Quelle dieser Hitze mit der GRUM-Waffe in Verbindung zu bringen?

Der träge Strom der Gedanken in seinem ermatteten und von langer Schlaflosigkeit überanstrengten Hirn lief im Kreis. Asko fand auf seine Fragen keine ausreichende Antwort. Nebenbei fühlte er, wie die schaukelnde Bewegung des Bootes auf den breiten Wellenrücken der atlantischen Dünung heftiger geworden war und das Summen des Antriebes wieder eingesetzt hatte. Das Boot schien Dauerfahrt aufgenommen zu haben und einem Ziel zuzustreben. Es kehrte wohl zu seinem Stützpunkt, der Meeresfarm, zurück. Asko öffnete die Augen und sah hinaus. Aber der Abend war schon zu dämmrig, so daß er nicht genügend Sicht hatte, um die Fahrtrichtung sicher bestimmen zu können.

Rasch brach die Nacht herein. Bald darauf verstummten die

Fahrgeräusche. Ein steiler Schatten wuchs vor dem Boot auf. Es glitt auf eine Öffnung zu, die groß war wie ein Tor, verschwand darin und rastete irgendwo ein. Die Kontrollampen auf der Gerätekonsole vor Asko erloschen. Zugleich schwangen die Torflügel der Schleuse hinter dem Pflanzboot zu und schnappten dröhnend zusammen.


## DIE RAMPE DER ROBOTER

Allmählich gewöhnten sich Askos Augen an die Dunkelheit. In der Nähe brannte eine Notbeleuchtung. Unter dem ständigen Rumpeln und Rumoren schwer arbeitender Anlagen, das gedämpft durch die Wände drang, flackerte die Lampe locker in ihrer Fassung. Asko verließ die winzige Kajüte und sprang auf einen Laufsteg. Er endete an einem Schott. Asko passierte es und gelangte aus der Schleusenkammer auf einen Gang. Von dort führte ein stufenloser Spiralsteig hinauf an Deck. Ein tropischer Nachtwind strich über die Farm. Asko blieb in der Nähe der Aufbauten und beobachtete seine Umgebung. Im allgemeinen arbeiteten die Farmen ohne Besatzung. Da Asko nicht genau wußte, auf welche der vielen Farmen er geraten war, bestand jedoch die Möglichkeit, daß Leute an Bord waren. Doch nirgends war an den Aufbauten ein Fenster hell. Asko sah auch über die Reling zu den Bullaugen. Sie waren ebenfalls alle dunkel. Er war also allein an Bord. Das kam seinen Wünschen und Vorstellungen sehr entgegen.

Auf dem flächigen Deck mit seinen eher fabrikartigen als schiffsartigen Aufbauten rasselte es unentwegt. Asko ging in Richtung des Lärms und stand bald an einer Rampe, die in den Schiffskörper einschnitt und schräg zum Wasser hinaboder, genauer gesagt, vom Wasser heraufführte. An ihrem Ende schwappte das Wasser im Rhythmus des Wellenschlags und bildete weiße Schaumstreifen.

Auf der Rampe bewegten sich im Dunkeln mehrere Gestalten: Roboter! Die Oberflächen ihrer Rümpfe reflektierten das Licht, das aus Schulterlampen als scharfgebündelte Strahlen ihren Arbeitsbereich erhellte. In diesem Licht war zu erkennen, wie ein endloser Teppich aus grünem Geflecht von einer rasselnden Hakenkette wie von einem Eimerkettenbagger die Rampe hinaufgezogen wurde.

Plötzlich flammte eine Lampe auf. Ihr Licht beschien die Rampe. Das galt Asko, denn die Roboter hatten ihn wahrscheinlich sofort registriert und dem Bordcomputer gemeldet. Asko konnte jetzt genau sehen, wie dünne Scherenarme aus Nischen hervorschossen und Körbe in die Nähe der Roboter hielten. Die Roboter pflückten aus dem grünen Tangteppich Triebe heraus. Diese Triebe waren es, die vom Pflanzboot ausgesetzt wurden, um den treibenden Pflanzenbestand zu erneuern. Die Gestalten der Roboter an der Hakenkette lösten mit ihren Greifern aber auch Verfilzungen der Tangstränge und sorgten für einen reibungslosen Weitertransport des Erntegutes bis zu der großen Öffnung mit den rotierenden Messerwalzen. Dort wurde der Tang zerkleinert, ehe er durch die Fabrikanlagen geleitet und verarbeitet wurde.

Solche Tangfarmen gab es überall an der Küste. Sie funktionierten vollautomatisch, wurden von Computern dirigiert und hatten eine Roboterbesatzung für Reparaturen und mobile Arbeiten an Bord. An diesem Küstenabschnitt betreute die Gruppe der Fischer von der Delphstation einige dieser Farmen. Ab und zu fuhren zwei oder drei Angehörige des Fischer-Makrogens auf See hinaus und inspizierten die Farmanlagen, machten symbiotische NETZ-Kontrollen oder beaufsichtigten die Reparaturen von größeren Defekten. Außerdem verbrachten sie gelegentlich einen Teil ihrer Freizeit auf solchen Meeresfarmen in Gesellschaft von Freunden. Es war reizvoll, hier Feste zu feiern. Askos Gruppe war auch schon zwei- oder dreimal zu einem solchen Bordfest eingeladen gewesen.

Aus der Reihe der Roboter auf der Rampe löste sich einer und stieg aufs Deck. Er trat an Asko heran. Der Bordcomputer hatte ihm wahrscheinlich die Anweisung dazu gegeben.

„Hast du Befehle, Herr?" fragte er mit dem üblichen ruhigen und gleichförmigen Tonfall der Technos.

„Ich benötige eine Kajüte, Kleidung und warmes Essen", ordnete Asko an.

„Folge mir, Herr", sagte der Roboter.

Viele Schritt voraus flammte Kabinenlicht hinter sechs Fensterquadraten einer Etage unweit des Kontrollturmes auf. Auch die gesamte Decksbeleuchtung ging an. Sie erreichten einen Eingang. Dort wartete schon ein Roboter eines anderen Typs. Er bewegte sich auf Rollkufen fort. Während der erste Roboter wieder zur Rampe zurückstapfte, folgte Asko dem rollenden Techno auf den stufenlosen Windungen des Aufganges zwei Stockwerke höher. Er hatte Mühe, dem rasch gleitenden Führer zu folgen, denn seine Muskeln schmerzten noch immer vom Schwimmen. Der Roboter blieb plötzlich stehen und fragte: „Bist du krank, Herr? Soll ich das Festland verständigen?"

„Nein", antwortete Asko scharf. Dieses verflixte Maschinending hatte gemerkt, daß er ermattet war. Vielleicht nimmt er gar noch Anstoß an meiner unzureichenden Bekleidung, dachte Asko erbost.

Der Roboter glitt weiter und zeigte ihm drei Kajüten. Dort hatten inzwischen andere Technos Kleidung bereitgelegt und ein Tablett mit Portionen von vier Gerichten aufgetragen. Die Elektronik hatte ihn offenbar als äußerst hungrig eingeschätzt. Asko trat hastig ein und schlug die Tür vor dem Roboter zu. Der Anblick einer zum Schlafen aufgeschlagenen Koje machte ihn noch ärgerlicher. Asko riß die Wäsche und den Anzug an sich und flüchtete in die angrenzende Wohnkajüte. Dort zog er sich um und war froh, endlich wieder trockene Wäsche auf dem Leib zu haben. Er öffnete das Kippfenster, um warme Luft in die kühl klimatisierte Kajüte hereinzulassen. Dann aß er heißhungrig die aufgetragenen Gerichte.

Noch rechtzeitig genug fiel ihm der Roboter ein, der mit seinen Sensoren natürlich auch durch die geschlossene Tür beobachten konnte, was Asko tat. Solche Technos waren so programmiert, daß sie stets für das Wohl des Menschen sorgten. Wenn der dort draußen auf dem Gang Askos Verhalten analysierte, würde er sehr schnell einen Erschöpfungszustand feststellen, der höher als sonst bei Müdigkeit eines Menschen am späten Abend war. Er würde dann gegen den ausdrücklichen Befehl, nicht das Festland zu informieren, handeln. Der Roboter konnte nicht wissen, daß Askos Zustand schon registriert und Hilfe in seinem Fall nur begrenzt möglich war. Deshalb stand Asko auf, öffnete die Tür und schrie: „Nein, ich bin nicht krank, ich bin nur müde und habe Hunger. Stell dich wieder in deine Bereitschaftsnische oder wisch meinetwegen in der Bordküche Staub."

Gehorsam glitt der Roboter davon. Asko beruhigte sich und aß weiter. Bald empfand er die Kabinenbeleuchtung als zu hell. Er schaltete sie ganz ab und setzte sich ans Fenster. Es bot einen Ausblick auf das Deck der Farm und auf die Rampe der Roboter. Manchmal stoppte die Hakenkette, um den Technos mehr Zeit zum Herausschneiden der Setzlinge zu lassen. Gleichmäßig arbeiteten sie im Takt mit den Scherenkonstruktionen, die regelmäßig ihre Körbe voller Schößlinge in Schächte schoben. Die Unrast unter dem Fenster machte Asko nervös. Er wechselte deshalb seinen Platz und betrat die letzte seiner drei Kabinen, die wie ein Arbeitszimmer eingerichtet war. Von hier aus hatte man Sicht auf das Meer. Das Rumoren der Hakenkette war nur noch gedämpft hörbar.

Nach einer Weile gewahrte Asko, wie ein Schlauchboot auf die Farm zukam. Eine einzelne Gestalt saß drin und ruderte. Um beobachten zu können, was da nun für eine geheimnisvolle Sache geschehen würde, schlich Asko zum Deck hinunter und duckte sich hinter das Schanzkleid der Reling. Der Fremde manövrierte, steuerte einmal um die Farm und paddelte das Schlauchboot schließlich zur Ankerkette. Dort machte er es fest. Mit erstaunlicher Behendigkeit kletterte die Gestalt an der steilen Ankerkette empor und erreichte das Deck. Es gab nur eine Erklärung dafür: Hier kam ein Roboter an Bord, der nicht zur Roboter-Serie dieser Farm gehörte und dessen Ankunft auch nicht gemeldet war.

Als der Roboter an Deck stand, drehte er seine Antennen ein wenig. Offenbar teilte er dem Bordcomputer seine Ankunft mit und ließ den Zweck des Besuches registrieren. Schnurstracks erhielt er Anweisungen und wurde weitergeleitet. Zur Verblüffung Askos marschierte der Roboter zu den Wohnaufbauten und war eine Minute später am aufleuchtenden Fenster einer der drei Kabinen zu sehen, die Asko belegt hatte.

„Herr! Hier ist Ferri! Ich kann dich in deinen Kabinen nicht finden! Bist du irgendwo an Deck?" schrie der Roboter.

Überrascht trat Asko aus der Deckung zwischen Schanzkleid und Ankerklüse und rief: „Ferri, verflixter Blechkerl, hast du mich erschreckt!"

„Herr! Du hast deinen Armbandempfänger bei den Fischern liegengelassen. Und du warst erst ein paar Stunden fort auf deinem Weg mit dem Floß nach Mos-A-Dreles. Da habe ich ihn gesehen, aufgehoben und mich auf den Weg begeben."

„Schon gut! Komm erst einmal wieder herunter!" rief Asko.

Ferri verschwand vom Fenster und löschte das Licht in der Kajüte. Asko war davon, daß sein einziger Begleiter aus den Wandertagen der letzten Zeit ihm sogar über das Meer gefolgt war und wieder vor ihm stand, eigenartig berührt. Er nahm dem Roboter den Armbandempfänger ab und legte ihn ums Handgelenk.

„Ist dies hier Mos-A-Dreles?" fragte der Roboter und umfaßte mit einer Bewegung seines Greifers die Farm.

„Nein, natürlich nicht", sagte Asko.

„Dann sind also deine Füße krank?"

„Wieso? Weil ich, wie ich den Fischern sagte, nach Mos-A-Dreles gehen wollte?"

„Richtig. Aber du bist nicht gegangen, sondern geschwommen."

„Ja, ich schwimme nach Mos-A-Dreles", sagte Asko und lachte, weil der Roboter den Ausdruck „nach Mos-A-Dreles gehen" wörtlich genommen hatte beziehungsweise ihn jetzt für fußkrank hielt, da Ankündigung und Ausführung nicht übereinstimmten. „Du siehst doch hoffentlich ein, daß ich dich unter diesen Umständen nicht mitnehmen konnte."

„Richtig, Herr. Da sind wir Technos euch gegenüber im Nachteil, weil wir empfindlich gegen Feuchtigkeit und zum Schwimmen auch zu schwer sind. Aber ihr Lebenden ..."

„Ich weiß, ich weiß: Wir Lebenden haben auch einen Konstruktionsfehler: den Schalter am Augendeckel, nicht wahr? Ich würde lieber von dir hören, wie du erfahren hast, wo ich hier draußen irgendwo auf dem Meer zu finden bin, Ferri."

„Als ich deinen Armbandempfänger entdeckte, sah ich dich

mit dem Floß wegfahren. Ich habe dann auch geoptikt, wie du nach der großen Welle das Pflanzenboot bestiegen hast. Da habe ich das Pflanzboot abgefragt, wohin es steuert. Es hat mir Bescheid gegeben. Da bin ich zu den Fischern gegangen und habe gesagt, daß du nach Mos-A-Dreles schwimmst und ich ein Schlauchboot für mich benötige, damit ich trocken bleibe und dir folgen kann. Sie haben gelacht und es mir gegeben. Sie waren froh, weil die Delphs gerade berichtet hatten, daß du die große Welle gut überstanden hast. Und nun bin ich hergerudert, immer am Leitstrahl der Farm entlang."

Asko war beeindruckt. „Du verdienst es nicht, bald auf einen Schrottberg geworfen zu werden", sagte er gerührt.

„Das glaube ich auch, Herr. Ich bin noch gut in Ordnung. Jetzt hole ich den Schlafsack und dein übriges Handgepäck aus dem Schlauchboot herauf."

Asko seufzte. Er benötigte gar nichts davon. Auf der Farm war alles vorhanden, was ein Mensch haben mußte. Der Roboter hatte sich umsonst um das Gepäck bemüht. „Na gut, hol alles herauf", stimmte er zu. „Aber benutze nicht wieder die Ankerkette", sagte Asko, „sonst fällst du letzten Endes doch noch in den Atlantik."

Zusammen mit einem Techno von der Farm holte Ferri das Schlauchboot und das Gepäck über ein Fallreep an Bord. Danach war seine erste Frage an Asko: „Welche Aufgabe hast du hier auf der Farm, Herr?"

„Hm. Ich will die Möwen füttern", murmelte Asko.

„Was zermahlen Möwen in ihrem Schnabel, um ihren Akku wieder aufzufüllen?" fragte Ferri.

Asko machte sich nicht die Mühe, dem Roboter zu erklären, daß Möwen lebende Wesen waren und daher keinen Akku besaßen. „Seegetier, also Fische, Schnecken, Muscheln und Krabben", antwortete er.

„Wo ergreifst du das Seegetier?"

„Auf der Rampe der Roboter im Tang."

„Ich helfe dir. Kann ich schon anfangen, einen Futtervorrat für die Möwen zu sammeln?"

„Einverstanden, Ferri."

Der Roboter stapfte los. Bevor er zur Rampe hinabstieg und sich zu seiner selbstgewählten Nachtarbeit unter die anderen

Roboter mischte, rief er noch: „Herr! Hier sollten wir eine längere Zeit bleiben. Ich bin unter so vielen Robotern. Das hat mir schon lange gefehlt. Ersatzteilprobleme und Reparatursorgen werde ich hier sicherlich nicht haben. Ich werde jeden Tag ein oder zwei Stunden zum Pflegeservice in die Werkstatt gehen."

Für den Rest der Nacht war Asko allein. Er ging wieder in seine Kajüte. Es ereignete sich nichts mehr. Solche Stunden seiner schlaflosen Nächte waren gefährlich; er geriet dann nämlich ins Grübeln. Er würde sich etwas einfallen lassen müssen, um die Farm unter Kontrolle zu bekommen und um den Bordcomputer zu veranlassen, seinen Befehlen zu folgen, falls er den Platz wechseln und die zentralen Gebiete des Südatlantiks ansteuern wollte. Er würde das Hauptprogramm ändern müssen, und zwar so, daß eine Produktionseinstellung nicht gleich die Fischer alarmierte, ihren Einspruch herausforderte und dann auf diese Weise das Geheimnis über die GRUM-Waffe in die Öffentlichkeit dringen konnte.

Asko bedauerte, daß er allein ohne seine makrogene Gruppe zu Werke gehen mußte. Ihr Mitwirken würde ihm manche Arbeit erleichtern, zum Beispiel diese Einflußnahme auf den zentralen Bordcomputer mit den Mitteln der Inspiriose. Asko dachte daran, daß seine Gruppe inzwischen nun wohl schon ihre mehrtägige Inspiriose zur Ausführung eines wichtigen Auftrages für eine Mondwerft durchführte, von der Tri Quang gesprochen hatte, als sie zu ihm Verbindung über ein Hologramm aufgenommen hatte und sich ihm auf dem Floß am Steg der Delphstation gezeigt hatte. Bevor ihn die Schlaflosigkeit befallen hatte, hatte er an mehreren solcher symbiotischen Computersteuerungen in der Gruppe teilgenommen. Deutlich erinnerte er sich des Gefühls, das ihn dabei stets erfaßte. Es war faszinierend, an einer solchen Gemeinschaftsarbeit teilzunehmen.

Asko schob den Gedanken, vielleicht doch vorübergehend zu seiner Gruppe zurückzukehren, von sich, obwohl es verlockend war, bei der Inspiriose mitzuwirken. Es galt erst einmal, mutige Menschen auf die Meeresfarm zu holen und die Aktion mit der geologischen Rakete vorzubereiten. Am besten war es zweifellos, wenn er seine angeknüpften Verbindungen zu den Raumfahrern weiter ausbaute, denn die Kosmonauten waren vielseitige Fachleute, und außerdem bedeutete ihnen die Erde mehr als allen anderen Menschen. Sie besaßen Kühnheit und das notwendige Wissen für ein Unternehmen gegen das Mega-Feuer im oberen Erdmantel. Sie hatten starke Nerven und würden vor Furcht nicht zu Schlaflosen werden wie Asko, wenn er ihnen die volle Wahrheit über die Waffe aus der GRUM-Zeit anvertraute.

Es gab noch eine zweite Gruppe von Menschen, die über Voraussetzungen für eine solche Aufgabe verfügte. Das waren die Generationen, die Erfahrungen im Kampf gegen die Klimakataklysmen des hundertjährigen Strahlungssturmes erworben hatten.

Hin- und herlaufend, wollte Asko über dieses Problem genauer nachdenken. Doch das Rasseln und Poltern der Förderkette auf der Rampe hämmerte auf ihn ein und hinderte ihn an seinen Überlegungen. Asko riß erneut die Tür auf. „Ruhe!" schrie er. „Ruhe!"

Der Lärm der arbeitenden Maschinen rollte weiter in Wogen über ihn hinweg und hallte im Gang wider.

## MASCHINEN STOPP!

Asko verließ seine Kajüte und begann, das Schiff ziellos zu durchstreifen. Er öffnete die eine und die andere Tür, blickte in ein Lesezimmer, das sogar ein Bord voll gedruckter Texte in der alten Art von Büchern hatte, die man Seite um Seite und Zeile um Zeile durchbuchstabieren mußte; sah einen Speisesaal für zwanzig Personen, Wohnkajüten, einen Klubraum, und er fand sogar eine kleine Turnhalle. Alles erinnerte ihn daran, daß hier zuweilen Menschen waren, um zu arbeiten, zu planen und um symbiotische Netzkontrollen auszuführen. Demzufolge mußte es auch eine Symbiosezentrale im Kommandoturm geben. Zu gern hätte Asko vor einer Ringantenne gesessen, um in die flimmernde Pyramide einzutauchen.

Da erkannte er plötzlich, warum er das Schiff durchstreifte. Unbewußt hatte er prüfen wollen, ob diese Meeresfarm, wenn sie sein Stützpunkt werden sollte, gegebenenfalls von nur wenigen Menschen operativ im Verfahren der Inspiriose geführt werden konnte. Deshalb mußte Asko erst einmal die Inspiriosezentrale finden. Er schlug den Weg zum Kommandoturm ein. Wärmeschalter öffneten die Türen, sobald er die Hand auf sie legte. Asko stieg Etage um Etage. Jedes Stockwerk war als Rundblicksaal ausgebildet und enthielt Pultreihen für die Fernkontrolle der Anlagen im Farmponton sowie Schaltkomplexe für eine manuelle Notbedienung der Hauptaggregate. Ruhig standen einige Technos vor dem einen oder anderen Pult. Sie griffen nur dort ein, wo die stationäre Elektronik durch die mobile Elektronik ergänzt werden mußte, und das war meist dann der Fall, wenn es technische Ausfälle gab.

Asko durcheilte die untere Etage des Turmes mit ihren Oszillogrammen und den irrlichternden Kontrolltafeln. In den Stockwerken darüber war es schon spürbar ruhiger. Dort leuchteten nur noch vereinzelte Anzeigen auf, Anzeigen für die Hauptprozesse. In der vorletzten Turmetage schließlich stand das Hauptschaltpult des Zentralcomputers. Gleich darüber fand Asko dann endlich die gesuchte Inspiriosezentrale. Fast andächtig setzte er sich vor eine der Ringantennen und schaltete sie auf NETZ-Empfang. Vorerst wagte er noch nicht, Kontakt zur Informationspyramide aufzunehmen. Seine Hände strichen liebevoll über die Kanten des Pultes, über seine Tastenreihen und über den Fuß der Ringantenne. Dann erst beugte er sich vor und verstärkte die Biofrequenzen des Inspiriosefeldes.

Sein Blick ruhte auf dem Kristalldorn des Konzentrationsverstärkers. Er runzelte die Stirn, als er zunächst nur einen grauen Dunst wahrnahm. Aber hinter dieser grauen Wand sah er schon die Umrisse der Informationspyramide funkeln. Jede war anders. Diese wirkte steil wie ein Obelisk. Das mochte an der technologischen Eigenart der Produktionsprozesse von Meeresfarmen liegen. Unvermeidlich hatte diese Pyramide etwas beängstigend Fremdes an sich. Aber Asko würde schon ihr spezifisches NETZ-Klima herausfinden können, das er, wollte er Erfolg haben, berücksichtigen mußte.

Der graue Dunst zerflatterte. Asko erreichte eine Seitenflä-

che der Pyramide und sah schon ihre pulsierenden Begren-
zungen. Aber wo gab es den Zugang zu ihr? Er mußte seinen
ersten Versuch aufgeben.

Seufzend lehnte Asko sich im Sessel zurück, wischte über
seine Augen und sah durch das Glas der Turmkanzel in die
pechschwarze Nacht. Diese sternenlose Schwärze irritierte
ihn. Weshalb waren die Sterne verschwunden? Langsam
wurde jedoch die Nacht heller. Dabei trat auch ein Stern
nach dem anderen hervor. Natürlich, das Flimmern der Pyramide hatte seine Sehnerven angegriffen. Deshalb hatte er
den Schimmer der Sterne nicht gleich erkennen können.

Sein erster Versuch einer Einzelinspiriose war also mißlun-
gen. Doch das war eigentlich zu erwarten gewesen.

Asko lauschte. Um den Turm strich der Seewind und pfiff
beinahe wie die Delphs. Das Deck unten war an einigen Stellen von Lampen erhellt. Dort tönte das Rattern und Rasseln
der Förderkette von der Rampe der Roboter zu ihm herauf.
Wenn er den Blick wandte und auf das nächtliche Meer sah,
konnte Asko sogar erkennen, wie die Wellen Schaumkronen
bildeten. Die Möwen zeichneten mit ihren Körpern helle
Flecken auf die Reling, wo sie aufgereiht schliefen. Asko
konnte es sich gut vorstellen, wie sie hier auf der Farm ein
ungestörtes Leben führten und im Tangteppich der Rampe
reiche Mahlzeiten fanden. Dort hatten sich immer eine
Menge Fische und anderes Getier verfangen. In den nächsten Tagen, wenn Ferri sie unentwegt füttern würde, stand
ihnen ein besonders reichhaltiger Speiseplan bevor, denn die
Ungefährlichkeit der Technos hier auf der Farm mochten sie
schon längst erkannt haben.

Kaik Hans hatte Asko zu einer ungewöhnlichen Entdeckung
verholfen. Er besaß die Kopien von Fernsehaufzeichnungen,
die durch irgendwelche günstigen Umstände die Wirrnisse
des hundertjährigen Strahlungssturmes überstanden hatten
und jetzt sicher aufbewahrt waren. Liebhaber wie Kaik Hans
hatten sie aufgestöbert und besaßen nun Vervielfältigungen
davon. Es waren die Aufzeichnungen von Eiskunstpaarläu-
fen aus der GRUM-Zeit. Als Asko sie zum erstenmal vorge-
führt bekam, wollte er es einfach nicht glauben, daß Menschen der GRUM-Zeit zu solch anmutigen Bewegungen
fähig waren. Er hatte den Darbietungen lange zugeschaut,

um auf einmal zu spüren, wie gerade diese Tänze auf dem Eis eine wohltuende, entspannende Wirkung auf ihn ausübten. Er bewunderte diese Frauen und Männer, die es verstanden, der Schönheit Ausdruck zu verleihen. Ihr Glaube daran, daß der Welt nichts Böses geschehen würde, mußte sehr groß gewesen sein. Nächtelang hatte er den Eiskunstläufern zugesehen. Viele Dinge, die es in seiner makrogenen Welt gab, hatten ihre Wurzeln in der Epoche des GRUM. Wenn jetzt jeder Mensch einen ausgeprägten Empfindungs- und Ausdrucksreichtum besaß, dann deshalb, weil ein solcher Reichtum schon damals im GRUM bei vielen Menschen vorhanden gewesen und ständig weiterentwickelt worden war.

Askos Blick haftete wieder auf dem Kristalldorn des Konzentrationsverstärkers. Er gab sich innerlich einen Ruck und versuchte noch einmal, in das Inspiriosefeld einzutauchen, um Einfluß auf die Farm zu nehmen. Diesmal gelang es ihm schon besser, und er hatte bei diesen ersten Kontakten kein Gefühl der Angst mehr wie vorher. Diesmal fand er auch einen Zugang. Aber ein tieferes Eindringen machte ihm noch immer große Mühe. Als er endlich glaubte, einen festen Kontakt hergestellt zu haben, stoben Funkengarben durch das Inspiriosefeld. Äußere Einflüsse warfen ihn wieder aus der Pyramide hinaus.

Sofort wurde ihm die Ursache bewußt. Das Förderband der Rampe rasselte im Leerlauf. Das klang gräßlich laut. Die Tangpfründe waren an dieser Stelle des Meeres erschöpft. Die Förderkette konnte nichts mehr greifen und scheppte betäubend ohne ihre Last.

Ein röhrendes Hornsignal aus der Schiffssirene ließ Asko erschrocken aufspringen. Unrast breitete sich über die Farm aus und übertrug sich auch auf ihn. Der schwerfällige Ponton wurde zu einem neuen nahen Tangfeld in Bewegung gesetzt. Asko preßte die Hände auf seine Schläfen. Seine inspiriosebereiten Nerven empfanden den Lärm mehrfach übersteigert.

Lärm, das war bisher noch immer die Hölle und der Tod einer jeden Inspiriose gewesen. Die Lärmempfindlichkeit für die Teilnehmer einer symbiotischen NETZ-Kontrolle war der schwache Punkt in diesem bionisch-technischen Verfahren. Nur wenige und auf diesem Gebiet sehr erfahrene Menschen waren in der Lage, davon unberührt zu bleiben. Die hochgeschraubte Empfindlichkeit menschlicher Nerven bei einem solchen Vorgang nahm auch die leisesten Geräusche qualvoll wahr. Asko war weder erfahren noch in der körperlichen Verfassung, um mit einer starken Willensleistung gegen diesen Lärm anzukämpfen. Er krümmte sich einige Augenblicke lang, ehe er mit einem Schrei der Enttäuschung über das Mißlingen auch seines zweiten Versuches die Treppe in die nächste Etage hinablief. Rasend vor Schmerz in den Schläfen, stürzte er auf das Hauptschaltpult zu und schlug auf die Schalter und Kontrollen ein.

Eine Welle von widersprüchlichen Befehlsimpulsen und eine Flut von Maschinenreaktionen durchströmte das Farmschiff. Sicherheitsschaltungen wurden erst Sekunden später wirksam und brachten alle Geräte und Anlagen an Bord zum Stillstand.

Alle Maschinen stopp! So lautete die Schrift, die auf verschiedenen Kontrollen aufleuchtete.

Die plötzlich eingetretene Ruhe ließ Asko innehalten. Erschrocken sah er Glassplitter, verklemmte Tastenfelder und eine Beule in der Pultverkleidung. Von mehreren Seiten kamen Technos auf ihn zu, verharrten aber, als sie registrierten, daß er nichts mehr zerstörte. Anderenfalls hätten sie ihn mit sanfter Gewalt daran gehindert, seine Zerstörung fortzusetzen.

Blaß wich Asko zur Wand zurück. Der Schaden vor seinen Augen mochte nicht groß sein und betraf nur Äußerlichkeiten. Die Technos würden das bald in Ordnung bringen. Schäden in den Verdrahtungen der Schaltkreise hatte er mit seinem jähzornigen Ausbruch nicht anrichten können. Doch was für Schäden mochten im Inneren der Farm an den Maschinen und Anlagen durch falsche und chaotische Befehlsimpulse entstanden sein, ehe die allgemeine Schaltsperre eintrat?

Draußen auf dem Deck entstand nach dieser plötzlichen Ruhe wieder Bewegung. Asko erkannte an den vielen Lampen, die überall aufleuchteten, daß der Zentralcomputer die Sondersituation registriert hatte und programmgemäß darauf reagierte. Technos eilten aus den Aufbauten hervor und verschwanden hinter den verschiedenen Luken. Das waren vermutlich Reparaturgruppen, die die Elektronik mobilisiert hatte. Auch die Roboter von der Rampe begaben sich ins Innere der Farm.

Asko zitterte. Er fror und fühlte ein Unbehagen aufsteigen. Hoffentlich sind keine umfangreichen Schäden entstanden, dachte er. Wenn die Technos binnen weniger Stunden nicht selbst mit diesen Schäden fertigwerden konnten, dann würde der Bordcomputer das Festland, also das zuständige Makrogen, die Fischer von der Delphstation, verständigen. Sie würden dann herkommen und bleiben, bis der Farmbetrieb wieder aufgenommen werden konnte. Das wäre ihm sehr peinlich. Würden sie verstehen, was ihn bewogen hatte, einen Inspirioseversuch zu machen, und warum der Mißerfolg und der plötzliche Lärm diese Zerstörungswut ausgelöst hatten? So oder so würde er mit ihnen die Farm verlassen müssen und kaum Gelegenheit bekommen, eine andere Meeresfarm als Hauptquartier zu benutzen.

Asko ergriff ein paar Werkzeuge und begann fieberhaft, beschädigte Teile aus dem Pultblock, der am meisten gelitten hatte, zu entfernen. Aber bald wurde ihm klar, daß das die Arbeiten kaum beschleunigen würde. Als dann der Morgen über dem Meer aufglühte, legte er das Werkzeug wieder weg. Er sah ein, wie wenig seine Hilfe nutzte. Es war besser, wenn alle Arbeiten unter Anleitung des Hauptcomputers von den spezialisierten Technos ausgeführt wurden. Sonst entstanden beim Einbau der Ersatzgeräte womöglich noch Fehler, durch die das Unheil vergrößert wurde.

Er verließ den Kommandoturm und stolperte durch die Gänge. In seiner Kajüte schlang Asko kaltes Essen hinunter, warf sich eine Weile zum Ausruhen auf die Liege und stieg dann unruhig zum Hauptdeck hinab. Ärgerlich mit sich selbst, beobachtete er das Hasten der Technos, um daran abzulesen, ob sie mit den Schwierigkeiten der Havarie selbst fertig wurden oder ob sie Hilfe anfordern würden. Ahnungsvoll suchte er immer wieder den Horizont nach nahenden Flugkörpern ab. Das tat er so oft, daß er schon an Halluzinationen glaubte, als dann tatsächlich ein Ringflügler am Himmel unter dem zerrissenen Morgengewölk sichtbar wurde und auf die Farm zuflog. Erst als der Ringflügler einen Kreis über der Farm zog und zur Landung auf dem breitflächigen Deck einschwebte, begriff Asko, daß es Wirklichkeit war und die Farm Besuch erhalten hatte.

Das ist eine Inspektion, dachte er bestürzt. Die Fischer von der Delphstation schicken eine Reparaturgruppe.

Asko verlor alle Überlegung. Hastig rannte er fort, quer über die Farm zur Rampe. Vielleicht hatte man ihn aus der Luft noch nicht gesehen oder für einen Techno gehalten, denn wer dort zur Landung ansetzte, wußte nicht unbedingt davon, daß er auf der Farm war. Das Makrogen der Fischer war groß, zahlreicher als die Gruppe am Moho-Pult daheim. Kaik Hans würde es noch nicht allen gesagt haben, wo Asko hingegangen war. Eilig passierte er an der stillgelegten Förderkette die Reste von Tangsträhnen. Sein Ziel war Ferris Schlauchboot auf der Arbeitsbühne neben der Förderbahn nahe der Wasserlinie. Dort wollte er sich erst einmal verstecken, bis die Inspektion wieder abflog oder bis eines der Pflanzboote auslief und ihn unbemerkt mitnehmen konnte.

Der riesige Farmponton war in den vergangenen Stunden weitergedriftet und hatte ein neues Tangfeld erreicht. Die Technos hatten die Schäden inzwischen beseitigt. Die Förderkette auf der Rampe setzte sich in dem Augenblick in Bewegung, als Asko auf die Arbeitsbühne springen wollte. Dabei rutschte er aus. Er fiel ins Meer. Schwimmbewegungen waren in den Tangmassen unmöglich. Ferri, der in der Nähe stand und den Vorgang registrierte, kam herbeigeeilt, rutschte aber ebenfalls aus. Er versank neben der Bordwand. Die Tangstränge, in die Asko verstrickt war, hielten den Roboter nicht. Er war zu schwer. In drei Meter Tiefe fand Ferri an einer rings um die Farm verlaufenden Stoßkante einen Halt. An ihr arbeitete er sich unter Wasser weiter, bis er auf das gewaltige Widerlager des Ruders traf. Das gab ihm die Möglichkeit, an die Wasseroberfläche zu gelangen und andere Technos auf seinen Standort aufmerksam zu machen. Sie halfen ihm wieder an Deck. Ehe es soweit war, mußte er eine Weile auf dem Ruder sitzen und sich von jeder Welle vollspritzen lassen. – Asko dagegen wurde von den grünen Strängen gefesselt, mit der Hakenkette wieder an Bord gezogen und unter Bergen von Tang begraben.

# DAS ENDE EINES ROBOTERS

„Na los! Steig schon aus!" rief Si Jhul übermütig und versetzte Jochen einen Stoß. „Das hier ist eine Meeresfarm. Du wirst dir auf ihr wie zu Hause vorkommen, wie auf der Algenfarm eins vor Port Ustka. Hier kannst du deine Quarantäne absitzen und dich von dem Experiment erholen. Ich bleibe selbstverständlich auch hier. Fühlst du dich nun als zeitverspiegelter bioenergetischer Abdruck oder als Transferist, als echter Jochen Märzbach?"
Sie sprangen beide aus dem Ringflügler und sahen sich um. Die Luft war angenehm mild wie im Frühling.
„Juljanka! Du fragst mich unaufhörlich, wie ich mich fühle." Jochen lächelte. „Daraus schlußfolgere ich, daß du dir nicht sicher bist, was für eine Art von Realität ich nun eigentlich darstelle. Ich jedenfalls fühle mich nicht nur als zeitverspiegelter bioenergetischer Abdruck meiner selbst. Das kannst du mir glauben. Es fällt mir nicht schwer, alles um mich herum für echt zu nehmen."
In diesem Augenblick kam ein Techno auf sie zugeeilt.
„Mensch in Gefahr! Hilf, Herrin!" sagte er zu Si Jhul. „Dort an der Rampe im Wasser! Wir können nicht eingreifen. Das Wasser trägt uns nicht. Ein Roboter ist beim Rettungsversuch schon versunken. Und das Ausschwenken der Rettungsbarkasse ist durch einen Schaltkreisdefekt von heute nacht noch gestört."
Jochen und Si Jhul sahen sich erschrocken an.
„Ich denke, eure Meeresfarmen haben nur eine Roboterbesatzung?" fragte er. „Und nun, kaum gelandet, treffen wir auf jemanden, der zu allem Unglück auch noch in Not geraten ist."
„Das ist mir auch unerklärlich. Komm, sehen wir schnell nach, was eigentlich geschehen ist!" rief Si Jhul.
Die Hast, mit der einige Technos an der Rampe hin- und hereilten, ließ Jochen mit langen Schritten dort hinlaufen, so daß Si Jhul kaum folgen konnte. Vom Geländer der Rampe sah Jochen im Tangteppich die Arme und Beine eines Menschen gegen die Umschlingungen verzweifelt ankämpfen. Langsam driftete das dunkelgrüne Band die Förderstrecke hinauf zur Öffnung des Fabriktraktes. Dort zerkleinerten

und zerquetschten Messerwalzen das Erntegut. Drei Technos standen auf der Rampe und zerrten an dem Tangschwad, das den Verunglückten gefangenhielt. Aber die zähen Tangstränge gaben ihn nicht frei. Das Algenband glitt langsam und unaufhaltsam weiter. Die Haken der klirrenden Förderkette holten immer neue Mengen Erntegut aus dem Meer und führten es in ununterbrochenem Strom den Walzen zu.

Der Mann zwischen den Algen schrie nicht, sondern kämpfte stumm gegen das nasse Geflecht.

„Entsetzlich", flüsterte Si Jhul. „Ich laufe zum Kontrollturm und schalte alles ab!" rief sie und rannte los.

Der Weg ist zu weit, schätzte Jochen. Ganz zu schweigen davon, daß der richtige Schalter oder Hebel auch nicht gleich zu finden sein wird. Bis dahin war der Unglückliche dort unten auf der Rampe die wenigen noch verbleibenden Meter bis zu den Walzen entlanggezerrt worden und rettungslos verloren, falls nicht noch innerhalb der nächsten eineinhalb Minuten irgendein Wunder geschah.

Jochen sprang über das Geländer der Rampe. Er zerrte an den Strängen und befreite erst einmal den Kopf des Fremden aus der Algenverfilzung. Dabei blieb ihm nicht einmal Zeit, dem Mann richtig ins Gesicht zu sehen oder ihm mit ein paar Worten Mut zu machen, denn zu schnell schmolz die Distanz zu den Messerwalzen zusammen. Deshalb konzentrierte Jochen seine Anstrengungen auf die Füße des Mannes, damit jener dann zur Not im letzten Augenblick vielleicht doch noch selbst auf die Beine springen und sich aus dem Gefahrenbereich retten konnte. Ohne ein Hilfsmittel richtete Jochen jedoch nicht viel aus. Die näherrückende Gefahr ließ die Technos heftiger an dem Tangschwad über dem keuchenden Mann zerren. Nur noch zwei Armlängen trennten ihn von dem Schlund, der das Algenband verschlang. Für Jochen war es höchste Zeit, sich selber aus den Strängen herauszuarbeiten und die Flucht zu ergreifen.

Da blitzte eine Idee in ihm auf. „Roboter!" rief er. „Spring zwischen die Messerwalzen!" Zugleich versetzte er einem der Technos mit aller Kraft einen Stoß in Richtung der Öffnung mit den Walzen.

Der schwere kompakte Rumpf des Roboters krachte in die

Maschinerie. Metall kreischte auf. Mit einem Ruck blieb die Förderkette stehen. Unbeeindruckt von diesem Opfer und von der Vernichtung eines Exemplares aus ihrer Serie, arbeiteten die anderen Technos weiter an der Befreiung des Mannes. Sie lösten ihn etwas später aus dem Algenfilz heraus.

„Halt! Ihr könnt jetzt zurücktreten!" befahl Jochen.

Der Mann vor ihm am Boden wickelte die letzten Meter eines Tangstranges von den Armen und der Brust, ehe er sich keuchend aufsetzte und auf die Messerwalzen in der Öffnung vor sich starrte. Wenn er den Arm ausstreckte, vermochte er ein Bein des zermalmten Roboters zu berühren. Mit ein paar letzten Griffen, die schlafwandlerisch wirkten, streifte er auch noch Blattreste aus dem Haar und von den Schultern.

Eine Weile ruhte sein Blick auf Jochen.

„Du hättest selbst dort hineingeraten können, als du mir geholfen hast", sagte er und stand auf. Dabei deutete er auf die Messerwalzen.

„Dazu hätte ich mich kaum entschließen können", antwortete Jochen und lachte gezwungen. „Nur noch eine Sekunde, und ich hätte dich aufgegeben."

„Das ist ein offenes Wort", sagte der Gerettete. „Aber wie ich erlebt habe, ist es durch deine Geistesgegenwart anders gekommen."

Sie machten ein paar Schritte. Der Mann hinkte etwas.

„Stütze dich auf mich", forderte Jochen ihn auf.

Während die Technos darangingen, die Bruchstücke des zermalmten Roboters zu bergen und die beschädigten Messerwalzen auszuwechseln, überquerten Jochen und der Gerettete zusammen das Deck. Auf halbem Weg zu den Aufbauten blieb der Gerettete stehen und murmelte: „Wenn ich nicht ein Kranker und dadurch eine Last für dich wäre, würde ich sagen, wir sollten Freunde sein."

„Einverstanden", sagte Jochen und hielt ihm gleich die Hand hin. „Von mir aus kannst du krank, gesund oder beides zugleich sein. Ich werde schon mit dir fertigwerden. Für mich jedenfalls ist es ein gutes Zeichen, so schnell Freunde in meiner neuen Welt zu finden."

Sie ergriffen einander die Hände und schüttelten sie. Asko nannte seinen Namen.

„Ich habe heute nacht versehentlich einigen Schaden hier angerichtet", fügte er dann hinzu. „Wie groß ist die gelandete Reparaturgruppe, und aus welchem Makrogen bist du; aus Kaik Hans' Gruppe der Fischer?"

„Reparaturgruppe?" staunte Jochen. „Wir sind nur zwei, aber reparieren wollen wir nichts. Das Zeitlabor hat uns für ein paar Wochen zur Quarantäne hierher geschickt."

Sie waren einige Schritte weitergegangen.

„Das Zeitlabor? Bist du vielleicht einer von den Suchtechnikern, die mit Zeitspiegeln die Vergangenheit durchforschen und die nach dem Ursprungsereignis für das Mega-Feuer aus der GRUM-Epoche suchen? Übrigens" – er sah Jochen scharf an – „hat man dir schon mal gesagt, daß du eine bemerkenswerte Ähnlichkeit mit dem GRUM-Menschen, den ihr in letzter Zeit viel beobachtet habt, mit Jochen Märzbach, hast?"

Jochen lachte schallend. „Viel schlimmer noch: Ich selbst bin Jochen Märzbach, der GRUM-Mensch!" rief er.

Asko lehnte sich vor Schreck gegen einen Lüfter. Er hatte zwar von Professor Sirju gehört, daß Pläne dieser Art bestanden, aber nicht an einen Erfolg geglaubt. Nun stand Jochen Märzbach leibhaftig vor ihm.

„Es ist sinnlos, dich aus der Vergangenheit transferiert zu haben, Jochen Märzbach", stotterte er schließlich. „Wie willst du uns gegen die Gefahr aus der Erdkruste beistehen? Du bist doch nur ein Zeuge jener wenigen Tage, in denen die Anomalie auf dem Meeresgrund zum erstenmal aktiv in Erscheinung trat. Niemand wird etwas dagegen unternehmen können, wenn ein Mega-Feuer im Atlantik ausbricht. Im Gegenteil: Bevor das Unheil passiert, werden du und viele andere Menschen erst noch die ganze Last sorgenvoller Schlaflosigkeit so wie ich jetzt durchmachen müssen."

Jochen winkte ab. Was sein Begleiter von Schlaflosigkeit redete, verstand er nicht. Deshalb sagte er auch nur: „Ein Spaß wird das mit dem Mega-Feuer nicht werden, aber unüberwindlich ist es nun auch wieder nicht. Ich stelle mir vor, daß in dieser Zeit hier eine starke, kluge Menschheit lebt. Und zu ihr paßt es nicht, wie hypnotisiert sitzen zu bleiben und auf die Katastrophe zu warten."

„Ihr GRUM-Menschen seid abgestumpft und gleichgültig

gegen die fürchterlichsten Bedrohungen. Das kommt wohl von den Kriegen, die ihr erlebt habt, und von den gestapelten Kernwaffen. Euch blieb wohl deshalb nichts anderes übrig, als gleichgültig zu werden", sagte Asko.

„Es gibt unter meinen Zeitgenossen durchaus auch viele, die schlaflose Nächte haben, weil sie sich mitverantwortlich fühlen für alles, was der Zukunft vererbt wird. Sie setzen ihr ganzes Können ein, um möglichst wenig bedrohliche Probleme für die Zukunft als Erbe zu hinterlassen", widersprach Jochen.

Sie gingen weiter. Asko humpelte bereits weniger. Über einen stufenlosen Treppenaufgang, für die rollenden Technos extra so eingerichtet, erreichten sie die Etage mit den Wohnräumen. Dort trafen sie auf Si Jhul. Sie sah ihnen mit großen Augen entgegen. Si Jhul hatte es, wie von Jochen vorausgeahnt, nicht geschafft, den Kontrollturm rechtzeitig zu erreichen und einfach die ganze Farm abzuschalten. Ihre Phantasie hatte ihr eine unaussprechbar schreckliche Szene auf der Rampe der Roboter ausgemalt. Sie hatte deshalb nicht gewagt, ihren Fuß wieder auf Deck zu setzen.

„Er lebt? Wirklich?" fragte sie. „Ihm ist kaum etwas geschehen?"

Asko blieb stehen. Das muß die Kundschafterin sein, dachte er. Wenn derjenige, der neben ihm ging, Jochen Märzbach war, kam als zweiter Besucher auf der Farm nur die Chrononautin in Frage. Ihr Anblick verwirrte ihn etwas, weil sie jetzt natürlich etwas anders aussah als bei ihrer Verspiegelung in die GRUM-Zeit. Und da ihn die Chrononautin immer noch fragend und besorgt ansah, sagte er: „Es ist noch einmal glimpflich abgelaufen. Jochen Märzbach hat dafür gesorgt. Er handelte sehr geistesgegenwärtig und hat mir das Leben gerettet. Was seine Reaktionsschnelligkeit angeht und seinen Mut, kann man von ihm viel lernen!"

# DIE BOTSCHAFT DER ZEIGER

Asko und Jochen hatten die Ärmel hochgekrempelt. Sie standen auf Deck neben dem Ringflügler und beugten sich neben einer geöffneten Seitenklappe tief in die Maschinensektion des Flugkörpers. Gemeinsam versuchten sie, einen Steuerdefekt zu beheben, der am Vormittag bei einem Flug zum Festland aufgetreten war und der sie zur Umkehr gezwungen hatte.

„Wir sollten erst einmal wieder eine Verschnaufpause machen", schlug Asko vor. Er benutzte die Gelegenheit, um Jochen über eine seiner Tauchfahrten im Bathyskaph vor der Luandaküste zu befragen. Begierig hatte er in den letzten Tagen alle Einzelheiten dieser Fahrten wissen wollen. Jedes Detail war ihm wertvoll, um genauer über die Gefahr Bescheid zu wissen, die sich nun schon täglich verstärkte. Die Zahl der Beben an der afrikanischen und südamerikanischen Küste hatte nämlich sprunghaft zugenommen. Damit war klar, daß sein Plan, mit einer Tiefenrakete zur GRUM-Waffe vorzudringen, nicht mehr ausführbar war. Bei nüchterner Überlegung hätte er es wissen müssen, wie gering die Aussichten dafür gewesen waren. Seine eigenen Trommelexperimente hatten diese beschleunigte Entwicklung in der Tektonik unter dem Atlantik deutlich werden lassen.

Ein Luftschiff glitt von der Küste in niedriger Höhe heran, unterquerte einige Haufenwolken und zog in weitem Bogen einen Halbkreis um die Farm. Dabei steuerte es den Luftschiffturm von Mos-A-Dreles an, der von der Farm aus schon nicht mehr zu sehen war. Jochen nahm seinen Schraubenschlüssel in die andere Hand, wischte seine Stirn trocken und wies bedeutungsvoll zu der schlanken Riesenspindel hinauf.

„Das ist heute ungefähr schon das dreißigste Luftschiff, das eine Landekurve über uns fliegt", sagte er.

Asko nickte. „Unsere Farm liegt im Bereich eines Warteraumes für Luftschiffe, die Mos-A-Dreles anfliegen. Mir fiel das Anwachsen des Flugbetriebes gestern schon auf, und da habe ich mich erkundigt, was los ist. Man sagte mir, daß Mos-A-Dreles und andere Küstenstädte wegen der zunehmenden Beben und auch wegen wahrscheinlicher Flutwellen evakuiert werden. Die dreißig Luftschiffe, die du heute schon gesehen hast, haben rund fünfzehntausend Leute weggebracht."

Jochen nickte anerkennend. „Das scheint wie ein Uhrwerk zu laufen", sagte er. „Wie kommt es, daß es jetzt, im dreiundzwanzigsten Jahrhundert, so viele Luftschiffe gibt? Zu meiner Zeit wäre jeder ausgelacht worden, der behauptet hätte, das Haupttransportmittel der Zukunft sind Luftschiffe. Wir haben mehr an Großraumdüsenflugzeuge, Atomzüge, interkontinentale Postraketen, Einschienenbahnen mit Linearantrieb und Luftkissenschiffe gedacht."

Asko winkte ab. „Alles, was du da genannt hast, hat in den hundert Jahren des kosmischen Strahlungssturmes, als die Strahlungsfront aus dem Krebsnebel unser Sonnensystem überflutete und Naturkatastrophen auslöste, völlig versagt", berichtete er. „Das Luftschiff allein hielt allen Anforderungen stand und trotzte den Unwettern am besten. Die Luftschiffe flogen während der größten Schwierigkeiten unermüdlich auf allen Routen des Erdballs. Bei großer Leistungsfähigkeit waren sie außerdem äußerst sparsam im Energieverbrauch. Ihre Ankertürme an den Landepunkten wurden weder von Staubstürmen verweht noch unter Schneemassen begraben. Wenn ein Luftschiff in einen Sturm geriet, wurde es zwar schnell zum Spielball und trieb irgendwo hin, aber es stürzte nicht ab und konnte meist wieder entkommen. Selbst wenn mal ein Luftschiff zu Boden ging und Bruch machte, bot es seinen Passagieren oder seiner Fracht immer noch lange genug Schutz, bis Rettung kam. Auf diese Weise ist das Luftschiff zu einem bewährten traditionellen Massenverkehrsmittel auf Strecken von zwanzig bis viertausend Kilometern geworden. Aber auch längere Routen lassen sich mit ihm ausgezeichnet bewältigen. Auf den teuren Aufbau eines neuen Bahn- und Straßennetzes nach diesen hundert Jahren hat man daher verzichten können."

„Luftschiffe gefallen mir, allein schon von ihrem herrlichen Anblick her", sagte Jochen.

Sie wollten beide gerade wieder an der Ausbesserung der Steuerung ihres Ringflüglers arbeiten, als Si Jhul aus der zweiten Etage des Wohntraktes rief: „Die Nachricht auf der

Uhr ist entschlüsselt!"

Beide Männer warfen ihr Werkzeug zu Boden und liefen zum Wohntrakt. Asko hatte in den letzten Wochen erfahren, welche Vorbereitungen getroffen waren, falls die GRUM-Waffe in diesem oder im nächsten Jahr in Aktion treten sollte. Erleichtert hatte Asko festgestellt, daß von O'Rell und der Weltregierung mehr Vorsorge getroffen worden war, als er das jemals angenommen hatte. Jochen selbst war ein überzeugender Beweis für all diese Anstrengungen. Asko wußte inzwischen auch von den Armbanduhren, die Jochen in durchsichtigen Würfeln wenige Tage nach dem Ursprungsereignis bei Bergungen mit einem Bathyskaph entdeckt hatte. Er verstand daher sofort, was der Zuruf Si Jhuls bedeutete.

Die Chrononautin hatte über Hologramm Verbindung mit dem Festland gehabt. Von Si Taut war ihr dabei berichtet worden, daß es endlich gelungen war, das Rätsel um die Zeigerstellung dieser Armbanduhren, die alle auf zehn vor zwölf Uhr gestanden hatten, zu lösen. Immer wieder war in den vergangenen Tagen diese Zeigerstellung Gegenstand ihrer Erörterungen hier an Bord gewesen, und schon gestern hatten sie mit einem Ergebnis der Bemühungen auf dem Festland gerechnet. Die Uhr, die Jochen in Besitz gehabt hatte, lag nun He Rare vor. Jochen hatte sie bei sich getragen, als er die Zeitreise antrat.

Si Jhul hatte ein ernstes Gesicht, als sie sie trafen. Alle drei gingen in die Bibliothek und nahmen dort Platz.

„Also, hört zu", sagte sie. „Man ist stufenweise vorgegangen. Zunächst hat der Computer nur die Zeigerstellungen einer Analyse unterzogen. Das führte zu nichts. Da haben He Rare, Si Taut und noch ein paar andere Wissenschaftler das Problem erst einmal gründlich durchdacht und vor allem die Fragestellung an den Computer präzisiert. Man hat zehn Varianten der Fragestellung ausgearbeitet. Am schwierigsten war es, dem Computer in ausreichendem Maße Informationskomplexe über die GRUM-Zeit einzuspeisen. Man fütterte ihn mit allem, was man über die Vorgänge um das Ursprungsereignis wußte. Dazu gehörten auch die Angaben von Jochen und mir, die wir aus der GRUM-Zeit mitgebracht hatten. Sie erwiesen sich als umfangreicher als ursprünglich angenommen. Erst bei der achten Variante der Fragestellung

warf der Computer ein Ergebnis aus, und zwar dieses:
Aus den drei doppelten Ziffern, die das Datumsfenster und die Zeigerstellung ergeben, läßt sich nicht, wie man ursprünglich glaubte, das Datum oder der Zeitraum des Ausbruches dieses Mega-Feuers aus der Erdrinde ermitteln, sondern etwas ganz anderes. Aus diesen Ziffern können neununddreißig Kombinationen von sechsstelligen Zahlenreihen aufgestellt werden. Dabei ist berücksichtigt, daß es für die Zeigerstellung verschiedene Lesarten gibt. Man kann elf Uhr fünfzig, zehn Minuten vor zwölf, dreiundzwanzig Uhr fünfzig, zehn Minuten vor vierundzwanzig Uhr oder zehn Minuten vor Null Uhr zu einer solchen Zeigerstellung sagen. Sofern Wiederholungen in solchen Zahlenreihen auftraten, wurden sie unbeachtet gelassen. He Rare wollte vor allem herausbekommen, wieviel Nullen und wie oft die Eins in diesen Kombinationen enthalten ist. Er war damit auf dem richtigen Weg."
Asko sah Si Jhul verständnislos an. „Was soll ihm das für Erkenntnisse bringen?" wollte er wissen.
„Aha", sagte Jochen dagegen. „Ich ahne, wozu das gut ist. Läuft es auf binäre Berechnungen hinaus?"
„So ist es", bestätigte Si Jhul. „He Rare erinnerte sich daran, daß die Urmodelle der Computer simple Binärrechner waren. Zur Zeit des Ursprungsereignisses gab es, wenn die historischen Angaben stimmen, nur solche Rechenmaschinen. Sie arbeiteten nach dem Ja-Nein-Prinzip, also nach Impuls und Nichtimpuls. Die neununddreißig Zahlenreihen besaßen einundachtzigmal die Null und neununddreißigmal die Eins. Wenn man diese Zahlenreihen nur als Ideogramm auffaßt, allen anderen Zahlen von zwei bis neun keine Bedeutung beimißt und die Position der Nullen und Einsen beachtet, kann man feststellen, daß sie vierundzwanzigmal mit Null beziehungsweise mit Nein enden und nur zweimal mit Eins beziehungsweise mit Ja. In dreizehn Fällen enden die Zahlenreihen mit neutralen Ziffern."
„Ich sehe immer noch nicht, wo darin eine Nachricht verborgen sein soll", sagte Asko.
„Jochen, denk du einmal nach! Was würdest du schlußfolgern? Du bist aus der GRUM-Zeit und wirst leichter als wir begreifen, welche Nachricht in diesen Zahlenreihen steckt.

Ich will dir nicht sagen, zu welchem Ergebnis He Rare und Si Taut zusammen mit dem Computer gekommen sind, denn wir wollen an deiner Reaktion überprüfen, ob wir uns einem Trugschluß hingeben oder ob wir mit unseren Überlegungen auf dem richtigen Weg sind", erklärte Si Jhul.

Eine Weile herrschte Stille zwischen ihnen. Jochen dachte nach. Die Möwen strichen über der Farm hin und her. Wenn man aus dem Fenster blickte, konnte man sie auch neben dem Algenband trippeln sehen. Dabei stießen sie manchmal zänkische Schreie aus und stürzten sich auf Beute im Algengeflecht. Ab und zu hörten sie auch durch das Rumoren der Hakenkette den Wellenschlag gegen die Bordwand branden. Ein stetiger Wind wehte und fächelte angenehme Frische durch das geöffnete Fenster zu ihnen in die Bibliothek. Asko und Si Jhul sahen Jochen erwartungsvoll an.

Jochen stützte den Kopf in die Hand. „Nein", sagte er. „Der Zeitpunkt für die Zündung der Kernmaterialien kann in der Botschaft der Zeiger nicht enthalten sein, denn den Urhebern war die Kraft, die sie beherrschen wollten, aus der Hand geglitten. Bei der unerwarteten Reaktion wurden glücklicherweise keine Energien explosiv freigesetzt. Die Urheber wußten also nichts über den Zeitpunkt, an dem eine Katastrophe einsetzen konnte. Vermutlich haben die Uhren in den Würfeln melden sollen, daß der ausgelöste Prozeß nicht in gewünschter Weise verlief. Er drückt den wahrscheinlichen Ablauf der Perioden der energetischen Vorgänge in dem Gebilde aus, das entstanden und in die Erdkruste abgesunken war."

Si Jhul seufzte erleichtert auf und lockerte ihre angespannte Haltung. „Dann sind unsere Überlegungen richtig, dann wissen wir endlich Bescheid", sagte sie. „Die Zahlenreihen drücken nämlich auch nach unserer Meinung die Perioden der energetischen Prozesse in dem Mega-Feuer aus."

Asko wurde unruhig. Er wollte es genauer wissen. „Was haben unsere Wissenschaftler ermittelt? Worüber weiß man nun endlich Bescheid?" fragte er hastig.

„Das ist so: Die Zyklen der im Kreis verlaufenden energetischen Umwandlungen sind nach Auskunft der Armbanduhren zu sechzig Prozent ungefährlich. Das sind diese vierundzwanzig Zahlenreihen, die mit Null beziehungsweise mit

Nein enden. Zu fünf Prozent haben Sie einen anderen Ausgang. Setzt man einen Zyklus willkürlich einer vierundzwanzigstündigen Tageslänge gleich, ist damit zu rechnen, daß nur zweimal im Monat Beben im Bereich des atlantischen Epizentrums auftreten. Mit Sicherheit ist jedoch am Moho-Pult festgestellt worden, daß jeder Zyklus früher länger als einen Tag dauerte. Deshalb traten die Beben im zwanzigsten und einundzwanzigsten Jahrhundert auch nur einmal in sechs Wochen auf. Das fiel bei den häufigen täglichen Kleinbeben, die die Erdkruste von überall her ständig durchziehen, lange Zeit nicht auf. Später wurden sie häufiger, erregten Aufmerksamkeit und wurden lokalisiert. Die Unsicherheitsquote im Zyklus des energetischen Kreisprozesses in der GRUM-Waffe verließ die fünf Ausgangspunkte und stieg an. Man richtete die seismographische Meßbasis mit dem Moho-Pult an der Atlantikküste ein und verfolgte die Entwicklung. Langsam stieg die Bebenrate über die Jahrzehnte hinweg weiter an und erreichte in der vorletzten Generation allmählich eine besorgniserregende Größe. Doch in den wirren Zeiten während des hundertjährigen Strahlungssturmes geriet das Bebenphänomen samt vielen Einzelheiten darüber in Vergessenheit. Gegenwärtig ist es bereits ein sehr hoher Prozentsatz der Zyklen, der Beben im atlantischen Epizentrum auslöst. Unsere Wissenschaftler befürchten, daß nun bald die Katastrophe eintritt. Anstatt alle sechs Wochen findet gegenwärtig schon alle zweiunddreißig Stunden eine mittelstarke Erschütterung des Bodens im Atlantik statt."

Asko begann, unruhig hin- und herzulaufen. „Ich ahnte es, ich ahnte es", murmelte er. „Das war deutlich zu spüren. Die Trommeln haben es mir verraten. Bei alten Seismogrammen rührten sie sich nur drei- oder viermal in einer Nacht. Bei neuen Seismogrammen trommelten sie nahezu ununterbrochen. Das atlantische Schollenmassiv ist inzwischen zermürbt worden. Der Meeresboden um das Bebenzentrum kommt praktisch nicht mehr zur Ruhe. Und was nutzt uns jetzt dieses Wissen über die Aussage der neununddreißig Zahlenreihen?" Asko blieb mit einem Ruck stehen. „Wir haben eine Implizierung in die Vergangenheit vorgenommen und dabei nichts weiter erfahren, als daß der Erdball bald aufreißt und Magma an den Himmel geschleudert wird. Wir haben jetzt Gewißheit über eine Katastrophe, die den ganzen Erdball betrifft. Mehr nicht. Vielleicht wird die Menschheit in ihrer Entwicklung um Jahrhunderte zurückgeworfen." Erschöpft sank Asko in einen Sessel.

„Die Botschaft aus dem Würfel enthält noch mehr Angaben", sagte Si Jhul ruhig.

„Welche? Sage es mir! Auf der Stelle gehe ich los und unternehme etwas, wenn der Computer He Rares aus der Zeigerstellung auch nur die winzigste Chance ermittelt hat", sagte Asko und knirschte mit den Zähnen.

„So wie dir war uns im Zeitlabor schon ein paarmal zumute", sagte Si Jhul vorwurfsvoll. „Und deine Krankheit ist nicht neu. Es gibt mehrere Leute in unserer Forschungsgruppe, die auch mit der Schlaflosigkeit einige Zeit zu kämpfen hatten. Sie stehen heute wieder auf ihren Posten."

„Unmöglich! Wer zum Beispiel?" fragte Asko heftig.

„Zum Beispiel He Rare", sagte Si Jhul. „Er war auch schon einmal soweit, daß er mit der bloßen Faust auf die nukleare Anomalie losgehen wollte, falls wir ihm eine Tiefenrakete überlassen hätten. So ohnmächtig fühlte er sich damals."

Asko atmete ein paarmal tief durch und zwang sich zur Ruhe. „Also gut, weiter! Ich werde es auch noch schaffen, auf meinem Posten zu stehen. Nun sag schon endlich, wann das Feuer ausbricht."

„Ich hoffe, gar nicht", sagte anstelle von Si Jhul diesmal Jochen. Er hatte Si Jhul beobachtet und aus ihrem Gesicht abgelesen, daß die Situation zwar zunehmend ernst wurde, aber doch eine ausreichende Chance vorhanden war, mit der Katastrophe fertigzuwerden. Es mußte einen Grund haben, wenn Si Jhul so gefaßt blieb.

„Heute können wir schon besser als die Schuldigen in der GRUM-Zeit den Moment, an dem die Katastrophe eintritt, voraussagen, allerdings noch nicht genau genug, also noch nicht auf Tag und Stunde", sagte Si Jhul.

„Spätestens in drei Jahren ist sie da", fügte Jochen hinzu.

„Nein, viel früher", erklärte die Chrononautin.

Asko sah sie beide entsetzt an. „Und das sagt ihr so, als ob es sich um nichts weiter als den Beginn der Regenzeit handelt?"

Jochen schnaufte unwillig. In seinem Gesicht zuckte es vor

Ärger. Doch dann lachte er. Es war ein hartes, grimmiges Lachen. Si Jhul schloß unwillkürlich die Augen. Diese Entschlossenheit, die dahinter verborgen war, jagte ihr ein unangenehmes Gefühl den Rücken hinunter.

Jochen hörte unvermittelt damit auf. Seine Finger klopften einen Takt auf die Tischplatte. Dazu pfiff er ein Stückchen des Raumfahrerliedes „Roter Himmel! Dunkle Nacht!". Aber die Töne kamen so grell und so falsch heraus, daß Si Jhul auch noch eine Gänsehaut bekam.

„Ich glaube, ich weiß, was die Zeiger noch verraten", sagte er. „Und damit kommen wir dem Mega-Bowling bei. Es wäre gelacht, wenn wir das nicht schaffen würden und wenn ich dabei nicht mit von der Partie bin."

„Halt!" rief Asko. Eine Idee war in ihm aufgeblitzt. „Die Zeiger der Armbanduhren in den durchsichtigen Würfeln weisen zugleich auch auf das Atomgewicht von zwei Elementen hin!" rief er und sprang auf.

„Richtig", bestätigte Jochen und erhob sich auch. „Ich vermute noch mehr", sagte er und versetzte Asko in vergnügter Laune einen Boxhieb gegen die Schulter, so daß Asko in den Sessel zurückfiel. „Es sind die Atomgewichte zweier Elemente, mit denen der Zyklus in dem Mega-Feuer steuerbar ist."

„Das stimmt", bestätigte Si Jhul. „Si Taut hat sie mir nicht genannt, aber es könnten Bor und Kadmium sein. Unsere Wissenschaftler wissen daher nun auch, um welche Kombination nuklearer Kräfte es sich bei dem Mega-Feuer handelt; durch welche Transurane die Reaktion in der einen oder anderen Richtung beeinflußt werden kann. Vielleicht gelingt es sogar, die Prozesse zum Erlöschen zu bringen. Nur ist es uns so lange nicht möglich, an das Mega-Feuer heranzukommen, wie es in der Erdrinde steckt. Wir müssen von Schiffen aus und von den atlantischen Küsten her Maßnahmen vorbereiten, damit das Mega-Feuer nicht auseinanderbricht, sondern als Einheit in die Atmosphäre aufsteigt, ohne den Meeresboden in einer Länge von mehreren hundert Kilometern aufzureißen. Dort in der Atmosphäre lassen wir dann Kräfte einwirken, die den Glutball in den erdnahen Kosmos heben, wo wir ihn dann mit einer Injektion dieser beiden Elemente behandeln und zum Erlöschen oder wenigstens zum Zerplatzen bringen. Zur Zeit werden die Erdumlaufbahnen bereits geräumt. Die meisten Stationen werden auf die halbe Distanz Erde–Mond gebracht oder sogar auf dem Mond gelandet. Die Informationen, die Jochen und ich aus der GRUM-Zeit mitgebracht haben, helfen Ludark und anderen Wissenschaftlern, ihren Maßnahmen ganz konkrete Richtungen zu geben. Zum Beispiel sind Kleinraumschiffe gebaut worden, die zum Zeitpunkt des Aufsteigens des Magmaballs in die Atmosphäre eingreifen und ihn unschädlich machen sollen, sobald er einen ausreichenden Abstand zum Erdball hat", berichtete Si Jhul. „Übrigens, unsere Meeresfarm hat auch Order, um Südafrika herum nach Madagaskar zu fahren. Alle Meeresfarmen werden in Sicherheit gebracht. Damit ist leider die schöne Zeit auch für uns hier zu Ende."

## ASKOS ENTSCHLUSS

Asko sollte zur Besatzung eines dieser Kleinraumschiffe gehören. Als Si Jhul am nächsten Tag mit ihm darüber sprach, sagte sie: „Si Taut will den ersten Angriff auf die Magmakugel fliegen. Er hat über Professor Sirju von deiner Schlaflosigkeit erfahren und weiß, daß der Grund dafür deine Kenntnis verschiedener wichtiger Faktoren in dieser Angelegenheit ist. Dieses Wissen wäre für den Erfolg der Flugoperation mit von Bedeutung. Er würde dich deshalb gern zu seiner Besatzung zählen. Ich möchte dich im Auftrag Si Tauts bitten, einzuwilligen. Am Bau dieses Spezialraumschiffes, eines Hybridraumers, haben auch Eridaner mitgewirkt. Es wird durch symbiotische Inspiriose gesteuert. Dadurch kann man auf eine große Besatzung verzichten und braucht nur wenige Menschen ein Risiko eingehen zu lassen."
Asko überlegte lange. Kaik Hans war auf die Farm gekommen und ersetzte ihm täglich mehrere Stunden Schlaf. Asko hatte sich daher von dem schrecklichen Erlebnis auf der Rampe schon ein wenig erholt. Aber jetzt zeigte sein Gesicht erneut einen gequälten Ausdruck. Nicht die Lebensgefahr bei der Aktion mit Si Taut war der Grund dafür.

„Nein, ich kann dabei nicht mitmachen", sagte er dumpf. „Du weißt doch, daß ich durch meine Schlaflosigkeit zu abgespannt bin. Ich bin einer Inspiriose bei einem solchen Unternehmen nicht gewachsen. Zu leicht könnte mich meine Kraft verlassen, und ich würde das Unternehmen gefährden. Ich wäre bei einer solchen Aktion ein zu großer Unsicherheitsfaktor. Sogar bei meinem Projekt mit der geologischen Rakete hätte ich nur als Fahrgast mitmachen können."

Jochen saß dabei und hörte zu. Die Freundschaft zwischen ihm und Asko hatte sich in diesen Tagen, die er auf der Meeresfarm verbracht hatte, vertieft. Nicht nur die gemeinsam auf der Rampe bestandene Gefahr, sondern auch ihr gemeinsames Wissen um die Gefahr aus dem Erdmantel hatte sie einander schnell nähergebracht. Zugleich fühlte Jochen sich auch für den seltsamen Zustand der permanenten Schlaflosigkeit Askos mitverantwortlich, denn schließlich war die Ursache dafür ein Vorgang, der von Menschen seiner Zeit heraufbeschworen worden war.

„Laß Asko mit dieser Sache zufrieden, Juljanka", sagte Jochen und klatschte mit der Hand auf sein Knie. „Er hat schon genug ..." „... zu leiden" hätte er fast gesagt, besann sich jedoch, daß Asko jedes Mitgefühl für seine Situation verhaßt sein könnte. Deshalb fuhr er fort: „... dagegen anzukämpfen. Ich weiß ebensoviel wie er über diese nukleare Anomalie, wenn ich auch in anderen Dingen nicht so gut ausgebildet bin wie ihr ‚Neuzeitlichen'. Das werde ich nachholen. Es wäre angebracht, mich in die Besatzung Si Tauts aufzunehmen. Oder bin ich für euch als Vertreter der GRUM-Zeit dafür nicht vertrauenswürdig genug? Ich leite daraus jedenfalls für mich das Recht ab, dieses Problem nicht euch allein zu überlassen, sondern mein möglichstes zu seiner Lösung zu tun. Warum sollte ich nicht zur Besatzung Si Tauts gehören?" wiederholte er seine Frage.

Si Jhul schüttelte den Kopf. „Jedes Mitglied dieser Besatzung muß in der Technik der symbiotischen Inspiriose geschult sein. Dafür ist eine langjährige Ausbildung erforderlich, beinahe schon von Kindheit an. Es wird unmöglich sein, dich dafür noch zu schulen, selbst wenn die Katastrophe erst in ein bis zwei Jahren ausbrechen sollte. Dein Vorschlag ehrt dich, Jochen. Aber in unseren Augen wäre es unmoralisch, dich als unseren Gast in eine so gefährliche Aktion zu verwickeln. Es gab schon Bedenken, dich aus deiner Zeit zu holen. Du bist uns, nachdem das gelungen ist, für andere Aufgaben wertvoller. Man wird dich im Falle des Ausbruchs der GRUM-Waffe an einen sicheren Ort bringen, vielleicht sogar hinauf zum Mond."

„Und wenn das eine Forderung von mir ist, mit in erster Front zu sein? Wenn ich darauf bestehe, den Flug mit Si Taut zu machen?"

„Bestehe nicht darauf!" bat Si Jhul.

Asko war von der Selbstverständlichkeit, mit der Jochen statt seiner bereit war, die Aufgabe zu übernehmen, peinlich berührt. Er dachte: Jochen Märzbach ist stark und mutig. Er kann seine Angst besser bezwingen als ich. Was für harte und rauhe Charaktere die Menschen damals in der GRUM-Zeit doch gehabt haben! Es grenzt schon an Wunder, wenn die Menschen zu jener Zeit der beiden Weltkriege und der gestapelten Nuklearwaffen nicht immerfort angesichts dieser Gefahren niedergedrückt waren. Aber sie konnten vermutlich die Niedergeschlagenheit nur immer wieder mit entschlossenem Handeln überwinden. Wie typisch unterschiedlich allein schon Si Jhul und Jochen Märzbach an der Rampe der Roboter vorgegangen waren: Sie wollte die Gefahr durch einen Schalterdruck beseitigen. Jochen aber hatte sich direkt auf mich gestürzt, um mich zu befreien. Würde der Rat der Verantwortlichen für die Abwendung des Mega-Feuers genug mutige Leute als Besatzung für die drei Hybridraumer finden, die bisher einsatzbereit waren?

Asko merkte, daß die Chrononautin, Jochen Märzbach und auch Kaik Hans ihn abwartend ansahen. Schnell fragte Asko: „Wer außer mir soll noch mit Si Taut fliegen?"

„Drei oder vier Personen werden für eine Besatzung benötigt", erhielt er zur Antwort. „Eine davon wird Tri Quang sein. Sie ist eine erstklassige Fachkraft für symbiotische Inspiriosetechnik. Sie mag vielleicht noch nicht viel Erfahrung haben, hat aber dafür ein ausgezeichnetes Wissen und ein bemerkenswertes Talent."

„Tri Quang?" Asko richtete sich in seinem Sessel auf. Dann lagen die Dinge allerdings anders für ihn. Hinter Tri Quang konnte er nicht zurückstehen. Wenn ihr bei dem Unterneh-

men etwas zustoßen sollte, dann wollte er dieses Schicksal
mit ihr teilen.

Nun plötzlich, als er überlegte, wie Tri Quang alle Abläufe
der Inspiriose im Hybridraumer überwachen und koordinie-
ren würde, befürchtete er nicht mehr, daß ihn die Kraft der
Konzentration verlassen würde. Tri Quang würde ihm helfen, durchzuhalten. Eine so wichtige Aufgabe, die er gemeinsam mit Tri Quang lösen konnte, schlug ihn in ihren
Bann.

„Kundschafterin!" sagte er, Si Jhul unwillkürlich förmlich
anredend, „du kannst Si Taut ausrichten, daß ich bereit bin,
mit ihm und mit Tri Quang zu fliegen."

Der unruhige Ausdruck, der all die Monate auf seinem Gesicht gelegen hatte, löste sich langsam. So etwas wie Zuversicht nahm von ihm Besitz. Sein Maß der Angst war in dieser Minute anders geworden, kleiner, unbedeutender.


## DER RHELIUMFUNKELNDE RAUMKREUZER

In aller Frühe hatte Tri Quang sich von ihrem Lager erhoben
und war durch die weiten Wohnräume des Hauses gegangen.
Es war dort überall so still, daß man glauben konnte, Asko
sei wieder da, und alle nähmen auf ihn Rücksicht, weil er
der Ruhe bedurfte. Aber Asko war nicht zurückgekommen.
Die Stille rührte von dem bleiernen Schlaf her, in dem jeder
hier im Haus lag. Tri Quang setzte deshalb die Füße leise,
um die Schläfer nicht zu wecken. Alle waren erschöpft von
den unaufhörlichen Wachen, die in den letzten Wochen verstärkt tief unten in der Meßbasis an den Moho-Komplexen
erforderlich geworden waren.

Schon bald nach ihrer Rückkehr aus dem Tiefseewerk hatte
das Epizentrum zu grollen angefangen. Seitdem regte es sich
fast täglich, einmal schwächer, das andere Mal stärker.
Manchmal erreichten leichte Erschütterungen als Ausläufer
dieser Beben sogar auch schon die Küste.

So glücklich bei der Arbeit wie damals, als der letzte Barren
Rhenium von der Flotationsstrecke ausgeworfen wurde und
Tri Quang einen nach dem anderen aus dem NETZ entließ,

war die Gruppe schon lange nicht mehr gewesen. Diese frohe Stimmung war nicht von langer Dauer gewesen; das Grollen der Seebeben hatte sie vertrieben und sorgenvolle Gesichter zurückgelassen.

Tri Quang war heute spät in der Nacht aus dem Tunnel gekommen. Sie hatte die Ablösung für den Moho-Komplex geweckt und sich dann niedergelegt. Aber der Schlaf war unruhig gewesen. Deshalb war sie in aller Frühe aufgestanden und leise durch die Hallen hinaus auf die Terrasse gegangen. Sobald sie ein wenig von der frischen atlantischen Brise geatmet hatte, wollte sie wieder in die Meßbasis hinabfahren und hören, ob sich die Situation erneut verändert hatte.

Vor drei Wochen war eine erste starke Bebenwelle von der dünnsten Stelle des Meeresbodens ausgegangen und um den Erdball gelaufen. Damals hatte sie zum erstenmal planmäßig Verbindung zu den Katastrophenstäben auf allen Kontinenten aufgenommen, die erst kürzlich auf Weisung von O'Rell gebildet worden waren. Aber es hatte Schwierigkeiten gegeben, weniger in der Gruppe und im Meßbunker, sondern bei den Katastrophenstäben, die auf einen solchen Alarm noch nicht gefaßt gewesen waren. Ein paar Tage später, bei der nächsten Bebenwelle, hatte sich die Kommunikation zwischen Meßbunker und den Stäben schon besser eingespielt. Jetzt bestand Dauerkontakt und Dauerbereitschaft.

Ihr Werk nahe dem Mendele-Tief im Südatlantik war von den Bebenserien zerstört worden. Die dünnste Stelle des Meeresbodens über dem flüssigen Magma der Tiefe war in Bewegung geraten. Doch bis jetzt hielt sie noch dem Druck aus dem Erdmantel stand. Vielleicht beruhigte sich der Bebenherd bald wieder.

Das helle Licht der Morgensonne paßte nicht zu den Sorgen, die Tri Quang hatte. Bedrückt stand sie an der Balustrade hinter den Dünen, lauschte auf den unruhigen Wellenschlag des Atlantiks und auf das Rascheln der Palmenschöpfe im Wind. Sie dachte an Asko. Unbewußt knüpfte Tri Quang dabei ihr dünnes Halstuch auf und nahm es in die Hand. Mehr als zum Tunneleingang und zum Moho-Pult drängte es sie allerdings, barfuß durch den Sand des Strandes zu stapfen. Sie blickte zum Haus zurück und hielt nach Gesellschaft für diesen Spaziergang Ausschau. Aber wer nicht unten vor dem

Moho-Pult stand, lag in bleiernem Schlaf. Im Haus regte sich zu dieser frühen Morgenstunde noch nichts. Nur die beiden Gibbons Aka Aki und Aki Ol hangelten sich spielerisch durch das Geäst einer Baumgruppe nahe dem Haus.

Tri Quang fühlte deutlich, wie sie auf dem besten Wege war, in die Fußstapfen Askos und seiner Ruhelosigkeit zu geraten. Als die Bebenstöße in den letzten Tagen immer häufiger auftraten, hatte man das Signal für Askos Armbandempfänger ausgesandt, dem er hätte folgen und heimkehren müssen. Bis jetzt war er jedoch nicht gekommen, aber die Kaiks hatten berichtet, er sei mit Leuten vom Zeitlabor zusammengetroffen und dann für ein paar Tage verreist. Niemand konnte Auskunft geben, welches Ziel Asko gehabt hatte. Vielleicht wußte das ein Schlafloser selbst nie so genau. Gru Kilmag hatte aber gestern, als er in Mos-A-Dreles gewesen war, gehört, daß Asko bei den Eridanern auf dem Mauna Kela gesehen worden war. Doch das konnte auch nur ein Gerücht sein. Seitdem Mos-A-Dreles nach ihrer Evakuierung eine fast leere Stadt war, gab es dort die unsinnigsten Gerüchte aller Art. Es erschien Tri Quang unwahrscheinlich, daß Asko von den Eridanern gerufen worden war.

Tri Quang wollte eben auf den Tunneleingang zugehen, als ihr Blick noch einmal über die Weite des Meeres glitt, auch den sattblauen, wie reingewaschenen morgendlichen Tropenhimmel streifte und dabei an einem spiralenden Ballonmond haftenblieb. Doch der vermeintliche Kleinmond löste sich in raschem Flug aus seiner einsamen Höhe und stürzte in steiler Bahn herab. Der Flugkörper kurvte dann vom Meer herein und nahm direkten Kurs auf das Haus. Soweit dies bei der großen Entfernung zu erkennen war, handelte es sich um einen jener linsenförmigen Flugkreisel, wie sie von der Raumflotte für den Pendelverkehr zwischen der Erdoberfläche und den Raumstationen auf der Erdkreisbahn benutzt wurden.

Gespannt sah Tri Quang der Landung zu. Der Diskus ging auf der Rasenfläche vor dem Haus nieder und federte tief durch, als die Elastikstützen den Boden berührten. Eine einzelne Gestalt erschien im Ausstieg, sprang herab und kam mit ruhigen Schritten näher. Sie beobachtete, als sie auf halbem Weg kurz einmal stehenblieb, Aka Aki und Aki Ol, die aus ihren Bäumen geflüchtet waren und über Stangen, die extra für sie am Mauerwerk befestigt worden waren, das Dach des Hauses erreicht hatten. Aus dieser sicheren Entfernung sahen sie großäugig auf den Fremden herab.

Dann bemerkte der Fremde Tri Quang. Sie stand neben einem Pfeiler der Balustrade. Leicht hob er die Hand und machte mit ihr das Zeichen des Gastes. Tri Quang nahm ihr hauchdünnes Halstuch in die andere Hand und ging zögernd auf ihn zu. Auf den Stufen der Terrasse trafen sie zusammen. Das kurzgeschorene Haar des Besuchers schimmerte in einem hellen, seidigen Violett. Er hatte ein markantes Gesicht mit klug blickenden Augen. Im Hintergrund zu seiner Gestalt funkelte die Oberfläche des Raumfahrzeuges in einem kalten, harten Glanz. – Der Gast begrüßte sie freundlich. „Du bist Tri Quang, die neue Leiterin dieses Makrogens, nicht wahr?"

Tri Quang erwiderte den Gruß. Sie war erstaunt, daß er ihren Namen wußte. Der Fremde kam ihr bekannt vor. Ihr fiel nur nicht gleich ein, wo sie ihm begegnet sein könnte.

„Ich bin Si Taut", sagte der Gast. „Gru Kilmag bat vor einer Stunde beim Zeitlabor um Rat. Im Atlantik bröckelt es stärker, berichtete er mir. Ich muß nachher zu ihm in den Moho-Bunker gehen und die Meßwerte studieren."

Tri Quang trat einen Schritt zurück. Die Nachricht von der zugespitzten Lage im Bebenzentrum und der Name des Mannes beunruhigten und verwirrten sie gleichermaßen. Sofort wußte sie auch, warum ihr der Gast bekannt erschienen war. Sie kannte ihn vom Weltfernsehen her, denn Si Taut zählte zu den bekanntesten Wissenschaftlern, und seine Gefährtin Si Jhul war die Chrononautin, die in die GRUM-Zeit geschickt worden war und die erst kürzlich aus der Vergangenheit zurückgekehrt war.

„Es muß schlimm stehen, wenn du sofort zu uns gekommen bist", sagte Tri Quang, als sie sich gefaßt hatte.

Si Taut winkte beschwichtigend ab. „Die dünnste Stelle des Meeresbodens gibt den Menschen schon seit einigen Generationen zu denken", erwiderte er. „Erlaube, daß ich für ein paar Tage euer Gast bin. Danach werden wir wissen, ob wir Grund zur Sorge haben müssen. Ich denke, daß ich bis dahin das Moho-Pult gründlich genug kennengelernt und beobachtet habe."

„Sei willkommen in unserer Gruppe", sagte Tri Quang und lud ihn ein, mit ihr ins Haus zu gehen. „Man wird genauso wie ich von deinem Besuch überrascht sein."

Aka Aki und Aki Ol kreischten auf und hüpften aufgeregt an der Dachkante hin und her.

Insgeheim schüttelte Tri Quang über Gru Kilmags Kühnheit, gleich solch eine bekannte Persönlichkeit wie Si Taut über die Lage im Atlantik zu verständigen, den Kopf. Wahrscheinlich hatte er das auch nur getan, weil er vielleicht neue Richtlinien vom Koordinierungsbüro Ludarks erhalten hatte und darin bei gewissen Anzeichen vorgesehen war, das Zeitlabor zu verständigen.

„Ich bringe dir Nachricht von Asko", sagte Si Taut. „Er hat unseren Gast aus der GRUM-Zeit, Jochen Märzbach, kennengelernt. Sie beide bereiten sich auf eine wichtige Aufgabe vor. Ich berichte dir nachher noch mehr davon, denn auch du sollst in diese Aufgabe mit einbezogen werden."

Tri Quang und Si Taut erreichten das Portal, das vor ihnen mit seinen schweren Flügeln lautlos aufschwang. Ehe Si Taut über die Schwelle trat, wandte er sich noch einmal um und wies auf den Flugkreisel. Sein Rumpf schimmerte weißlich und metallen im frühen Tageslicht. Auf seiner Schattenseite hatten sich Reif und Eis gebildet, Anzeichen dafür, daß er ungewöhnlich starke Kühlaggregate besaß, die selbst im abgeschalteten Zustand viel Wärme aus der Luft der Umgebung absorbierten. Dampfend kondensierten neblige Schwaden rings um den Flugapparat und sanken auf das Gras der Wiese.

„Sein Rumpf ist von einem dicken Rheliumpanzer bedeckt", sagte Si Taut und legte seine Hand auf die Schulter Tri Quangs. „Es ist das Verdienst auch deiner Gruppe, wenn ich den Flugkreisel schon heute mitbringen und hier stationieren kann. Ich danke dir und deiner Gruppe für die Erfüllung des Auftrages im Tiefseewerk. Es war eine gute Leistung. Dieser Hybridraumer mit seinem Rheliumpanzer wird ein wichtiges Mittel sein, unsere Welt vor der Gefahr aus der Epoche des GRUM zu schützen. Seit dem hundertjährigen Strahlungssturm hat es keine größere Gefahr für die Erde gegeben als diese. Die Weltbevölkerung wird von heute mittag an über diese Gefahr und die Maßnahmen dagegen unterrichtet werden."

Sie betraten das Haus. Tri Quang begriff noch nicht, warum der Flugkreisel hier stationiert werden sollte. Raumflüge auszuführen, das gehörte eigentlich noch nicht zu den Aufgaben dieses Studienmakrogens. Aber offensichtlich sollte der Hybridraumer auch gar nicht in dieser Art eingesetzt werden. Vergeblich versuchte sie, die Verwendungsmöglichkeit des Flugkreisels hier bei der Gruppe zu erraten. Zwar erinnerte sie sich der erklärenden Worte Tuo Ibsos bei der vorbereitenden Beratung zur Inspiriose, wonach die Leute auf der Mondwerft Rhenium für Kleinraumschiffe mit einer thermischen Resistenz von fünfundzwanzigtausend Grad benötigten. Was aber sollte ein Kleinraumschiff mit einem solchen Hitzepanzer hier auf der Erde und hier bei ihnen an der Küste Afrikas für einen Sinn haben? Viel eher schien ihr ein solches Spezialraumschiff auf einer Terminatorstation des Merkur am richtigen Platz zu sein, denn dort war mit Flügen in die Nähe der Sonne zu rechnen.

Nachdenklich ruhte ihr Blick auf dem reifdampfenden weißfunkelnden Rheliumrumpf, der da auf der Rasenfläche vor dem Haus stand. Dann schwangen die Flügel des Portals zu und versperrten den Blick nach draußen.

Das Haus war von Kühle und Dämmerung angenehm erfüllt. Tri Quang geleitete den Gast durch die Räume. Sie wollte die Schläfer wecken, damit sie den Gast begrüßen konnten, aber Si Taut verwehrte es ihr energisch. „Laß sie ruhen und Kraft sammeln. Es könnte sein, daß noch anstrengendere Tage bevorstehen. Asko, du, der Gast aus dem GRUM und der Hybridraumer spielen dabei eine wichtige Rolle. Das Bebenzentrum im Atlantik scheint zu einer großen Gefahr zu werden; und alle, die ich nannte, werden mit mir eine Gruppe bilden, die sie abzuwenden hat und die nicht versagen darf."

# DIE MAGMAKUGEL

Es war wenige Tage danach an einem Vormittag, als die Glut der Sonnenstrahlen noch nicht ihren Höhepunkt erreicht hatte. Draußen auf den Bäumen vor dem Haus hatten sich nicht nur Aka Aki und Aki Ol eingefunden, sondern gleich die ganze Gibbonherde aus der nahen Dschungelinsel. Sie saßen ganz still und genossen den Schatten der Blätter.

Plötzlich sprangen sie mit ängstlichem Geschrei kreuz und quer durch die Äste, als würden sie von einem unsichtbaren Ungeheuer erschreckt.

Zu gleicher Zeit entstand in allen Sälen des Hauses ein Hologramm. Niemand übersah es. Das Hologramm zeigte das Abbild des Moho-Pultes. Die Warnsignale darauf flammten reihenweise. Die Mitglieder der Studiengemeinschaft schreckten hoch, hasteten laut rufend zum Portal, sprangen in Schweber, die schon heranschaukelten, und verschwanden in rasender Jagd in Richtung zum Tunneleingang. Das Haus war mit einem Schlag leer. Nur Tri Quang verharrte regungslos auf der Treppe, die in den oberen Stock führte. Ihr Blick ruhte forschend auf Si Taut.

Si Taut trat an eines der Hologramme und musterte es. Wenige Augenblicke später wurde ihm bewußt, was sich die Männer und Frauen zugerufen hatten: „Der Meeresboden bricht auf! Eine Magmakugel steigt hoch!"

Si Taut stellte ein Hologramm als Verbindung zu O'Rell her. Sobald der Weltpräsident erkennbar wurde, sagte Si Taut: „Dringlicher Rapport! Die Gefahr im Atlantik wird akut! Bereitschaftsgrad für alle Transportmittel sofort auf Stufe A ändern. Ich empfehle, umgehend die Evakuierung der atlantischen Küsten abzuschließen und mit der Evakuierung der Bevölkerung aus dem angrenzenden Hinterland der Küsten zu beginnen! Der Ausbruch des Mega-Feuers an der dünnsten Stelle der Erdkruste beginnt soeben ohne die erwarteten Vorzeichen, von den Beben der letzten Zeit einmal abgesehen. Es erweist sich, wie durch die Unterlagen aus dem GRUM vorausberechnet, als Glutkugel. Sie durchbricht derzeitig äußerst rasch den Meeresgrund. Die Meßwerte deuten darauf hin, daß dieser Magmaball, wie vorausgesagt, durch seine eigene Gravitation zusammengehalten wird. In spätestens einer Stunde werden wir wissen, ob er in diesem Zustand auf dem Meeresgrund verharren oder zur Wasseroberfläche aufsteigen wird. Wir wollen dann hoffen, daß es uns gelingt, ihn in die Hochatmosphäre und noch weiter hinauszustoßen. Der Zeitpunkt seines Auftauchens an der Wasseroberfläche ist noch nicht genau am Moho-Pult abzulesen. Dort sind schon die ersten Meßgeber ausgefallen. Ich melde mich im Abstand von zehn Minuten. – Ende!"

Ein weiteres, schon stärkeres Beben hatte die Küste erreicht und ließ das Haus erzittern. Si Taut schickte einen Roboter zum Hybridraumer, um Schutzbekleidung für Tri Quang und für sich holen zu lassen. Tri Quang hatte sich, von Si Taut eingeweiht, in den letzten Tagen in aller Eile auf ihre Aufgabe an Bord des Kreiselschiffes vorbereitet. Niemand hatte jedoch damit gerechnet, diesen und die anderen Hybridraumer schon so bald einsetzen zu müssen.

Tri Quang beobachtete konzentriert das Hologramm mit dem Abbild des Moho-Pultes. Sie überwachte, ob jeder Mann und jede Frau ihres Makrogens dort unten tief unter dem Fundament des Hauses an der Meßbasis ihren richtigen Platz einnahmen. Mit ein paar Zurufen über das Hologramm wischte sie Anzeichen von Ratlosigkeit hinweg und koordinierte das Zusammenwirken der Gruppe. Schon nach wenigen Minuten waren von der Meßbasis aus die Dauerverbindungen zu den Befehlszentren auf den sechs Erdteilen aufgenommen worden, um die Verantwortlichen der Administration ständig über die Entwicklung der Situation im Südatlantik für die Arbeit der Krisenstäbe zu unterrichten. Von diesen Berichten hing auch der Verlauf der Evakuierung ab.

„Wir verlassen jetzt das Haus", sagte Si Taut zu ihr. „Übergib Gru Kilmag die Leitung der Gruppe im Bunker und geh dann voraus. Asko ist schon unterwegs und wird in wenigen Minuten hier eintreffen. Ich muß hier noch auf den Freund aus dem GRUM warten. Er kommt aus entgegengesetzter Richtung mit Si Jhul. Ein Schweber bringt sie mit Höchstgeschwindigkeit her. In kurzer Zeit werden auch sie hier eintreffen. Bis dahin nehme ich noch einmal Verbindung mit O'Rell auf."

Asko und Tri Quang trafen vor dem Rheliumraumer zusam-

men. Sie kamen von verschiedenen Seiten. In der Einstiegs-
luke begrüßten sie sich. Noch fehlten Si Taut und Jochen
Märzbach. Jochen hatte seinen Willen durchgesetzt und
durfte mitfliegen. Der Raumkreuzer stand startbereit auf der
Wiese vor der Terrasse. Ein fahles Licht lag auf dem Land.
Vom Waldrand der Dschungelinsel löste sich ein Schwarm
von Schwebern. Die Fahrzeuge glitten dicht über dem Boden
dahin und entschwanden mit hoher Geschwindigkeit. Das
waren die Fischer des benachbarten Makrogens, unter ihnen
die beiden Kaiks. Sie hatten die Gibbons eingefangen und
brachten sie in Sicherheit. Gru Kilmag hatte sie darum gebeten, weil niemand vom Moho-Pult dafür abkömmlich war.
An diesem Küstenabschnitt gab es nur noch wenige Menschen. Aus einem Palmenhain gleich hinter dem Strand kamen Frauen und Männer hervorgelaufen. Sie warfen sich
beim Stoß einer Bebenwelle erschrocken zu Boden. Auch für
sie würden gleich Fahrzeuge kommen.
„Übrigens: Mein Bruder will sich in Kib-E-Ombo um eine
Ausbildung als Chrononaut bewerben", sagte Tri Quang zu
Asko.
Asko überlegte. Er dachte an die eigenartigen Umstände, unter denen ihre Mutter verschollen war. Es sollten dabei Männer, die aus Kugelblitzen gestiegen waren, mit im Spiel gewesen sein.
Über die makellos weiße Fassade des Hauses breitete sich
ein rubinroter Schein aus. Der Strand war schon lange menschenleer und die Brandung ohne Wellenreiter und Ba-
dende. Nur die Haifischwachen der Delphs patrouillierten
noch draußen in der Dünung des Atlantiks mit Gruppen-
sprüngen spielerisch hin und her. Waren sie nicht gewarnt
worden? Oder ignorierten sie die Gefahr? Vielleicht vertrau-
ten sie den Menschen oder sahen einfach den Flutwellen mit
besonderer Erwartung und Freude entgegen.
Wo blieb Si Taut? Und wann erschien Jochen Märzbach?
Die Sonne war im Untergehen. Das fahle, unheilvolle Licht
verschwand. Die Färbung des Horizontes zeigte diesmal nur
Rottöne und wechselte jäh in ein smaragdenes Grün. Plötzlich quoll weit draußen auf See eine Dampfkuppel auf. Ihr
entstieg sprühend eine kleine Kugel, die weißblaues Licht
ausstrahlte. Sie hatte sich dicht neben der untergehenden

Sonne aus dem Ozean erhoben.

„Das also ist er, der Glutball aus der Epoche des GRUM", flüsterte Asko. Sie winkten ungeduldig zum Haus hinüber, schlossen mit raschen Griffen ihre Anzüge, kletterten durch die Luke in das Innere des Rheliumkreuzers und drückten einander stumm die Hände. In diesem Moment kamen auch Si Taut und Jochen Märzbach auf das Raumfahrzeug zugelaufen.

„Jetzt", sagte Si Taut, sobald er als letzter an Bord gekommen war. „Wir starten."

Die Luke wurde vom Magnetrahmen wie verschweißt in ihre Fassung gezogen. Gleich danach aktivierte die Nanomatik den Antrieb. Mit leisem Rauschen stieg der Flugkörper auf und steuerte nach einer engen Kurve selbständig direkt auf die kleine sprühende Kugel zu. Weißlich schimmerte das glatte Metall des Rheliumpanzers, dessen thermische Resistenz fünfundzwanzigtausend Grad betrug. Der Kampf gegen das Mega-Feuer konnte beginnen.

Durch die Schräglage des Flugkörpers beim Einkurven auf den Kurs konnten sie noch einmal hinuntersehen. Dort schüttelte erneut eine Bebenwelle den Boden, denn das Haus stürzte an einer Seite ein. Asko, der Tri Quangs bedauernden Blick sah, legte seine Hand auf ihre Schulter.

„Wir werden ein neues Haus bekommen, ein noch schöneres", sagte er.

„Wird der Bunker die Erdstöße aushalten?"

„Die Meßbasis ist bebensicher", beruhigte Asko sie. „Sie ist von allen Seiten hydrostatisch abgefedert. Unserer Gruppe wird nichts passieren. Sie merken nichts von diesen Erdstößen. Das ist wegen der Seismographen sowieso erforderlich."

„Aber der Tunnel wird einbrechen und sie verschütten. Oder das Meer überflutet ihn."

„Daran ist ebenfalls gedacht. Im Bunker sind Bohrsonden vorhanden, mit denen können sie sich an die Oberfläche bringen, falls sie den Posten verlassen müssen."

Si Taut, Tri Quang, Asko und Jochen nahmen ihre Plätze ein. In ihren Gedanken hatten nur noch die große Gefahr, die aus der Tiefe des Meeres heraufgestiegen war, und ihre Aufgabe, diese Gefahr zu beseitigen, Raum. Si Tauts und

Askos Hände lagen auf dem Kommandopult bereit, notfalls in die Tastenfelder zu greifen und den Flug zu korrigieren, wenn die symbiotische Steuerung versagte. Ihre Gedankenbefehle erreichten viel schneller als ein gesprochenes Wort den großen Positronenwürfel der Nanomatik.

Jochen hatte sich weit in seinen Sessel zurückgelehnt. Er drückte eine Taste und nahm Kontakt mit Si Jhul auf, die inzwischen ebenfalls den Küstenbereich verlassen und ihren Einsatzort aufgesucht hatte. Sie beide stellten die Endpunkte einer symbiotischen Funkverbindung zwischen der Leitzentrale und dem Inspirioseteam im Hybridraumer dar. Jochen hatte in den vergangenen Wochen eine Schulung für diese spezielle Aufgabe in der NETZ-Technik erhalten und mit weniger Schwierigkeiten als erwartet die Grundlagen dafür erlernt.


## DAS MOHO-PULT SENDET NOCH

Wenn Gru Kilmag seine Brille aufsetzte, dann war das immer ein bedenkliches Zeichen. Rededa Dess und auch Sofio Lenn registrierten es mit einem kurzen Seitenblick. Sie beugten sich danach nur noch tiefer über ihre Pultabschnitte und achteten schärfer auf die Oszillogramme.

Gru Kilmag hatte eigentlich gar keinen Sehfehler. Seine Sehschärfe war höchstens um einige Dezimalstellen gemindert. Aber in dieser Situation wollte er auch den fernsten Skalenabschnitt im Raum bis ins letzte klar erkennen können. Er hatte erst vor zehn Minuten den Zentralplatz am Moho-Pult eingenommen und den erschöpften Ge Nil abgelöst.

In den schallgedämpften Sprechkojen saßen Ari Bomm, Sema Sommer, Lira Barro und Tuo Ibso. Sie kontrollierten, ob die wichtigsten Meßergebnisse einwandfrei an die Katastrophenstäbe abgestrahlt wurden, und ergänzten die Rückfragen zur Situation von dort durch mündliche Hinweise. Ihre Stimmen drangen nur wie ein leises Murmeln durch das Summen der Instrumente.

„Unser Beobachterposten ist jetzt am weitesten vorgeschoben", gab Gru Kilmag bekannt. „Wir müssen also noch möglichst lange durchhalten. Eben ist Mos-A-Dreles ausgefallen. Das Meer ist durch die Stadtmauer eingebrochen und hat die Hafenbezirke überflutet."

Mos-A-Dreles war während der Klimakatastrophen des letzten Jahrhunderts gegen den steigenden Meeresspiegel der abschmelzenden Eiskappen an den Polen durch mächtige, fünfzig Meter hohe Schildpalisaden quasi eingezäunt worden. Die Stadt hatte dahinter alle Fährnisse überstanden und zeitweise vor der zurückgewichenen Küstenlinie sozusagen ein Loch im Meer gebildet. Erst vor zehn Jahren war sie wieder Teil des Festlandes geworden, als der Meeresspiegel sich endlich normalisiert hatte. Jetzt aber waren die Schildpalisaden durch die Heftigkeit des letzten Bebens an mehreren Stellen durchlässig geworden. Das Wasser einer Flutwelle drückte durch diese Stellen wie ein Wasserfall hindurch. Die Flut sprudelte durch die leeren Straßen der evakuierten Stadt, in der nur noch einige Mannschaften technische Notdienste versahen.

„Der Megaball hat zwanzig Kilometer Höhe erreicht. Falls er jetzt zerplatzt, haben die niedergehenden Magmawolken die verheerendste Streuung", gab Gru Kilmag bekannt. „Davon unabhängig müssen wir mit einer aktivierten vulkanischen Tätigkeit rund um unseren Erdball rechnen."

„Wie steht es um die dünnste Stelle der Erdkruste?" rief Sema Sommer.

„Glück im Unglück: Sie hält", antwortete Gru Kilmag.

Asko hatte sich geirrt, als er meinte, man könne die nukleare Anomalie mit einer Tiefenrakete zähmen, dachte Gru Kilmag, weil er sich in diesem Augenblick der Debatte entsann, die sie mit ihm gehabt hatten, als er mit Jochen Märzbach und der Chrononautin einen Tag lang in der Gruppe zu Gast gewesen war. Wenn man die Anomalie im Erdmantel aus ihrem energetischen Gleichgewicht gebracht hätte, dann wäre das eingetreten, was die Mega-Schuldigen aus der Großen Umbruchzeit wahrscheinlich erreichen wollten: den Atlantik auf ein paar hundert Kilometer aufreißen. Und das Mega-Feuer wäre ganz bestimmt aus dem Gleichgewicht geraten, bevor die Mannschaft einer Tiefenrakete seine nukleare Explosionskraft hätte neutralisieren können. Asko war nur schwer zu überzeugen gewesen. „Wenn irgendwie möglich, wollen wir weder einen kilometertiefen Bruch im Erdmantel noch Magma am Himmel", hatte Rededa ihm gesagt. Gewiß, dieses Ziel hatte er auch vor Augen. Aber mit Tiefenraketen tappte man blind auf dieses Ziel zu, während man auf einen Magmaball in der Stratosphäre gut vorbereitet war und von allen Seiten einwirken konnte. Und das hatte Asko schließlich einsehen müssen. Si Taut hatte bei der ganzen Debatte kein Wort sagen müssen. Die Gruppe hatte selbst das Konzept des Weltforschungsrates erfaßt und vertreten.

Mit einem raschen Blick überflog Gru Kilmag alle Anzeigen seines Hauptpultes. Der Erdball war in Aufruhr. Die Vulkane in Feuerland flammten ebenso auf wie der Ätna und der Vesuv oder die Kljutschewskaja Sopka samt seinen anderen siebenundzwanzig Vulkanen auf Kamtschatka. Auch die Geysire in Island und im Yellowstonegebiet verstärkten ihre Tätigkeit beträchtlich.

Eine neue Meldung traf ein: „Die Eridaner haben ihre Kraterstadt im Mauna Kela auf Hilo Ha Waia geräumt", informierte Lira Barro die Gruppe. „Ihr Berg schweigt noch, aber sie wollen es natürlich nicht darauf ankommen lassen." Lira stand in Verbindung mit dem pazifischen Operativstab. „Einen großen Teil ihrer Ausrüstung haben sie in der Kraterstadt gelassen. Sie werden sie abschreiben müssen. Aber ihre heimatlichen Pflanzen aus Oasis Vitra und Oasis Sandra haben sie mitgenommen. Man hat sie unterstützt und ihnen Luftschiffe quasi als fliegende Gewächshäuser geschickt."

„Ich hatte gerade He Rare im Hologramm", berichtete Tuo Ibso. „Im Gebiet von Kib-E-Ombo spürt man praktisch überhaupt keine Erschütterungen. Dort ist alles ruhig. Die Bevölkerung und die Evakuierungsgäste halten sich vor der Stadt im Freien auf."

„Das ist nicht so wichtig", unterbrach ihn Gru Kilmag nervös. „Du sollst uns nur entscheidende Informationen geben."

„Richtig. Entschuldige. Aber das ist wichtig: He Rare bat uns, auf Erscheinungen zu achten, die an Kugelblitze erinnern. Er hält es für möglich, daß gerade hier bei uns im Bereich des Moho-Pultes, also über unserem Bunker, Chrononauten aus dem nächsten Jahrhundert auftauchen, die uns aus der Klemme helfen, falls wir hier in Schwierigkeiten kommen. Die Zeitspirale in Kib-E-Ombo ist völlig von Transfer-Potentialen überlastet, die aus dem Minusbereich des Zeitfeldes stammen. Ihre Zielfrequenzen liegen alle in der Gegenwart."

Sie hatten alle für einen Moment die Köpfe gehoben und blickten staunend auf Tuo Ibso, so als hätte er ein neues Weltwunder verkündet, was in gewisser Hinsicht natürlich auch zutraf.

„Na gut, wir werden uns Mühe geben, nicht in Ohnmacht zu fallen, wenn hier Chrononauten auftauchen", sagte Gru Kilmag. „Aber jetzt konzentriert euch wieder, macht weiter", befahl er. „Werden die Warnbojen standhalten, und werden sie uns die Flutwellen melden?" fragte er Parola am Pult gleich nebenan.

Parola verzog ihr Gesicht hastig zu einem schnellen Lächeln. „Die Großbojen wirft kein Orkan und keine Flutwelle um", sagte sie. „Sie ragen nur sieben Meter über die Wasseroberfläche, aber sie liegen achtzig Meter tief im Wasser. Die stehen also wie in Beton gegossen und schwanken höchstens um ein paar Zentimeter", schwor sie. „Keine Bange. Die Flutwarnungen bekommen wir gut herein. Die Hauptwelle ist sowieso erst im Entstehen begriffen und hat sich noch nicht weit vom Epizentrum entfernt. Das dauert einige Zeit, bevor sie die tausendfünfhundert Kilometer bis zu uns bewältigt hat."

Wenn es so weitergeht wie bisher, dann werden wir die Gefahr bannen, dachte Gru Kilmag. Mos-A-Dreles war die einzige große Stadt, die an der westafrikanischen Küste schlimme Schäden erlitten hatte. Sonst waren nur hier und dort entlang der Küste vereinzelte Gruppen von Hochhäusern eingestürzt. Doch noch war die große Flutwelle nicht da. Wie hoch würde sie sein? Durch sie würden die meisten Schäden erst noch entstehen, auch auf der südamerikanischen Seite des Atlantiks.

Rededa trat an ihn heran. „Wie mag es jetzt Asko, Jochen Märzbach, Tri Quang und Si Taut ergehen?" fragte sie leise. „Ob sie noch leben?" Dabei warf sie einen furchtsamen Blick auf einen der Außenbildschirme, auf dem der Magmaball in großer Ferne über dem Atlantik am Himmel stand.

„Ich kann es dir nicht sagen", gab ihr Gru Kilmag ebenso leise Bescheid. „Die Flugoperationen der Hybridraumer überwacht die Raumflotte. Davon sickert nichts in unsere Kommunikationsverbindungen hinein. Für den Kontakt zu den Hybridraumern hat die Raumflotte spezielle Frequenzen, an die wir nicht herankommen. Nach meiner Schätzung ist das GRUM-Feuer jetzt rund einhundertachtzig Kilometer hoch. Damit ist für uns auf der Erde die größte Gefahr vorbei. Aber für Si Taut, Jochen Märzbach, Asko und Tri Quang könnte das der Zeitpunkt sein, zu dem sie mit ihrem Raumer den ersten Angriff versuchen."

Gru Kilmag schaute sich kurz um, ob auch niemand sah, daß er mit Rededa flüsterte. Dann legte er den Finger zum Zeichen des Schweigens auf die Lippen. „Ich habe Sofio Lenn gebeten, in Inspiriosekontakt mit Si Jhul zu treten. Sie gehört mit zu der Operativgruppe, die die Verbindung zum Hybridraumer besorgt. Vielleicht erfahren wir, wie es um Si Taut und seine Besatzung steht."

Bei den Meßtafeln an der Wand wurde mit einem Schlag ein ganzes Feld dunkel. Die automatischen Meßwertgeber eines Küstenabschnittes waren ausgefallen. Sie hätten am längsten funktionieren müssen, weil sie vom Epizentrum am weitesten entfernt waren.

Odetta blickte auf und runzelte die Stirn. „Das gefällt mir nicht", murmelte sie. Odetta sandte ein Signal aus und aktivierte damit Robotergruppen, die den Ausfall der Meßpunkte wettmachen sollten. Da aber diese Meßpunkte bis zu tausend Meter vor der Strandlinie im Meer installiert waren, gab sie auch noch ein Signal, das für die Delphs bestimmt war, denn ohne ihre Hilfe würden die Roboter die Meßpunkte nicht inspizieren können.

Einige andere Meßfelder zeigten schon seit über einer Stunde nichts mehr an. Aber das war in diesem Fall normal, denn sie lagen unweit des Epizentrums und waren daher bald zerstört worden. Hier genügten ersatzweise dafür die Meldungen der Satelliten über den tektonischen Zustand des Meeresbodens im Südatlantik. Solche Angaben waren zwar nicht übermäßig präzise, jedoch ausreichend. Der Hauptrechner des Moho-Pultes wertete sie aus und speiste die Ergebnisse dem Meldesystem ein.

Sofio Lenn kam aus dem Nebenraum zurück. Ihm war die Verbindung zu Si Jhul geglückt. Es brauchte jetzt kein Geheimnis mehr daraus gemacht zu werden.

„Also", sagte er und preßte die Hände gegen die Schläfen. Sie sahen es alle, daß er eben einen Inspiriosekontakt über das Computerfernnetz gehabt hatte – über diese Distanz eine gewaltige Leistung. Und das hatte er ganz allein geschafft. „Also", wiederholte er noch einmal. „Nachricht vom Raumkreuzer: Vor zwei Minuten war dort noch alles wohlauf. Aber der erste Anflug war vergeblich, sagte Si Jhul. Sie versuchen es jetzt noch einmal. Durch die hohe Ionisation ihrer Umgebung sind sie nur mit scharfen Impulsen extrem kurzer Wellen zu erreichen. Auch bei der Raumflotte weiß man im Augenblick nicht mehr, als daß der KEIL, den der Hybridraumer mit der Injektion an den Magmaball herangetragen hat, nicht eingedrungen ist. Und das ist ein übles Zeichen. Ich glaube, es steht schlimm um den Erfolg des gesamten Unternehmens."

Gru Kilmag wiegte den Kopf hin und her. Er konnte es sich gut vorstellen, in welcher Situation ihre Freunde im Hybridraumer waren und wie durch das Abschmelzen des Schutzmantels eine Plasmawolke hoher Intensität um den diamantharten Rheliumpanzer dieses schnellen Flugkörpers entstanden war. Ebenso waren ihm die ratlosen Gesichter der Leute im Kommandostab der Raumflotte vorstellbar, die sie machten, als das Signal vom Mißerfolg des ersten Anfluges durchdrang. Jeder Rat und jeder Befehl waren da nutzlos. Alles hing davon ab, welche Entscheidung man an Bord des Hybridraumers traf. Asko, Jochen Märzbach, Si Taut und Tri Quang waren auf sich allein angewiesen. Von ihrer richtigen oder falschen Entscheidung hing ab, ob es eine Katastrophe gab mit weltweiten Auswirkungen oder ob die Folgen, die der Aufstieg des Magmaballs aus dem Meer mit sich brachte, in gewissen Grenzen gehalten werden konnten.

Sofio Lenn nahm den Platz von Ari Bomm in einer Kontaktkabine ein. Dafür wurde Ari Bomm für seine eigentliche Arbeit frei. Er war der Geodynamiker der Gruppppe. Rasch setzte er sich an den Computer und handhabe die Tasten des Eingabewerkes. Er tat das, um eine Hochrechnung zu wagen und eine Grobprognose für den Umlauf der stärksten

Bebenwellen um den Erdball aufzustellen. Ari Bomm war nicht der einzige Geodynamiker, der das tat. Gleich ihm gab es noch Fachleute in verschiedenen Bebenwarten, überall auf der Erde verteilt, die alle miteinander in Verbindung standen und die die Ergebnisse ihrer Berechnungen miteinander verglichen. Es galt, die von den Kreuzungspunkten der Bebenwellen gefährdeten Gebiete und Städte so schnell als möglich zu warnen. Ari Bomm am Moho-Pult besaß von allen Geodynamikern die genauesten Werte von der seismisch intensivsten Stelle. Seine Angaben waren die wichtigsten.

Schon bald gab Ari Bomm ein Zeichen, damit ihm alle zuhörten. „Der Computer rechnet noch, aber es zeichnet sich folgendes Bild ab", sagte er. „Die geothermischen Tiefenstufen mit ihren Falten und Flexuren sind zwar im Bereich des Epizentrums extrem verändert worden, aber die Tektonik insgesamt ist weniger von dem Durchbruch des nuklearen Phänomens aus der GRUM-Zeit beeinflußt worden als erwartet. Die Magmazone in rund fünfzig Kilometer Tiefe hat die beiden Hauptstöße zufriedenstellend überstanden. Es scheinen zwar ein paar neue Klüfte und Verwerfungen entlang verschiedener uns schon bekannter Spannungslinien entstanden zu sein, aber sonst können wir für Europa und für Zentralasien eine relative Erdruhe im Verlaufe der nächsten Stunden und Tage voraussagen. Schlimmer ist es um die schmale Landbrücke von Mittelamerika bestellt. Dort sind die Auswirkungen noch nicht überschaubar. Das bezieht sich ebenso auf den Golfstrom und damit auf die zukünftige Klimalage in Europa. Im Bereich der zentralatlantischen Bodenschwelle ist im Augenblick ein Ansteigen des Meeresbodens zu beobachten. Diese Hebung und eine Öffnung in der mittelamerikanischen Landbrücke muß dann natürlich Auswirkungen auf die Wasserzirkulation in der Karibischen See und damit auf das Verhalten des Golfstromes haben. Eine weitere Auswirkung könnte im Gebiet des zentralafrikanischen Grabenbruchs eingeleitet werden. Durch eine Abspaltung von Tanganjika und Sansibar könnte ein Golf entstehen, der tief nach Afrika einschneidet und der die dortige Kette von Großseen verschluckt."

Gru Kilmag hob die Hand. Er hatte Verständnis dafür, wenn Ari sich in seinem Element fühlte. Aber diese Einschätzung genügte erst einmal. „In einer halben Stunde müssen die detaillierten Voraussagen für die Erschütterungen der Erdoberfläche fertig sein, vor allem für das Gebiet rings um den Südatlantik", ordnete er an. „Also an die Arbeit."

In diesem Moment stieß Parola einen kleinen Schreckensschrei aus und deutete auf einen ihrer drei Außenbildschirme. Es war jener, der bisher den Glutball des Mega-Feuers am Himmel gezeigt hatte. Dort war jetzt zu sehen, wie dieser Ball zwar gemäß den Vorausberechnungen durch die Injektion des Hybridraumers erlosch, zugleich aber Glutteile absprangen und bis hinauf in den Van-Allen-Gürtel geschleudert wurden. Im gleichen Augenblick summten bösartig die Alarmtöne an den Kommunikationsgeräten. Wie daraus ersichtlich wurde, waren sämtliche Funkverbindungen wie bei einer unerhört starken Sonnentätigkeit erloschen. Das war sicherlich eine Folge der abgesprengten Glutteile. Nur die alten Kabelverbindungen funktionierten noch, aber nur bedingt, weil sie schon vor Stunden bei den stärkeren Erdstößen in Mitleidenschaft gezogen worden waren.

Erschrocken dachte Gru Kilmag: Wenn wir nicht unsere Angaben über die voraussichtlichen Beben der nächsten Stunden verbreiten können, werden viele Städte unvorbereitet von Erschütterungen überrascht werden. Im gleichen Augenblick sprangen die Warnlichter an den Kommunikationspulten von Rot auf Grün zurück. Der Funkverkehr war wiederhergestellt, obwohl die äußeren Einflüsse, die die Störungen bewirkten, noch vorhanden waren. Die Erklärung dafür war auf den Bildschirmen zu erkennen, die die Umgebung des Tunneleingangs und die Landschaft über dem Meßbunker zeigten: Dort waren vier Gebilde zu sehen, die Ähnlichkeit mit Kugelblitzen hatten. Sie schwebten etwa einen Meter über dem Boden. Aus ihnen kamen eilig Leute herausgeklettert, die mit flinken Griffen eine Apparatur zusammensetzten. Offensichtlich war es diese Anlage, die die Funkimpulse aus den Antennen des Moho-Bunkers aufnahm, umformte und trotz der weltweiten Störung des Funkverkehrs einwandfrei weitergab. Binnen weniger Augenblicke verschwanden die vier Zeitkapseln wieder.

Die Antennen des Moho-Bunkers waren in den nächsten Stunden auf dem ganzen Erdball die einzigen, die Signale ausstrahlten, bis die Ionisierung abgenommen hatte.

„Das war Hilfe zur rechten Zeit", murmelte Gru Kilmag.

„Das müssen Zeitreisende gewesen sein!" rief Parola überflüssigerweise ganz aufgeregt. „Schade, daß sie schon wieder fort sind."

Gru Kilmag faßte sich zuerst. Er zog eines der Mikrophone heran und sagte: „Achtung, Katastrophenstäbe. Hier spricht das Moho-Pult! Wir senden noch! Keine Beben mehr im Zentralatlantik. Umlaufende Stoßwellen bleiben ohne Auswirkungen auf Europa. Nordamerika und Zentralasien bleiben ebenfalls ohne größere Gefahr. Nachfolgend unsere Koordinaten für gefährdete Gebiete mit den Angaben über Bebenstärken und Uhrzeit der Beben. – Achtung! Moho-Pult sendet noch! Abklingende Bebentätigkeit. Keine Ausbrüche mehr im Zentralatlantik. Nachfolgend unsere Koordinaten für die Kreuzungspunkte der umlaufenden Bebenwellen …"

Das Erscheinen einer Gruppe von Chrononauten erwähnte er nicht; das war so lange unwichtig, wie die abgesprengten Magmawolken noch am Himmel standen und der Kampf gegen das Erbe aus der GRUM-Zeit noch nicht zu Ende war.


MAGMA AM HIMMEL

Der Hybridraumer jagte mit steigender Geschwindigkeit in geringer Höhe über den Ozean dahin. Seine vier Insassen blickten durch das Panzerglas nach draußen. Die breite Dünung unter ihnen war zu einer grauen Riffelfläche zusammengeschrumpft.

Es ist nicht gewiß, ob wir von diesem Flug lebend zurückkehren, vernahm Asko über den Ring einen Gedanken. Er war von Si Taut gekommen.

Asko war ein wenig nervös. Ich bin aufgeregt, gab Asko zu verstehen. Helft mir, mich wieder zu konzentrieren.

Ich kann das nur, wenn mir Tri Quang als Psychologin dabei hilft und wenn sie dazu eine Blockierung der Emotionen erlaubt, antwortete Si Taut.

Tri Quang blendete sich ein. Und die Gefahr der Emostarre,

die ihm dann drohen könnte und lange Zeit seine Gefühle unterdrückt? gab sie zu bedenken.

Sie darf nicht eintreten, war Si Tauts Gedanke. Du bist unser Koordinator bei der Inspiriose, und du mußt ihn unter deine Emotionskontrolle nehmen, dann merkst du sofort, wenn es Anzeichen der Emostarre gibt. Die Blockierung ist in dem Fall sofort aufzulösen, auch wenn seine Konzentration dadurch nachläßt.

Tri Quang gab ihr Einverständnis. Sie baute zwischen sich und Asko eine Rückkopplung auf. Es gelang ihr nicht gleich, seine Nervositätsströme aufzuspüren. Als sie sie endlich herausgesondert hatte und in der Lage war, sie zu isolieren, dachte sie: Jetzt! Sieh mir in die Augen!

Die Konzentration, mit der Si Tauts trainierter Geist dabei half, die nervöse Zerfahrenheit aus Asko herauszutreiben, brannte einige Augenblicke lang in ihren Hirnen. Doch dann fühlte Asko, wie eine eigentümliche Ruhe und Gelassenheit über ihn kam.

Wie ist dir zumute?

Asko vermochte nicht zu unterscheiden, von wem diese Frage gekommen war. Wie einem biomatischen Roboterknecht, antwortete er und lächelte.

Die Nervosität war wie weggeblasen. Aber sie war auf diese Weise nur für ein paar Stunden abzuwenden, länger würde Tri Quang diesen Teil seiner Bio- und Hirnströme nicht isolieren können.

Wäre dieses Gespräch wirklich in Worten geführt worden, hätte dieser Vorgang zwei bis drei Minuten gedauert. So aber nahmen die ringförmigen Antennen vor ihnen die Bioströme ihrer Gedankenimpulse wie kurze kleine Blitze auf und leiteten sie weiter. Über die symbiotische Kette war all das in wenigen Sekunden abgelaufen.

Die quellende Dampfkugel am Horizont und die kleine grelle Magmakugel nahmen, je näher der Hybridraumer kam, erstaunliche Ausmaße an. Tri Quang saß vorgebeugt in ihrem Sessel und betrachtete das Naturschauspiel. Der Dampf war zu einer hohen breiten Front geworden. Eine schäumende Flutwelle stürzte daraus hervor. Der Flugkreisel, der niedrig flog, mußte sie wie eine Wand überspringen. Dann tauchte er in die Dampfzone ein. Das letzte, was sie von der Magmakugel sahen, war, daß sie aufgehört hatte zu steigen. Eine unbekannte Kraft hinderte sie daran, weiterzuklettern und ihrem Meeresbett endgültig zu entfliehen. Wenn sie zurückfiel und dabei auseinanderbrach, würde das die denkbar größten Verwüstungen auf dem Festland zu beiden Seiten des Atlantiks hervorrufen. Das mußte verhindert werden.

Schneller! Si Taut schickte, über die Inspiriose auch mit dem Energiezentrum und dem Antrieb des Raumers verbunden, seinen Befehl aus. Das Gravitron an Bord reagierte sofort. Für kurze Zeit setzte ein Beschleunigungsdruck ein.

Für Tri Quang war die Gefahr, in der sie bei diesem Unternehmen schwebte, nicht vorstellbar und nicht vorhanden. Sie besaß nicht die Spezialkenntnisse eines Physikers, und sie hatte auch nicht wie Asko das Geheimnis dieses Feuers aus der Vorzeit in Kili-N-Airobi aufgestöbert. Sie gehörte zu der ersten Generation, die den hundertjährigen Strahlungssturm nur in seinen letzten Jahren erlebt hatte. Aber diese frühen Kindheitserinnerungen waren schon erloschen. Der Strahlungssturm existierte also nur noch vom Hören und Sagen. Ihr Leben war, von diesen ersten Kindheitsjahren abgesehen, immer gesichert verlaufen. Deshalb kannte sie keine Angst.

Achtung! Annäherung an das Epizentrum! meldete die Nanomatik.

Die Besatzung des Hybridraumers mußte sich nun intensiver auf ihre Aufgabe konzentrieren. Der Flugkreisel hing zu dieser Zeit fast senkrecht über der Stelle des Meeresspiegels, aus dem die Magmakugel aufgetaucht war. Tri Quang spürte deutlich, wie die Männer einige symbiotische Kontakte wechselten und neue Positionen im NETZ einnahmen. Unter ihr in der Pyramide schwoll das Flimmern der Rechenoperationen an. Tri Quang achtete sorgfältig darauf, daß die Männer auf ihren Positionen blieben. Sie holte sie zurück, wenn einer von ihnen bestimmten Informationen nachging und dabei zu weit in die verstrickenden Informationsströme der Pyramide hineingeriet. Über die Meßgeräte des Raumers hatten sie ihre Sinne vervielfältigt, so daß sie über das Geschehen rings um sie her ausgezeichnet informiert waren. Nur Jochen Märzbach als Neuling mußte von einem Teil der

Eindrücke noch abgeschirmt werden. Für ihn war die Flut der Daten einfach zu groß. Aber dafür war sein Wissen über das Mega-Feuer für Si Taut und Asko auf dem Umweg über die Pyramide zugänglich. Das war für dieses Unternehmen sehr wichtig.

Der Flugkreisel hatte sich im Schutz der Tausende Meter dicken Dampfschicht bis dicht unter den Feuerball herangepirscht. Er blieb so vor der unmittelbaren harten heißen Strahlung weitgehend geschützt. Die Dampfzone kühlte ihn. Der Schmelzpanzer wurde davon noch nicht belastet.

Jäh zog das Flugschiff dann über dem Epizentrum senkrecht nach oben. Die Außentemperatur schnellte in die Höhe. Die atlantische Dampfzone, die das Mega-Feuer erzeugt hatte, sank an ihren Rändern bereits wieder kondensierend zusammen. Der Magmaball stand hoch über ihnen im Bereich zwischen Stratosphäre und Weltraum. Ohne Übergang verließ der Flugkörper den Dampfdom. Die Glutkugel stand etwa achtzig Kilometer über der Erdoberfläche. Aus der Ferne war sie unscheinbar klein gewesen. Jetzt dagegen verdeckte sie ein Viertel des Himmels. Das fotoaktive Panzerglas der Kanzel färbte sich unter ihrem Einfluß sofort tiefdunkel.

Entsprechend den programmierten Sicherheitswerten kam der Hybridraumer nahe der kritischen Distanz zum Stillstand. Das Rhelium der Mantelschichten verdampfte. Schon kurz vor dem Verlassen des Dampfdomes hatten sich die Kühlaggregate heulend auf Vollast geschaltet. Das eiskalte Helium schoß mit Überdruck durch die Kühlschlangen und absorbierte aus der Kabine den größten Anteil der andrängenden Hitze. Der Fusionsmeiler für das äußere Kraftfeld des Raumers toste und orgelte.

Erdball und Magmaball waren Antipoden. Allmählich erlahmte die Kraft der einen, der kleineren Antipode, nämlich die des in der Hochatmosphäre schwebenden Mega-Feuers. Der Hybridraumer schob sich mit seinem Kraftfeld als Neutralisator dazwischen. Der Magmaball begann wieder zu steigen. Würde er den Grenzbereich zwischen Atmosphäre und erdnahem Weltraum erreichen und wie beabsichtigt erlöschen? Oder würde er doch noch auf den Planeten in Zehntausenden von Glutfetzen zurückfallen, um Städte und Landstriche zu vernichten?

# DER KAMPF GEGEN DAS MEGA-FEUER

Langsam trieb die riesige grelleuchtende Kugel aus den äu-
ßersten Grenzbereichen der Atmosphäre heraus und erreichte den erforderlichen Mindestabstand von der Erdoberfläche im Bereich des Van-Allen-Gürtels. Von den Küsten
zu beiden Seiten des Atlantiks hatten mittlerweile gewaltige
Energiestationen mit Stützstrahlen nach dem Glutball ge-
griffen. Sie trugen dazu bei, ihn weiter in den erdnahen Kosmos hinauszuschieben. Irgendwo auf diesem Wege gerieten
einige der Ballonmonde in den Wirkungsbereich der Magmakugel und zerplatzten.

Dann war der Augenblick gekommen, den KEIL auf den
Glutball zu schleudern. Si Taut gab den Gedanken-Kode für
die Auslösung an die Nanomatik. Der KEIL schnellte heraus
und raste auf die Magmawolke über ihnen zu. Im gleichen
Augenblick setzte der teuflische Rücksturz ein, der ihnen
fast die Besinnung raubte. Sie mußten mit Höchstgeschwindigkeit fliehen, um den Trümmern des Magmaballs, falls
ihre Operation mißlang und er zersprang, zu entgehen.

Tri Quang trennte die Verflechtung ihrer Inspiriose und gab
auch Askos Blockierung frei. Den Rücksturz mußte das
Steuerprogramm allein bewältigen, hier war die Kontrolle
des Menschen nicht mehr erforderlich. Sie stöhnten alle vier
unter dem Schmerz der Belastung. Der Rheliumpanzer
dampfte stärker, diesmal beim Eintauchen in die dichten
Schichten der Atmosphäre.

Plötzlich schrillten Signale. Die Nanomatik fing den Sturz
ab und schraubte den Hybridraumer erneut in die Höhe des
erdnahen Weltraumes bis auf seine alte Position.

Der Magmaball stand noch immer unverändert über dem
Kreuzungspunkt der Stützstrahlen. Der KEIL war an einer
Zone unbekannter Mantelkräfte wie an einem Schild von
seinem Ziel abgeglitten und in eine entfernte Kreisbahn um
die Erde eingeschwenkt. Vom Leitzentrum der Raumflotte
kam über Jochen der Bescheid, daß die Glutkugel eine abge-
plattete Form anzunehmen begann. Das konnte nur bedeuten, daß sie in immer raschere Rotation geriet und von ihren
eigenen Fliehkräften zerrissen werden würde. Das durfte
nicht geschehen.

Noch einmal bauten Si Taut, Tri Quang und Asko eine Inspiriose mit einem abgeschirmten Seitenteil zu Jochen Märzbach auf. Ein neuer KEIL wurde schußbereit von einer Automatik in die Katapultkammer eingeschoben. In Asko regte sich abermals Angst.

Noch einmal in die Nähe des Höllenballs? Wenn es nun wieder nicht gelingt, ihn zu neutralisieren? dachte er besorgt.

Dann werden uns andere ablösen, kam Si Tauts Gedanke. Dafür ist Vorsorge getroffen worden.

Hybridraumer zwei und drei steuern ihre Ausgangspositionen westlich und östlich des Atlantiks an, unterstützte Jochen mit einer Meldung vom Leitzentrum der Raumflotte diesen Gedankengang. Er lauschte weiter auf die Inspiriosekodes seines biofrequenten Funkverkehrs mit Juljanka. Hybridraumer zwei und drei erreichen Ausgangspositionen in einhundertdrei beziehungsweise in einhundertfünf Sekunden. Sie werden im Falle des Mißlingens unseres zweiten Anfluges ihre KEILE zugleich massiert einsetzen. Wir sollen in diesem Fall den Stützpunkt Grönland sofort anfliegen und zwei Ersatz-KEILE zuladen. Die Hybridraumer zwei und drei werden dann mit ihren Kraftfeldern den Rotationsimpuls des Magmaballs bremsen, falls auch ihre KEILE wirkungslos abgleiten. Sie werden dazu den Magmaball in einem Abstand von einhundert Kilometern entgegen dem Drehimpuls umkreisen. Es wird aber unvermeidbar sein, daß die Fliehkräfte trotz einer solchen Abbremsung Teile des Balls ablösen. Wir sollen einen solchen Moment abpassen und unsere Nachladung an KEILEN abfeuern.

In Ordnung. Aber zuerst sind wir noch einmal mit einem Anflug an der Reihe, sagte Si Taut.

Tri Quang vollzog die psychologische Rückkopplung. Si Taut half, wieder eine Blockierung um Asko zu legen. Askos Bioströme wirkten jetzt stärker auf Tri Quang ein. Ein Teil seines Angst- und Unruhegefühls prellte in sie hinein. Sie nahm diese Impulse auf und versuchte sie zu überwinden. Aber als noch das Erschrecken Si Tauts hinzukam, krümmte sie sich unter der schmerzhaften Überlastung. Trotzdem hielt sie das Inspiriose-NETZ aufrecht. Ein Blick zu den Männern hatte ihr gezeigt, daß jetzt etwas Wichtiges passierte und sie ihre volle Konzentration benötigten. Kein

Quentchen von Askos Zerfahrenheit, von einem Erschrecken oder von Kleinmütigkeit durfte ihnen bewußt werden. All diese Dinge hatte Tri Quang zu isolieren. Wenn sie dabei versagte, mißlang vielleicht auch dieser zweite Anflug, diesmal aus eigenem Unvermögen. Dazu durfte es nicht kommen.

Zugleich bemerkte Tri Quang aber auch, was für eine Stärke plötzlich von Asko ausstrahlte, so, als habe er einen konsequenten Entschluß gefaßt. Das war eine Stärke, die tief in seinem Inneren verborgen gewesen sein mußte und die sie ihm nie zugetraut hätte, seit er unter seiner Schlaflosigkeit litt.

Asko überlegte fieberhaft, wieso der Glutball den KEIL abgewiesen hatte und was dagegen unternommen werden konnte. Er durchforschte sein Wissen um das Geheimnis des Mega-Feuers und verglich es mit Jochens Wissen. Erst als er auch noch He Rares Ermittlungen über die Zeigerstellung der Armbanduhren aus den durchsichtigen Flaschenpostwürfeln der GRUM-Wissenschaftler berücksichtigte, fand er eine Erklärung. Diese Erklärung ließ Si Taut, der die Gedanken mitempfing, erschrecken. Wenn das so war, wie Asko signalisierte, dann gab es vorerst keinen Weg, die schreckliche Gefahr zu beseitigen. Die Magmakugel würde sich zwischen Mond und Erde einpendeln und von dort aus ihre Wärme und Strahlung mehrere hundert Jahre, bis ihr Energievorrat verbraucht war, auf die Erde schicken. Die Durchschnittstemperaturen auf der Erde würden dadurch um einige Grade ansteigen. In verschiedenen Bereichen der Welt konnte das zu ausgedehnten Dürrebereichen führen, zum Beispiel in der zentralafrikanischen Sahel-Zone, die schon immer seit Menschengedenken stark zur Dürre neigte.

Am besten war es wohl, sich mit den Kraftfeldern der beiden anderen Hybridraumer unter den Höllenball zu stemmen und zu versuchen, ihn bis weit jenseits der Mondbahn zu bugsieren. Allerdings würde dann der Rheliumpanzer restlos abschmelzen, und ihr Schicksal wäre besiegelt.

Doch da tat Jochen überraschend den nächsten Schritt. Sein Wissen um den Ursprung des Mega-Feuers, vielleicht auch sein Gefühl der Mitschuld am Entstehen dieses Magmaballs, das er als Zeitgenosse der Menschen aus der GRUM-Epoche hatte, ließen ihn die einzige Möglichkeit zur Lösung dieser Situation finden: den KEIL bemannt ins Ziel zu steuern! Er sprang auf, hieb auf die Öffnungsvorrichtung des Kabinenschotts und verschwand aus dem Steuerraum.

Asko lächelte grimmig. Er ahnte, was Jochen beabsichtigte. Doch wenn er Jochen gewähren ließ, lief dieser Gefahr zu scheitern. Jochen wußte einfach nicht genug über die Funktion des KEILS und seiner Führungsmöglichkeiten, um erfolgreich sein zu können. Und außerdem übersah er, daß man für eine solche bemannte Aktion unbedingt auch die Gravitationskondensatoren an Bord des Flugkreisels einsetzen und in der richtigen Sekunde anwenden mußte.

Rasch sammelte Asko seine Kräfte, kodierte blitzschnell einige Befehle an die Nanomatik und beobachtete die Reaktionen Tri Quangs und Si Tauts. Tri Quang mußte jetzt seine Blockierung und die Verkettung der Inspiriose auflösen; jetzt mußte individuell gehandelt werden.

Tri Quang leistete Übermenschliches. Sie glaubte noch immer, die beiden Männer in den Kontakten der Inspiriose halten zu müssen, auch wenn Jochen ausgebrochen war und dabei einen gefährlichen Stoß in der Pyramide verursacht hatte.

Gib auf! signalisierte Asko ihr. Quäle dich nicht mehr! Paß auf! Ich springe aus den Kontakten.

Noch benommen vom Inspiriosefeld, blinzelte Asko zum Platz neben ihm. Flüchtig streifte dabei seine Hand das Haar Tri Quangs. Dann federte Asko ebenso, wie das vor einem Augenblick Jochen getan hatte, aus seinem Sessel hoch und war mit zwei Schritten außerhalb des Steuerraumes. Hinter sich hörte er Si Taut aufspringen und schnaufen. Wollte Si Taut ihn oder Jochen daran hindern, die Handlung, zu der sie sich plötzlich entschlossen hatten, auszuführen?

Si Taut strauchelte über Tri Quang und schlug hin. Sie hatte sich ihm absichtlich in den Weg geworfen. Vielleicht aber wollte sie selbst das Wagnis unternehmen? Jedenfalls prallten Tri Quang und Si Taut zusammen. Das verschaffte Asko einen Vorsprung.

Si Taut sah Tri Quangs Gesicht. Daraus sprach große Bewunderung für den plötzlichen Mut Askos und zugleich auch tiefer Schmerz um das, was nun unweigerlich als Opfer getan werden mußte. Die plötzliche Erkenntnis, wie stark Askos Charakter in Wirklichkeit war und wie tapfer er seine Schlaflosigkeit ertragen hatte, erschütterte sie jetzt. Diese Stärke konnte nicht erst in der Einsamkeit seiner nächtlichen Wanderungen gewachsen sein, nachdem er die Gruppe verlassen hatte. Es bedrückte Tri Quang, daß sie diese Kraft nicht schon früher an ihm erkannt hatte.

Si Taut kam wieder auf die Beine. Doch zu spät.

Asko hatte schon die Katapultsonde erreicht. Sie trug den zweiten KEIL. Er stieß Jochen vom schmalen Einstieg der Sonde zurück. „Ich schaffe es besser als du. Glaub mir!" schrie er ihm zu.

Jochen taumelte zurück und fiel in die Arme Si Tauts, der neben Tri Quang im Rahmen des Schotts erschienen war. Wie eine Falltür schnellte die Hermetikplatte hervor und versperrte ihnen den Zugang zum Katapultraum.

Dann wurde der Abschuß der Sonde, diesmal bemannt, durch einen kleinen Ruck spürbar. Gleich darauf zündete das Triebwerk der Sonde und schleuderte sie auf die Glutkugel zu.

Der Hybridraumer befand sich dicht an der Grenzzone der abweisenden Mantelkräfte des Mega-Feuers. Vom Rheliumrumpf rieselten Schmelzbäche flüssigen Metalls. Wie Asko es über die Nanomatik angewiesen hatte, entluden zugleich mit dem Abschuß der Sonde die Gravitationskondensatoren ihre volle aufgespeicherte Ladung gegen diese Mantelkräfte und schlugen eine Bresche in sie. Durch diese Bresche schlüpfte die Sonde und brachte den KEIL weiter in Richtung auf das Zentrum der Glutkugel. Es galt, den KEIL nicht zu früh auszuklinken.

Kurz nachdem die Sonde mit Asko im Feuerball verschwunden war, gingen schattenartige Wellen über ihn hinweg. Das war ein deutliches Anzeichen dafür, daß sein Energiezyklus in Unordnung geriet. Dann wurde das feurige Glühen plötzlich schwach und matt. Die Wirkung der neutralisierenden Kräfte aus dem KEIL setzte ein. Der Magmaball schrumpfte unter der Einwirkung der Injektion aus regulierendem Nuklearmaterial zusammen. Sein Energiezyklus war unterbrochen. Einzelne Fetzen lösten sich ab und bildeten Glutwolken, die davon − zur Erde schwebten.

Im richtigen Augenblick stachen aus dem Amazonasdelta weitere Bündel von Stützstrahlen empor. Sie legten einen Schild unter den zerflatternden und erkaltenden Höllenball, so daß seine Trümmerstücken in den Kosmos hinausgeschoben und vom Vakuum aufgesaugt werden konnten.

Minuten später taumelte steuerlos ein winziger Flugkörper, zu dem jede Verbindung abgebrochen war, durch die Stratosphäre. Es war die Sonde, die den KEIL getragen hatte. Ihr Schutzpanzer war schlackig gebrannt und schartig zerfurcht. Blasen und erstarrte Tropfengebilde bedeckten den Rumpf.

Aus der Raumstation der Eridaner, die als einzige auf einer Kreisbahn um die Erde geblieben war, löste sich ein Schwarm von Flugkörpern. Sie zogen Askos Sonde aus den heißen zerflatternden Gasballungen der zerfallenden und erkaltenden GRUM-Waffe heraus und schleppten sie zu ihrem Stützpunkt im Orbit. Dort schafften sie Asko unter ihre Heilanlage, denn für einen Transport hinab zur Erde war keine Zeit mehr. Vielleicht gab es für ihn noch eine Chance des Überlebens.

Das verderbliche Erbe aus der Zeit des GRUM existierte nicht mehr. Ein paar Stunden lang zog die Erde nur noch eine dünner und dünner werdende Gas- und Trümmerwolke hinter sich her. Sie wurde schließlich zu einer Meteoritenschleppe, die auf eigener Bahn weit in den Kosmos hinaustrieb. Andere Teile dieser Schleppe verglühten als Sternschnuppenregen in der Erdatmosphäre. Dieses Schauspiel einfallender Funkenschwärme dauerte einige Monate. Erst dann beherrschten nur wieder das Nordlicht, der Mond und die Sterne mit ihrem farbigen Flackern und ihrem ruhigen Glanz den Nachthimmel der Menschen auf der Erde; und erst dann spiralten auch wieder die Ballonmonde in der gewohnten Anzahl um die Erde. Sie trugen die Namen berühmter Raumfahrer, die im Dienste von Erde und Menschheit Bedeutsames geleistet hatten. Nirgendwo war davon berichtet worden, aber wer aufmerksam zum Himmel sah, zählte bald einen künstlichen Mond mehr als sonst. Er war zu Ehren Askos an den Himmel geheftet worden.

Nach und nach kehrten auch die evakuierten Raumstationen auf ihre ursprünglichen erdnahen Bahnen zurück. Der

Raumflugverkehr, vor allem vom und zum Mond, normalisierte sich. Eines Tages stieg vom Hochland in Tibet eine Raumfähre auf. Sie wich von der üblichen Route ab und steuerte keinen der Hotelsatelliten, sondern die große Gaststation der Eridaner an. Von dort beobachtete ein Erdbewohner das Anflugmanöver. Bald schwebten vier Gestalten im Skaphander aus dieser Raumfähre heraus und auf die Gaststation zu. Eine Schleuse sprang vor ihnen auf. Es war zu sehen, wie sich eine der vier Gestalten recht ungeschickt unter dem ungewohnten Einfluß der Schwerelosigkeit bewegte.

Das kann nur Jochen sein, dachte Asko.

Die beiden anderen Besucher waren, wie man ihm angekündigt hatte, Si Taut und die Chrononautin. Am meisten freute sich Asko aber auf die vierte Gestalt in dem kleinen zierlichen Skaphander, auf Tri Quang.

„Nicht mehr lange, und ich kann zur Erde zurückkehren", murmelte Asko. „Das Haus und meine Gruppe warten auf mich."

Er lehnte sich mit einem tiefen Atemzug in die Kissen seines Krankenlagers zurück, wartete auf das Einschleusen der Besucher und lauschte glücklich auf die Stimmen und Schritte der Menschen, die auf dem Gang seiner Kajüte näher kamen.